SAPKOWSKI

MIECZ PRZEZNACZENIA

ANDRZEJ SAPKOWSKI

MIECZ PRZEZNACZENIA

superNOWA
Warszawa 2001

Książka została wydrukowana na papierze ekologicznym

Opracowanie graficzne Małgorzata Śliwińska
Ilustracja na okładce Bogusław Polch

ISBN 83-7054-037-6

Komputerowy skład i łamanie
LogoScript sp. z o.o., Warszawa, ul. Miodowa 10

Druk i oprawa
Wojskowa Drukarnia w Łodzi, ul. Gdańska 130

GRANICA MOŻLIWOŚCI

I

– Nie wyjdzie stamtąd, mówię wam – powiedział pryszczaty, z przekonaniem kiwając głową. – Już godzina i ćwierć, jak tam wlazł. Już po nim.

Mieszczanie, stłoczeni wśród ruin, milczeli wpatrzeni w ziejący w rumowisku czarny otwór, w zagruzowane wejście do podziemi. Grubas w żółtym kubraku przestąpił z nogi na nogę, chrząknął, zdjął z głowy wymięty biret.

– Poczekajmy jeszcze – powiedział, ocierając pot z rzadkich brwi.

– Na co? – prychnął pryszczaty. – Tam, w lochach, siedzi bazyliszek, zapomnieliście, wójcie? Kto tam wchodzi, ten już przepadł. Mało to ludzi tam poginęło? Na co tedy czekać?

– Umawialiśmy się przecie – mruknął niepewnie grubas. – Jakże tak?

– Z żywym się umawialiście, wójcie – rzekł towarzysz pryszczatego, olbrzym w skórzanym, rzeźnickim fartuchu. – A nynie on martwy, pewne to jak słońce na niebie. Z góry było wiadomo, że na zgubę idzie, jako i inni przed nim. Przecie on nawet bez zwierciadła polazł, z mieczem tylko. A bez zwierciadła bazyliszka nie zabić, każdy to wie.

– Zaoszczędziliście grosza, wójcie – dodał pryszczaty. – Bo i płacić za bazyliszka nie ma komu. Idźcie tedy spokojnie do dom. A konia i dobytek czarownika my weźmiemy, żal dać przepadać dobru.

– Ano – powiedział rzeźnik. – Sielna klacz, a i juki nieźle wypchane. Zajrzyjmy, co w środku.

– Jakże tak? Coście?

– Milczcie, wójcie, i nie mieszajcie się, bo guza złapiecie – ostrzegł pryszczaty.

– Sielna klacz – powtórzył rzeźnik.

– Zostaw tego konia w spokoju, kochasiu.

Rzeźnik odwrócił się wolno w stronę obcego przybysza, który wyszedł zza załomu muru, zza pleców ludzi, zgromadzonych dookoła wejścia do lochu.

Obcy miał kędzierzawe, gęste, kasztanowate włosy, brunatną tunikę na watowanym kaftanie, wysokie, jeździeckie buty. I żadnej broni.

– Odejdź od konia – powtórzył, uśmiechając się zjadliwie. – Jakże to? Cudzy koń, cudze juki, cudza własność, a ty podnosisz na nie swoje kaprawe oczka, wyciągasz ku nim parszywą łapę? Godzi się tak?

Pryszczaty, powoli wsuwając rękę za pazuchę kurty, spojrzał na rzeźnika. Rzeźnik kiwnął głową, skinął w stronę grupy, z której wyszło jeszcze dwu, krępych, krótko ostrzyżonych. Obaj mieli pałki, takie, jakimi w rzeźni głuszy się zwierzęta.

– Ktoście to niby – spytał pryszczaty, nie wyjmując ręki zza pazuchy – żeby nam prawić, co się godzi, a co nie?

– Nic ci do tego, kochasiu.

– Broni nie nosicie.

– Prawda – obcy uśmiechnął się jeszcze zjadliwiej. – Nie noszę.

– To niedobrze – pryszczaty wyjął rękę zza pazuchy, razem z długim nożem. – To bardzo niedobrze, że nie nosicie.

Rzeźnik też wyciągnął nóż, długi jak kordelas. Tamci dwaj postąpili do przodu, unosząc pałki.

– Nie muszę nosić – rzekł obcy, nie ruszając się z miejsca. – Moja broń chodzi za mną.

Zza ruin wyszły, stąpając miękkim, pewnym krokiem, dwie młode dziewczyny. Tłumek natychmiast rozstąpił się, cofnął, przerzedził.

Obie dziewczyny uśmiechały się, błyskając zębami, mrużąc oczy, od kącików których biegły ku uszom szerokie, sine pasy tatuażu. Mięśnie grały na mocnych udach

– Doskonale. Mam propozycję: niedaleko stąd, na rozstajach, przy drodze do portu rzecznego jest oberża. Nazywa się „Pod Zadumanym Smokiem". Tamtejsza kuchnia nie ma sobie równych w całej okolicy. Wybieram się tam właśnie z myślą o posiłku i noclegu. Byłoby mi miło, gdybyś zechciał dotrzymać mi towarzystwa.

– Borch – białowłosy odwrócił się od konia, spojrzał nieznajomemu w oczy – nie chciałbym, żeby jakieś niejasności wkradły się pomiędzy nas. Jestem wiedźminem.

– Domyśliłem się. A powiedziałeś to takim tonem, jakbyś mówił: „Jestem trędowaty".

– Są tacy – rzekł Geralt wolno – którzy przedkładają kompanię trędowatych nad towarzystwo wiedźmina.

– Są i tacy – zaśmiał się Trzy Kawki – którzy przedkładają owce nad dziewczęta. Cóż, tylko im współczuć, jednym i drugim. Ponawiam propozycję.

Geralt zdjął rękawicę, uścisnął wyciągniętą ku sobie dłoń.

– Przyjmuję, ciesząc się z zawartej znajomości.

– W drogę zatem, bom zgłodniał.

II

Oberżysta przetarł ścierką chropowate deski stołu, ukłonił się i uśmiechnął. Nie miał dwóch przednich zębów.

– Taaak... – Trzy Kawki popatrzył przez chwilę na okopcony sufit i baraszkujące pod nim pająki. – Najpierw... Najpierw piwo. Żeby dwa razy nie chodzić, cały antałek. A do piwa... Co możesz zaproponować do piwa, kochasiu?

– Ser? – zaryzykował oberżysta.

– Nie – skrzywił się Borch. – Ser będzie na deser. Do piwa chcemy czegoś kwaśnego i ostrego.

– Służę – oberżysta uśmiechnął się jeszcze szerzej. Dwa przednie zęby nie były jedynymi, których nie miał. – Węgorzyki z czosnkiem w oliwie i w occie albo marynowane strączki zielonej papryki...

– W porządku. I to, i to. A potem zupa, taka, jaką kiedyś tu jadłem, pływały w niej różne muszle, rybki i inne smakowite śmieci.

– Zupa flisacka?

– Właśnie. A potem pieczeń z jagnięcia z cebulą. A potem kopę raków. Kopru wrzuć do garnka, ile wlezie. A potem owczy ser i sałata. A potem się zobaczy.

– Służę. Dla wszystkich, cztery razy, znaczy?

Wyższa Zerrikanka przecząco pokręciła głową, poklepała się znacząco w okolice talii, opiętej obcisłą, lnianą koszulą.

– Zapomniałem. – Trzy Kawki mrugnął do Geralta. – Dziewczęta dbają o linię. Panie gospodarzu, baranina tylko dla nas dwóch. Piwo dawaj zaraz, razem z tymi węgorzykami. Z resztą chwilę zaczekaj, żeby nie stygło. Nie przyszliśmy tu żreć, ale obyczajnie spędzać czas na rozmowach.

– Pojmuję – oberżysta skłonił się jeszcze raz.

– Roztropność to ważna rzecz w twoim fachu. Daj no rękę, kochasiu.

Brzęknęły złote monety. Karczmarz rozdziawił gębę do granic możliwości.

– To nie jest zadatek – zakomunikował Trzy Kawki. – To jest ekstra. A teraz pędź do kuchni, dobry człowieku.

W alkierzu było ciepło. Geralt rozpiął pas, ściągnął kaftan i zawinął rękawy koszuli.

– Widzę – powiedział – że nie prześladuje cię brak gotówki. Żyjesz z przywilejów stanu rycerskiego?

– Częściowo – uśmiechnął się Trzy Kawki, nie wchodząc w szczegóły.

Szybko uporali się z węgorzykami i ćwiartką antałka. Obie Zerrikanki też nie żałowały sobie piwa, obie wnet poweselały wyraźnie. Szeptały coś do siebie. Vea, ta wyższa, wybuchnęła nagle gardłowym śmiechem.

– Dziewczęta mówią wspólnym? – spytał cicho Geralt, zezując na nie kątem oka.

– Słabo. I nie są gadatliwe. Co się chwali. Jak znajdujesz tę zupę, Geralt?

– Mhm.

– Napijmy się.

– Mhm.

– Geralt – Trzy Kawki odłożył łyżkę i czknął dystyngowanie – wróćmy na chwilę do naszej rozmowy z drogi. Zrozumiałem, że ty, wiedźmin, wędrujesz z końca świata na drugi jego koniec, a po drodze, jak się trafi jakiś potwór, zabijasz go. I z tego masz grosz. Na tym polega wiedźmiński fach?

– Mniej więcej.

– A zdarza się, że specjalnie cię gdzieś wzywają? Na, powiedzmy, specjalne zamówienie. Wtedy co, jedziesz i wykonujesz?

– To zależy, kto wzywa i po co.

– I za ile?

– Też – wiedźmin wzruszył ramionami. – Wszystko drożeje, a żyć trzeba, jak mawiała jedna moja znajoma czarodziejka.

– Dość wybiórcze podejście, bardzo praktyczne, powiedziałbym. A przecież u podstaw leży jakaś idea, Geralt. Konflikt sił Ładu z siłami Chaosu, jak mawiał pewien mój znajomy czarodziej. Wyobrażałem sobie, że wypełniasz misję, bronisz ludzi przed Złem, zawsze i wszędzie. Bez różnicowania. Stoisz po wyraźnie określonej stronie palisady.

– Siły Ładu, siły Chaosu. Strasznie szumne słowa, Borch. Koniecznie chcesz mnie ustawić po którejś stronie palisady w konflikcie, który, jak się powszechnie uważa, jest wieczny, zaczął się grubo przed nami i będzie trwał, gdy nas już dawno nie będzie. Po czyjej stronie stoi kowal, który podkuwa konie? Nasz oberżysta, który właśnie pędzi tu z saganem baraniny? Co, według ciebie, określa granicę między Chaosem a Ładem?

– Rzecz bardzo prosta – Trzy Kawki spojrzał mu prosto w oczy. – To, co reprezentuje Chaos, jest zagrożeniem, jest stroną agresywną. Ład zaś, to strona zagrożona, potrzebująca obrony. Potrzebująca obrońcy. A, napijmy się. I bierzmy się za jagniątko.

– Słusznie.

Dbające o linię Zerrikanki miały przerwę w jedzeniu, którą wypełniły piciem w przyspieszonym tempie. Vea, schylona nad ramieniem towarzyszki, coś znowu szeptała, muskając warkoczem blat stołu. Tea, ta niższa, zaśmiała się głośno, wesoło mrużąc wytatuowane powieki.

– Tak – rzekł Borch ogryzając kość. – Kontynuujmy rozmowę, jeśli pozwolisz. Zrozumiałem, że nie przepadasz za ustawianiem cię po stronie żadnej z Sił. Wykonujesz swój zawód.

– Wykonuję.

– Ale przed konfliktem Chaosu i Ładu nie uciekniesz. Choć użyłeś tego porównania, nie jesteś kowalem. Widziałem, jak pracujesz. Wchodzisz do piwnicy w ruinach i wynosisz stamtąd usieczonego bazyliszka. Jest, kochasiu, różnica pomiędzy podkuwaniem koni a zabijaniem bazyliszków. Powiedziałeś, że jeśli zapłata jest godziwa, popędzisz na koniec świata i ukatrupisz stwora, którego ci wskażą. Dajmy na to, srogi smok pustoszy...

– Zły przykład – przerwał Geralt. – Widzisz, od razu kiełbasi ci się wszystko. Bo smoków, które bez wątpienia reprezentują Chaos, nie zabijam.

– Jakże to? – Trzy Kawki oblizał palce. – A to dopiero! Przecież wśród wszystkich potworów smok jest chyba najwredniejszy, najokrutniejszy i najbardziej zajadły. Najbardziej wstrętny gad. Napada na ludzi, ogniem zieje i porywa te, no, dziewice. Mało to opowieści się słyszało? Nie może to być, żebyś ty, wiedźmin, nie miał paru smoków na rozkładzie.

– Nie poluję na smoki – rzekł Geralt sucho. – Na widłogony, owszem. Na oszluzgi. Na latawce. Ale nie na smoki właściwe, zielone, czarne i czerwone. Przyjmij to do wiadomości, po prostu.

– Zaskoczyłeś mnie – powiedział Trzy Kawki – No, dobra, przyjąłem do wiadomości. Dość zresztą na razie o smokach, widzę na horyzoncie coś czerwonego, niechybnie są to nasze raki. Napijmy się!

Z chrzęstem łamali zębami czerwone skorupki, wysysali białe mięso. Słona woda, szczypiąc dotkliwie, ściekała im aż na przeguby rąk. Borch nalewał piwo, skrobiąc już czerpakiem po dnie antałka. Zerrikanki poweselały jeszcze bardziej, obie rozglądały się po karczmie, uśmiechając złowieszczo, wiedźmin był pewien, że szukają okazji do awantury. Trzy Kawki też musiał to zauważyć, bo nagle pogroził im trzymanym za ogon rakiem. Dziewczyny zachichotały, a Tea, złożywszy usta jak do pocałunku, puściła oczko – przy jej wytatuowanej twarzy sprawiło to makabryczne wrażenie.

– Dzikie są jak żbiki – mruknął Trzy Kawki do Geralta. – Trzeba na nie uważać. U nich, kochasiu, szast-prast i nie wiadomo kiedy dookoła na podłodze pełno flaków. Ale warte są każdych pieniędzy. Żebyś ty wiedział, co one potrafią...

– Wiem – Geralt kiwnął głową. – Trudno o lepszą eskortę. Zerrikanki to urodzone wojowniczki, od dziecka szkolone do walki.

– Nie o to mi idzie – Borch wypluł na stół raczą łapę. – Miałem na myśli to, jakie są w łóżku.

Geralt niespokojnie rzucił okiem na dziewczyny. Obie się uśmiechały. Vea błyskawicznym, prawie niezauważalnym ruchem sięgnęła do półmiska. Patrząc na wiedźmina zmrużonymi oczami, z trzaskiem rozgryzła skorupkę. Jej usta lśniły od słonej wody. Trzy Kawki beknął donośnie.

– A zatem, Geralt – rzekł – nie polujesz na smoki, zielone i na inne kolorowe. Przyjąłem do wiadomości. A dlaczego, jeśli wolno spytać, tylko na te trzy kolory?

– Cztery, jeśli chodzi o ścisłość.

– Mówiłeś o trzech.

– Ciekawią cię smoki, Borch. Jakiś specjalny powód?

– Nie. Wyłącznie ciekawość.

– Aha. A z tymi kolorami, to tak się przyjęło określać smoki właściwe. Chociaż nie jest to określenie precyzyjne. Smoki zielone, te najpopularniejsze, są raczej szarawe, jak zwykłe oszluzgi. Czerwone faktycznie są czerwonawe lub ceglaste. Wielkie smoki o kolorze ciemnobrunatnym przyjęło się nazywać czarnymi. Najrzadsze są smoki białe, nigdy takiego nie widziałem. Trzymają się na dalekiej Północy. Jakoby.

– Ciekawe. A wiesz, o jakich smokach ja jeszcze słyszałem?

– Wiem – Geralt łyknął piwa. – O tych samych, o których i ja słyszałem. O złotych. Nie ma takich.

– Na jakiej podstawie tak twierdzisz? Bo nigdy nie widziałeś? Białego podobno też nigdy nie widziałeś.

– Nie w tym rzecz. Za morzami, w Ofirze i Zangwebarze, są białe konie w czarne paski. Też ich nigdy nie widziałem, ale wiem, że istnieją. A złoty smok to stworzenie mityczne. Legendarne. Jak feniks, dajmy na to. Feniksów i złotych smoków nie ma.

Vea, wsparta na łokciach, patrzyła na niego ciekawie.

– Pewnie wiesz, co mówisz, jesteś wiedźminem – Borch naczerpał piwa z antałka. – A jednak myślę, że każdy mit, każda legenda musi mieć jakieś korzenie. U tych korzeni coś leży.

– Leży – potwierdził Geralt. – Najczęściej marzenie, pragnienie, tęsknota. Wiara, że nie ma granic możliwości. A czasami przypadek.

– Właśnie, przypadek. Może kiedyś był złoty smok, jednorazowa, niepowtarzalna mutacja?

– Jeśli tak było, to spotkał go los wszystkich mutantów – wiedźmin odwrócił głowę. – Zbyt się różnił, żeby przetrwać.

– Ha – rzekł Trzy Kawki. – Zaprzeczasz teraz prawom natury, Geralt. Mój znajomy czarodziej zwykł był mawiać, że w naturze każda istota ma swoją kontynuację i przetrwa, takim czy innym sposobem. Koniec jednego to początek drugiego, nie ma granic możliwości, przynajmniej natura nie zna takich.

– Wielkim optymistą był twój znajomy czarodziej. Jednego tylko nie wziął pod uwagę: błędu popełnionego przez naturę. Lub przez tych, którzy z nią igrali. Złoty smok i inne podobne mu mutanty, o ile istniały, przetrwać nie mogły. Na przeszkodzie stanęła bowiem bardzo naturalna granica możliwości.

– Jakaż to granica?

– Mutanty... – mięśnie na szczękach Geralta drgnęły silnie. – Mutanty są sterylne, Borch. Tylko w legendach może przetrwać to, co w naturze przetrwać nie może. Tylko legenda i mit nie znają granic możliwości.

Trzy Kawki milczał. Geralt spojrzał na dziewczęta, na ich nagle spoważniałe twarze. Vea niespodziewanie pochyliła się w jego stronę, objęła za szyję twardym, umięśnionym ramieniem. Poczuł na policzku jej usta, mokre od piwa.

– Lubią cię – powiedział wolno Trzy Kawki. – Niech mnie poskręca, one cię lubią.

– Co w tym dziwnego? – wiedźmin uśmiechnął się smutno.

– Nic. Ale to trzeba oblać. Gospodarzu! Drugi antałek!

– Nie szalej. Najwyżej dzban.

– Dwa dzbany! – ryknął Trzy Kawki. – Tea, muszę na chwilę wyjść.

Zerrikanka wstała, podniosła szablę z ławy, powiodła po sali tęsknym spojrzeniem. Chociaż poprzednio kilka par oczu, jak zauważył wiedźmin, rozbłyskiwało nieładnie na widok pękatej sakiewki, nikt jakoś nie kwapił się wyjść za Borchem, zataczającym się lekko w stronę wyjścia na podwórze. Tea wzruszyła ramionami, udając się za pracodawcą.

– Jak masz naprawdę na imię? – spytał Geralt tę, która pozostała przy stole. Vea błysnęła białymi zębami. Koszulę miała mocno rozsznurowaną, prawie do granic możliwości. Wiedźmin nie wątpił, że to kolejna zaczepka wobec sali.

– Alveaenerle.

– Ładnie – wiedźmin był pewien, że Zerrikanka zrobi buzię w ciup i mrugnie do niego. Nie pomylił się.

– Vea?

– Hm?

– Dlaczego jeździcie z Borchem? Wy, wolne wojowniczki? Możesz odpowiedzieć?

– Hm.

– Hm, co?

– On jest... – Zerrikanka, marszcząc czoło, szukała słów. – On jest... Naj... piękniejszy.

Wiedźmin pokiwał głową. Kryteria, na podstawie których kobiety oceniały atrakcyjność mężczyzn, nie po raz pierwszy stanowiły dla niego zagadkę.

Trzy Kawki wwalił się do alkierza, dopinając spodnie, głośno wydawał polecenia oberżyście. Trzymająca się dwa kroki za nim Tea, udając znudzoną, rozglądała się po karczmie, a kupcy i flisacy starannie unikali jej wzroku. Vea wysysała kolejnego raka, co i rusz rzucając wiedźminowi wymowne spojrzenia.

– Zamówiłem jeszcze po węgorzu, pieczonym tym razem – Trzy Kawki siadł ciężko, brzękając nie dopiętym pasem. – Namęczyłem się przy tych rakach i zgłodniałem jakby. I załatwiłem ci tu nocleg, Geralt. Nie ma sensu, żebyś włóczył się po nocy. Jeszcze się zabawimy. Wasze zdrowie, dziewczyny!

– Vessekheal – powiedziała Vea, salutując mu kubkiem. Tea mrugnęła i przeciągnęła się, przy czym atrakcyjny biust, wbrew oczekiwaniom Geralta, nie rozsadził przodu jej koszuli.

– Zabawimy się – Trzy Kawki przechylił się przez stół i klepnął Teę w tyłek. – Zabawimy się, wiedźminie. Hej, gospodarzu! Sam tu!

Oberżysta podbiegł żywo, wycierając ręce w fartuch.

– Balia znajdzie się u ciebie? Taka do prania, solidna i duża?

– Jak duża, panie?

– Na cztery osoby.

– Na... cztery... – karczmarz otworzył usta.

– Na cztery – potwierdził Trzy Kawki, dobywając z kieszeni wypchany trzos.

– Znajdzie się – oberżysta oblizał wargi.

– Świetnie – zaśmiał się Borch. – Każ ją zanieść na górę, do mojej izby i napełnić gorącą wodą. Duchem, kochasiu. I piwa też każ tam zanieść, ze trzy dzbanki.

Zerrikanki zachichotały i równocześnie mrugnęły.

– Którą wolisz? – spytał Trzy Kawki. – Hę? Geralt?

Wiedźmin podrapał się w potylicę.

– Wiem, że trudno wybrać – powiedział Trzy Kawki ze zrozumieniem. – Sam czasami mam kłopoty. Dobra, zastanowimy się w balii. Hej, dziewczęta! Pomóżcie mi wejść na schody!

III

Na moście była zapora. Drogę zagradzała długa, solidna belka, osadzona na drewnianych kozłach. Przed nią i za nią stali halabardnicy w skórzanych, nabijanych guzami kurtach i kolczych kapturach. Nad zaporą ospale powiewała purpurowa chorągiew ze znakiem srebrnego gryfa.

– Co za czort? – zdziwił się Trzy Kawki, stępa podjeżdżając bliżej. – Nie ma przejazdu?

– Glejt jest? – spytał najbliższy halabardnik, nie wyjmując z ust patyka, który żuł, nie wiadomo, z głodu czy dla zabicia czasu.

– Jaki glejt? Co to, mór? A może wojna? Z czyjego rozkazu drogę blokujecie?

– Króla Niedamira, pana na Caingorn – strażnik przesunął patyk w przeciwległy kącik ust i wskazał na chorągiew. – Bez glejtu w góry nie lza.

– Idiotyzm jakiś – rzekł Geralt zmęczonym głosem. – To przecież nie Caingorn, ale Hołopolska Dziedzina. To Hołopole, nie Caingorn, ściąga myto z mostów na Braa. Co ma do tego Niedamir?

– Nie mnie pytajcie – strażnik wypluł patyk. – Nie moja rzecz. Mnie aby glejty sprawdzać. Chcecie, gadajcie z naszym dziesiętnikiem.

– A gdzie on?

– Tam, za mytnika sadybą, na słonku się grzeje – rzekł halabardnik, patrząc nie na Geralta, ale na gołe uda Zerrikanek, leniwie przeciągających się na kulbakach.

Za domkiem mytnika, na kupie wyschniętych bierwion, siedział strażnik, tylcem halabardy rysując na piasku niewiastę, a raczej jej fragment, widziany z nietuzinkowej perspektywy. Obok niego, trącając delikatnie struny lutni, półleżał szczupły mężczyzna w nasuniętym na oczy fantazyjnym kapelusiku w kolorze śliwki ozdobionym srebrną klamrą i długim, nerwowym czaplim piórem.

Geralt znał ten kapelusik i to pióro, słynne od Buiny po Jarugę, znane po dworach, kasztelach, zajazdach, oberżach i zamtuzach. Zwłaszcza zamtuzach.

– Jaskier!

– Wiedźmin Geralt! – spod odsuniętego kapelusika spojrzały wesołe, modre oczy. – A to dopiero! I ty tutaj? Glejtu przypadkiem nie masz?

– Co wy wszyscy z tym glejtem? – wiedźmin zeskoczył z siodła. – Co się tu dzieje, Jaskier? Chcieliśmy się przedostać na drugi brzeg Braa, ja i ten rycerz, Borch Trzy Kawki, i nasza eskorta. I nie możemy, jak się okazuje.

– Ja też nie mogę – Jaskier wstał, zdjął kapelusik, ukłonił się Zerrikankom z przesadną dwornością. – Mnie też nie chcą przepuścić na drugi brzeg. Mnie, Jaskra, najsłynniejszego minstrela i poetę w promieniu tysiąca mil, nie przepuszcza ten tu dziesiętnik, chociaż też artysta, jak widzicie.

– Nikogo bez glejtu nie przepuszczę – rzekł dziesiętnik ponuro, po czym uzupełnił swój rysunek o finalny detal, dziobiąc końcem drzewca w piasek.

– No i obejdzie się – powiedział wiedźmin. – Pojedziemy lewym brzegiem. Do Hengfors tędy droga dłuższa, ale jak mus, to mus.

– Do Hengfors? – zdziwił się bard. – To ty, Geralt, nie za Niedamirem jedziesz? Nie za smokiem?

– Za jakim smokiem? – zainteresował się Trzy Kawki.

– Nie wiecie? Naprawdę nie wiecie? No, to muszę wam o wszystkim opowiedzieć, panowie. Ja i tak tu czekam, może będzie jechał ktoś z glejtem, kto mnie zna i pozwoli się przyłączyć. Siadajcie.

– Zaraz – rzekł Trzy Kawki. – Słońce prawie na trzy ćwierci do zenitu, a mnie suszy jak cholera. Nie będziemy gadać o suchym pysku. Tea, Vea, zawróćcie rysią do miasteczka i kupcie antałek.

– Podobacie mi się, panie...

– Borch, zwany Trzy Kawki.

– Jaskier, zwany Niezrównanym. Przez niektóre dziewczęta.

– Opowiadaj, Jaskier – zniecierpliwił się wiedźmin. – Nie będziemy tu sterczeć do wieczora.

Bard objął palcami gryf lutni, ostro uderzył po strunach.

– Jak wolicie, mową wiązaną czy normalnie?

– Normalnie.

– Proszę bardzo – Jaskier nie odłożył lutni. – Posłuchajcie zatem, szlachetni panowie, co wydarzyło się tydzień temu nie opodal miasta wolnego, zwanego Hołopolem. Otóż, świtem bladym, ledwie co słonko wschodzące zaróżowiło wiszące nad łąkami całuny mgieł...

– Miało być normalnie – przypomniał Geralt.

– A nie jest? No, dobrze, dobrze. Rozumiem. Krótko, bez metafor. Na pastwiska pod Hołopolem przyleciał smok.

– Eeee – rzekł wiedźmin. – Coś mi się to nie widzi prawdopodobnym. Od lat nikt nie widział smoka w tych okolicach. Nie był to aby zwykły oszluzg? Zdarzają się oszluzgi prawie tak duże...

– Nie obrażaj mnie, wiedźminie. Wiem, co mówię. Widziałem go. Trzeba trafu, że akuratnie byłem w Hołopolu na jarmarku i widziałem wszystko na własne oczy. Ballada jest już gotowa, ale nie chcieliście...

– Opowiadaj. Duży był?

– Ze trzy końskie długości. W kłębie nie wyższy niż koń, ale dużo grubszy. Szary jak piach.

– Znaczy się, zielony.

– Tak. Przyleciał niespodziewanie, wpadł prosto w stado owiec, rozgonił pasterzy, utłukł z tuzin zwierząt, cztery zeżarł i odleciał.

– Odleciał... – Geralt pokiwał głową. – I koniec?

– Nie. Bo następnego ranka przyleciał znowu, tym razem bliżej miasteczka. Spikował na gromadę bab piorących bieliznę na brzegu Braa. Ale wiały, człowieku! W życiu się tak nie uśmiałem. Smok zaś zatoczył ze dwa koła nad Hołopolem i poleciał na pastwiska, tam znowu wziął się za owce. Wtedy dopiero zaczął się rozgardiasz i zamęt, bo poprzednio mało kto wierzył pastuchom. Burmistrz zmobilizował milicję miejską i cechy, ale zanim się sformowali, plebs wziął sprawę w swoje ręce i załatwił ją.

– Jak?

– Ciekawym, ludowym sposobem. Lokalny mistrz szewski, niejaki Kozojed, wymyślił sposób na gadzinę. Zabili owcę, napchali ją gęsto ciemierem, wilczymi jagodami, blekotem, siarką i szewską smołą. Dla pewności, miejscowy aptekarz wlał do środka dwie kwarty swojej mikstury na czyraki, a kapłan ze świątyni Kreve odprawił modły nad ścierwem. Potem ustawili spreparowaną owieczkę pośrodku stada, podparłszy kołkiem. Nikt po prawdzie nie wierzył, że smoczysko da się skusić tym śmierdzącym na milę gównem, ale rzeczywistość przeszła nasze oczekiwania. Lekceważąc żywe i beczące owieczki, gad połknął przynętę razem z kołkiem.

– I co? Gadajże, Jaskier.

– A co ja robię innego? Przecie gadam. Słuchajcie, co było dalej. Nie minął czas, jaki wprawnemu mężczyźnie zajmuje rozsznurowanie damskiego gorsetu, gdy smok nagle zaczął ryczeć i puszczać dym, przodem i tyłem. Fikał kozły, próbował wzlatywać, potem oklapł i znieruchomiał. Dwójka ochotników wyruszyła, aby sprawdzić, czy struty gad dycha jeszcze. Byli nimi miejscowy grabarz i miejscowy półgłówek, spłodzony przez upośledzoną córkę drwala, i pododdział najemnych pikinierów, który przeciągnął przez Hołopole jeszcze za czasów rokoszu wojewody Nurzyboba.

– Ależ ty łżesz, Jaskier.

– Nie łżę, tylko ubarwiam, a to jest różnica.

– Niewielka. Opowiadaj, szkoda czasu.

– A więc, jak mówiłem, grabarz i mężny idiota wyruszyli w charakterze szperaczy. Usypaliśmy im potem mały, ale cieszący oko kurhanik.

– Aha – powiedział Borch. – Znaczy się, smok jeszcze żył.

– A jak – rzekł wesoło Jaskier. – Żył. Ale był tak słaby, że nie zeżarł ani grabarza, ani matołka, tyle że zlizał krew. A potem, ku ogólnemu zmartwieniu, odleciał, wystartowawszy w niemałym trudzie. Co półtorasta łokci spadał z łoskotem, zrywał się znowu. Chwilami szedł, powłócząc tylnymi nogami. Co śmielsi poszli za nim, utrzymując kontakt wzrokowy. I wiecie, co?

– Mów, Jaskier.

– Smok zapadł w wąwozy w Pustulskich Górach, w okolicach źródeł Braa i skrył się w tamtejszych jaskiniach.

– Teraz wszystko jest jasne – powiedział Geralt. – Smok prawdopodobnie był w tych jaskiniach od stuleci, pogrążony w letargu. Słyszałem o takich wypadkach. I tam też musi być jego skarbiec. Teraz wiem, czemu blokują most. Ktoś chce na tym skarbcu położyć łapę. A ten ktoś to Niedamir z Caingorn.

– Dokładnie – potwierdził trubadur. – Całe Hołopole aż gotuje się zresztą z tego powodu, bo uważa się tam, że smok i skarbiec należą do nich. Ale wahają się zadrzeć z Niedamirem. Niedamir to szczeniak, który jeszcze się nie zaczął golić, ale już zdążył udowodnić, że nie opłaca się z nim zadzierać. A na tym smoku zależy mu, jak diabli, dlatego tak prędko zareagował.

– Zależy mu na skarbcu, chciałeś powiedzieć.

– Właśnie że bardziej na smoku niż na skarbcu. Bo, widzicie, Niedamir ostrzy sobie zęby na sąsiednie księstwo Malleore. Tam, po nagłym a dziwnym zgonie księcia została księżniczka w wieku, że się tak wyrażę, łożnicowym. Wielmoże z Malleore niechętnie patrzą na Niedamira i innych konkurentów, bo wiedzą, że nowy władca ostro ściągnie im wędzidło, nie to, co smarkata księżniczka. Odgrzebali więc gdzieś starą i zakurzoną przepowiednię mówiącą, że mitra i ręka dziewuszki należą się temu, kto pokona smoka. Ponieważ smoka nikt nie widział tutaj od wieków, myśleli, że mają spokój. Niedamir oczywiście obśmiał się z legendy, wziąłby Malleore zbrojną ręką i tyle, ale gdy gruchnęła wieść o hołopolskim smoku, zorientował się, że może pobić malleorską szlachtę ich własną bronią. Gdyby zjawił się tam, niosąc smoczy łeb, lud powitałby go jak monarchę zesłanego przez bogów, a wielmoże nie śmieliby nawet pisnąć. Dziwicie się więc, że pognał za smokiem jak kot z pęcherzem? Zwłaszcza za takim, co ledwo nogami powłóczy? To dla niego czysta gratka, uśmiech losu, psiakrew.

– A drogi zagrodził przed konkurencją.

– No chyba. I przed Hołopolanami. Z tym, że po całej okolicy rozesłał konnych z glejtami. Dla tych, którzy mają tego smoka zabić, bo Niedamir nie pali się, żeby osobiście wejść do jaskini z mieczem. Ściągnięto migiem co sławniejszych smokobójców. Większość chyba znasz, Geralt.

– Możliwe. Kto przyjechał?

– Eyck z Denesle, to raz.

– Niech to... – wiedźmin zagwizdał cichutko. – Bogobojny i cnotliwy Eyck, rycerz bez skazy i zmazy, we własnej osobie.

– Znasz go, Geralt? – spytał Borch. – Rzeczywiście taki pies na smoki?

– Nie tylko na smoki. Eyck radzi sobie z każdym potworem. Zabijał nawet mantikory i gryfy. Kilka smoków też załatwił, słyszałem o tym. Jest dobry. Ale psuje mi interesy, łobuz, bo nie bierze pieniędzy. Kto jeszcze, Jaskier?

– Rębacze z Crinfrid.

– No, to już po smoku. Nawet, jeśli ozdrowiał. Ta trójka to zgrana banda, walczą niezbyt czysto, ale skutecznie. Wybili wszystkie oszluzgi i widłogony w Redanii, a przy okazji padły trzy smoki czerwone i jeden czarny, a to już jest coś. To wszyscy?

– Nie. Dołączyła jeszcze szóstka krasnoludów. Pięciu brodaczy, którymi komenderuje Yarpen Zigrin.

– Nie znam go.

– Ale o smoku Ocviście z Kwarcowej Góry słyszałeś?

– Słyszałem. I widziałem kamienie, pochodzące z jego skarbca. Były tam szafiry o niespotykanej barwie i diamenty wielkie jak czereśnie.

– No, to wiedz, że właśnie Yarpen Zigrin i jego krasnoludy załatwiły Ocvista. Była o tym ułożona ballada, ale nędzna, bo nie moja. Jeśli nie słyszałeś, nie straciłeś.

– To wszyscy?

– Tak. Nie licząc ciebie. Twierdziłeś, że nie wiesz o smoku, kto wie, może to i prawda. Ale teraz już wiesz. I co?

– I nic. Nie interesuje mnie ten smok.

– Ha! Chytrze, Geralt. Bo i tak nie masz glejtu.

– Nie interesuje mnie ten smok, powtarzam. A co z tobą, Jaskier? Co ciebie tak ciągnie w tamtą stronę?

– Normalnie – trubadur wzruszył ramionami. – Trzeba być blisko wydarzeń i atrakcji. O walce z tym smokiem będzie głośno. Pewnie, mógłbym ułożyć balladę na podstawie opowieści, ale inaczej będzie brzmiała śpiewana przez kogoś, kto widział bój na własne oczy.

– Bój? – zaśmiał się Trzy Kawki. – Chyba coś w rodzaju świniobicia albo ćwiartowania ścierwa. Słucham i z podziwu wyjść nie mogę. Sławni wojownicy, którzy pędzą tu, co koń wyskoczy, żeby dorżnąć półzdechłego smoka otrutego przez jakiegoś chama. Śmiać się chce i rzygać.

– Mylisz się – rzekł Geralt. – Jeżeli smok nie padł od trucizny na miejscu, to jego organizm zapewne już ją zwalczył i bestia jest w pełni sił. Nie ma to zresztą wielkiego znaczenia. Rębacze z Crinfrid i tak go zabiją, ale bez boju, jeśli chcesz wiedzieć, nie obędzie się.

– Stawiasz więc na Rębaczy, Geralt?

– Jasne.

– Akurat – odezwał się milczący do tej chwili strażnik artysta. – Smoczysko to stwór magiczny i nie ubić go inaczej, jak czarami. Jeżeli ktoś da mu rady, to ta czarownica, która przejechała tędy wczoraj.

– Kto? – Geralt przechylił głowę.

– Czarodziejka – powtórzył strażnik. – Przecie mówię.

– Imię podała?

– Podała, alem zapomniał. Miała glejt. Młoda była, urodziwa, na swój sposób, ale te oczy... Wiecie sami, panie. Zimno się człekowi robi, gdy taka spojrzy.

– Wiesz coś o tym, Jaskier? Kto to może być?

– Nie – skrzywił się bard. – Młoda, urodziwa i te oczy. Też mi wskazówka. Wszystkie takie są. Żadna, którą znam, a znam wiele, nie wygląda na więcej niż dwadzieścia pięć, trzydzieści, a niektóre, słyszałem, pamiętają czasy, gdy bór szumiał tam, gdzie dzisiaj stoi Novigrad. W końcu, od czego są eliksiry z mandragory? A oczy sobie również mandragorą zakraplają, żeby błyszczały. Jak to baby.

– Ruda nie była? – spytał wiedźmin.

– Nie, panie – rzekł dziesiętnik. – Czarniutka.

– A koń, jakiej maści? Kasztan z białą gwiazdką?

– Nie. Kary, jak ona. Ano, panowie, mówię wam, ona smoka ubije. Smok to robota dla czarodzieja. Ludzka moc przeciw niemu nie podoła.

– Ciekawe, co by na to powiedział szewc Kozojed – zaśmiał się Jaskier. – Gdyby miał pod ręką coś mocniejszego niż ciemier i wilcza jagoda, smocza skóra suszyłaby się dziś na hołopolskim ostrokole, ballada byłaby gotowa, a ja nie płowiałbym tu na słońcu...

– Jak to się stało, że Niedamir nie wziął cię ze sobą? – spytał Geralt, koso spoglądając na poetę. – Przecież byłeś w Hołopolu, gdy wyruszał. Czyżby król nie lubił artystów? Co sprawiło, że tu płowiejesz, zamiast przygrywać u królewskiego strzemienia?

– Sprawiła to pewna młoda wdowa – rzekł ponuro Jaskier. – Cholera by to wzięła. Zabradziażyłem, a na drugi dzień Niedamir i reszta byli już za rzeką. Wzięli ze sobą nawet tego Kozojeda i zwiadowców z hołopolskiej milicji, tylko o mnie zapomnieli. Tłumaczę to dziesiętnikowi, a on swoje...

– Jest glejt, puszczam – rzekł beznamiętnie halabardnik, odlewając się na ścianę domku mytnika. – Nie ma glejtu, nie puszczam. Rozkaz taki...

– O – przerwał mu Trzy Kawki. – Dziewczęta wracają z piwem.

– I nie same – dodał Jaskier, wstając. – Patrzcie, jaki koń. Jak smok.

Od strony brzozowego lasku nadjeżdżały cwałem Zerrikanki, flankując jeźdźca siedzącego na wielkim, bojowym, niespokojnym ogierze.

Wiedźmin wstał również.

Jeździec nosił fioletowy, aksamitny kaftan ze srebrnym szamerunkiem i krótki płaszcz, obszyty sobolowym futrem. Wyprostowany w siodle, patrzył na nich dumnie. Geralt znał takie spojrzenia. I nie przepadał za nimi.

– Witam panów. Jestem Dorregaray – przedstawił się jeździec, zsiadając powoli i godnie. – Mistrz Dorregaray. Czarnoksiężnik.

– Mistrz Geralt. Wiedźmin.

– Mistrz Jaskier. Poeta.

– Borch, zwany Trzy Kawki. A moje dziewczęta, które tam oto wyciągają szpunt z antałka, już poznałeś, panie Dorregaray.

– Tak jest, w rzeczy samej – rzekł czarodziej bez uśmiechu. – Wymieniliśmy ukłony, ja i piękne wojowniczki z Zerrikanii.

– No, to na zdrowie – Jaskier rozdał skórzane kubki przyniesione przez Veę. – Napijcie się z nami, panie czarodzieju. Panie Borch, dziesiętnikowi też dać?

– Jasne. Chodź tu do nas, wojaku.

– Sądzę – rzekł czarnoksiężnik, upiwszy mały, dystyngowany łyk – że pod zaporę na moście sprowadza panów ten sam cel, co i mnie?

– Jeśli macie na myśli smoka, panie Dorregaray – powiedział Jaskier – to tak jest, w samej rzeczy. Chcę tam być i ułożyć balladę. Niestety, ten tu dziesiętnik, człek widać bez ogłady, nie chce mnie przepuścić. Żąda glejtu.

– Upraszam wybaczenia – halabardnik wypił swoje piwo, zamlaskał. – Mam przykazane pod gardłem, nikogo bez glejtu nie puszczać. A podobno całe Hołopole już się zebrało z wozami i chce ruszyć w góry za smokiem. Mam nakazane...

– Twój rozkaz, żołnierzu – zmarszczył brwi Dorregaray – tyczy się tedy motłochu, mogącego zawadzać, dziewek, mogących szerzyć rozpustę i paskudną niemoc, złodziei, szumowin i hultajstwa. Ale nie mnie.

– Nikogo bez glejtu nie przepuszczę – nasrożył się dziesiętnik. – Klnę się...

– Nie klnij się – przerwał mu Trzy Kawki. – Lepiej się jeszcze napij. Tea, nalej temu mężnemu wojakowi. I usiądźmy, panowie. Picie na stojąco, szybko i bez należytego namaszczenia nie przystoi szlachcie.

Usiedli na balach dookoła antałka. Halabardnik, świeżutko pasowany na szlachcica, kraśniał z zadowolenia.

– Pij, dzielny setniku – ponaglał Trzy Kawki.

– Dziesiętnik aby jestem, nie setnik – halabardnik jeszcze bardziej pokraśniał.

– Ale będziesz setnik, musowo – Borch wyszczerzył zęby. – Chłop z ciebie łebski, migiem awansujesz.

Dorregaray, odmawiając dolewki, odwrócił się w stronę Geralta.

– W miasteczku jeszcze głośno o bazyliszku, mości

wiedźminie, a ty już za smokiem się rozglądasz, jak widzę – powiedział cicho. – Ciekawe, aż tak potrzebna ci gotówka, czy też dla czystej przyjemności mordujesz stworzenia zagrożone wymarciem?

– Dziwna ciekawość – odrzekł Geralt – ze strony kogoś, kto na łeb na szyję gna, by zdążyć na szlachtowanie smoka, by wybić mu zęby, tak przecież cenne przy wyrobie czarodziejskich leków i eliksirów. Czy to prawda, mości czarodzieju, że te wybite żywemu smokowi są najlepsze?

– Jesteś pewien, że po to tam jadę?

– Jestem. Ale już cię ktoś wyprzedził, Dorregaray. Przed tobą już zdążyła przejechać twoja konfraterka z glejtem, którego ty nie masz. Czarnowłosa, o ile cię to interesuje.

– Na karym koniu?

– Podobno.

– Yennefer – powiedział Dorregaray, zasępiony. Wiedźmin drgnął niezauważalnie dla nikogo.

Zapadła cisza, którą przerwało beknięcie przyszłego setnika.

– Nikogo... bez glejtu...

– Dwieście lintarów wystarczy? – Geralt spokojnie wyciągnął z kieszeni sakiewkę otrzymaną od grubego wójta.

– Geralt – uśmiechnął się zagadkowo Trzy Kawki – więc jednak...

– Przepraszam cię, Borch. Przykro mi, nie pojadę z wami do Hengfors. Może innym razem. Może się jeszcze spotkamy.

– Nic mnie nie ciągnie do Hengfors – rzekł wolno Trzy Kawki. – Nic a nic, Geralt.

– Schowajcie ten mieszek, panie – rzekł groźnie przyszły setnik. – To zwykłe przekupstwo. Ani za trzysta nie przepuszczę.

– A za pięćset? – Borch wyjął swoją sakiewkę. – Schowaj mieszek, Geralt. Ja zapłacę myto. Zaczęło mnie to bawić. Pięćset, panie żołnierzu. Po sto od sztuki, licząc moje dziewczęta za jedną piękną sztukę. Co?

– Ojej, jej, jej – zafrasował się przyszły setnik, chowając pod kurtę sakiewkę Borcha. – Co ja królowi powiem?

– Powiesz mu – rzekł Dorregaray, prostując się i wyjmując zza pasa ozdobną różdżkę ze słoniowej kości – że strach cię obleciał, gdy popatrzyłeś.

– Na co, panie?

Czarodziej skinął różdżką, krzyknął zaklęcie. Sosna rosnąca na nadrzecznej skarpie eksplodowała ogniem, cała, w jednym momencie, od ziemi aż po wierzchołek pokryła się szalejącymi płomieniami.

– Na koń! – Jaskier, zrywając się, zarzucił lutnię na plecy. – Na koń, panowie! I panie!

– Zaporę precz! – wrzasnął do halabardników bogaty dziesiętnik, mający wielkie szanse zostać setnikiem.

Na moście, za zaporą, Vea ściągnęła wodze, koń zatańczył, zadudnił kopytami po balach. Dziewczyna, miotając warkoczami, krzyknęła przeszywająco.

– Słusznie, Vea! – odkrzyknął Trzy Kawki. – Dalej, waszmościowie, po koniach! Pojedziemy po zerrikańsku, z łomotem i świstem!

IV

– No i patrzcie – rzekł najstarszy z Rębaczy, Boholt, ogromny i zwalisty niczym pień starego dębu. – Niedamir nie przegnał was na cztery wiatry, proszę waszmości, chociaż pewien byłem, że tak właśnie zrobi. Cóż, nie nam, chudopachołkom, kwestionować królewskie decyzje. Zapraszamy do ogniska. Mośćcie sobie legowiska, chłopcy. A tak między nami, wiedźminie, to o czym z królem gadałeś?

– O niczym – powiedział Geralt, wygodniej opierając plecy o podciągnięte w stronę ognia siodło. – Nawet do nas nie wyszedł z namiotu. Wysłał tylko tego swojego totumfackiego, jak mu tam...

– Gyllenstiern – podpowiedział Yarpen Zigrin, krępy, brodaty krasnolud, wtaczając w ogień olbrzymi, smolny karcz przytaszczony z zarośli. – Nadęty bubek. Wieprz opasły. Jakeśmy dołączyli, to przyszedł, nos zadarł po same chmury, phu-phu, pamiętajcie, rzecze, krasnoludy, przy kim tu komenda, komu tu posłuch należny, tu król

Niedamir rozkazuje, a jego słowo to prawo i tak dalej. Stałem i słuchałem, i myślałem sobie, że każę go swoim chłopakom obalić na ziemię i obszczam mu płaszcz. Alem poniechał, wiecie, znowu by hyr poszedł, że krasnoludy złośliwe, że agresywne, że sukinsyny i że niemożliwa jest... jak to się nazywa, cholera... kołogzystencja, czy jak tam. I zaraz znowu byłby gdzieś pogrom, w jakimś miasteczku. Słuchałem tedy grzecznie, głową kiwałem.

– Wychodzi na to, że pan Gyllenstiern nic innego nie umie – powiedział Geralt. – Bo i nam to samo powiedział, i też przyszło nam kiwać głowami.

– A po mojemu – odezwał się drugi z Rębaczy, układając derkę na kupie chrustu – źle się stało, że was Niedamir nie przegnał. Ludu ciągnie na tego smoka, aż strach. Całe mrowie. To już nie wyprawa, a kondukt na żalnik. Ja tam w tłoku bić się nie lubię.

– Daj spokój, Niszczuka – powiedział Boholt. – W kupie wędrować raźniej. Cóżeś to, nigdy na smoki nie chadzał? Zawsze za smokiem ćma ludu ciągnie, jarmark cały, istny zamtuz na kółkach. Ale gdy się gad pokaże, to wiesz, kto w polu zostaje. My, nie kto inny.

Boholt zamilkł na chwilę, pociągnął solidnie z wielkiego, oplecionego wikliną gąsiora, hałaśliwie smarknął, odkaszlnął.

– Inna rzecz – ciągnął – że praktyka pokazuje, iż nieraz dopiero po zabiciu smoka zaczyna się uciecha i rzeźba, i lecą głowy niby gruchy. Dopiero gdy skarbiec się dzieli, myśliwi skaczą sobie do oczu. Co, Geralt? Hę? Mam rację? Wiedźminie, mówię do ciebie.

– Znane mi są takie wypadki – potwierdził Geralt sucho.

– Znane, powiadasz. Zapewne ze słyszenia, bo nie obiło mi się o uszy, byś kiedyś na smoki polował. Jak długo żyję, nie słyszałem, by wiedźmin na smoki chodził. Tym dziwniejsze, żeś się tu zjawił.

– Prawda – wycedził Kennet, zwany Zdzieblarzem, najmłodszy z Rębaczy. – Dziwne to jest. A my...

– Zaczekaj, Zdzieblarz. Ja teraz mówię – przerwał mu Boholt. – Zresztą, długo gadać nie zamierzam. Wiedźmin i tak już wie, o co mi idzie. Ja jego znam i on mnie zna, do tej pory w drogę sobie nie włazliśmy i dalej chyba nie będziemy. No, bo zauważcie, chłopaki, że gdybym ja, dla przykładu, wiedźminowi chciał w robocie przeszkadzać albo łup sprzed nosa zachachmęcić, to przecież wiedźmin z miejsca by mnie swoją wiedźmińską brzytwą chlasnął i w prawie byłby. Mam rację?

Nikt nie potwierdził ani też nie zaprzeczył. Nie wyglądało, by Boholtowi specjalnie zależało na jednym lub drugim.

– Ano – ciągnął – w kupie wędrować raźniej, jakem rzekł. I wiedźmin może się w kompanii przydać. Okolica dzika i odludna, niech tak wyskoczy na nas przeraza albo żyrytwa, albo strzyga, może nam kłopotu narobić. A będzie Geralt w okolicy, nie będzie kłopotu, bo to jego specjalność. Ale smok to nie jego specjalność. Prawda?

Znowu nikt nie potwierdził i nikt nie zaprzeczył.

– Pan Trzy Kawki – ciągnął Boholt, podając gąsiorek krasnoludowi – jest z Geraltem i to mi wystarczy za rękojmię. To kto wam przeszkadza, Niszczuka, Zdzieblarz? Chyba nie Jaskier?

– Jaskier – rzekł Yarpen Zigrin, podając bardowi gąsiorek – zawsze się przyplącze, gdzie się coś ciekawego dzieje i wszyscy wiedzą, że nie przeszkodzi, nie pomoże i marszu nie opóźni. Coś, jakby rzep na psim chwoście. Nie, chłopcy?

„Chłopcy", brodate i kwadratowe krasnoludy, zarechotali, trzęsąc brodami. Jaskier odsunął kapelusik na tył głowy i łyknął z gąsiorka.

– Ooooch, zaraza – stęknął, łapiąc powietrze. – Aż głos odejmuje. Z czego to pędzone, ze skorpionów?

– Jedno mi się nie podoba, Geralt – powiedział Zdzieblarz, przejmując naczynie od minstrela. – To, żeś tego czarownika tu przywiódł. Tu się już od czarowników gęsto robi.

– Prawda – wpadł mu w słowo krasnolud. – Zdzieblarz słusznie prawi. Ten Dorregaray potrzebny nam tu jak świniakowi siodło. Mamy już od niedawna naszą własną wiedźmę, szlachetną Yennefer, tfu, tfu.

– Taak – rzekł Boholt, drapiąc się w byczy kark, z którego przed chwilą odpiął skórzaną obrożę najeżoną stalowymi ćwiekami. – Czarowników to tu jest za dużo, proszę waszmości. Dokładnie o dwoje za dużo. I za bardzo oni do naszego Niedamira przylgnęli. Popatrzcie tylko, my tu pod gwiazdeczkami, dookoła ognia, a oni, proszę waszmości, w cieple, w królewskim namiocie knują już, chytre liszki, Niedamir, wiedźma, czarownik i Gyllenstiern. A Yennefer najgorsza. A powiedzieć wam, co oni knują? Jak nas wydudkać, ot co.

– I sarninę żrą – wtrącił ponuro Zdzieblarz. – A my cośmy jedli? Świstaka! A świstak, pytam, co jest? Szczur, nic innego. To co my jedli? Szczura!

– Nic to – rzekł Niszczuka. – Niedługo smoczego ogona popróbujemy. Nie ma to jak smoczy ogon, pieczony na węglach.

– Yennefer – ciągnął Boholt – jest paskudna, złośliwa i pyskata baba. Nie to, co twoje dziewuszki, panie Borch. Te ciche są i miłe, o, popatrzcie, siadły koło koni, szable ostrzą, a przechodziłem obok, zagadnąłem dowcipnie, uśmiechnęły się, wyszczerzyły ząbki. Tak, im rad jestem, nie to, co Yennefer, ta knuje a knuje. Mówię wam, trzeba uważać, bo łajno będzie z naszej umowy.

– Jakiej umowy, Boholt?

– Co, Yarpen, powiemy wiedźminowi?

– Nie widzę przeciwwskazań – rzekł krasnolud.

– Gorzałki już nie ma – wtrącił Zdzieblarz, obracając gąsiorek dnem do góry.

– To przynieś. Najmłodszy jesteś, proszę waszmości. A umowę, Geralt, to my umyśliliśmy, bo my nie jesteśmy najemnicy ani żadne tam płatne pachołki, i nie będzie nas Niedamir na smoka posyłał, rzucając parę sztuk złota pod nogi. Prawda jest taka, że my poradzimy sobie ze smokiem bez Niedamira, a Niedamir bez nas sobie nie poradzi. A z tego jasno wynika, kto wart więcej i czyja dola większa być powinna. I postawiliśmy sprawę uczciwie – ci, którzy w ręczny bój pójdą i smoka położą, biorą połowę skarbca. Niedamir, z racji na urodzenie i tytuł, bierze ćwierć, tak czy inaczej. A reszta, o ile będzie pomagać, podzieli pozostałą ćwierć między siebie, po równo. Co o tym myślisz?

– A co o tym Niedamir myśli?

– Nie powiedział ani tak, ani nie. Ale lepiej niech się nie stawia, chłystek. Mówiłem, sam przeciw smokowi nie pójdzie, musi zdać się na fachowców, to znaczy na nas, Rębaczy, i na Yarpena i jego chłopaków. My, nie kto inny, spotkamy smoka na długość miecza. Reszta, w tym i czarodzieje, jeśli uczciwie dopomoże, podzieli między siebie ćwiartkę skarbca.

– Oprócz czarodziejów, kogo wliczacie do tej reszty? – zaciekawił się Jaskier.

– Na pewno nie grajków i wierszokletów – zarechotał Yarpen Zigrin. – Wliczamy tych, co popracują toporem, a nie lutnią.

– Aha – rzekł Trzy Kawki, patrząc w rozgwieżdżone niebo. – A czym popracuje szewc Kozojed i jego hałastra?

Yarpen Zigrin splunął w ognisko, mrucząc coś po krasnoludzku.

– Milicja z Hołopola zna te zasrane góry i robi za przewodników – rzekł cicho Boholt – toteż sprawiedliwie będzie dopuścić ich do podziału. Z szewcem jednak jest trochę inna sprawa. Widzicie, niedobrze będzie, jak chamstwo nabierze przekonania, że gdy się smok w okolicy pokaże, to zamiast słać po zawodowców, można mu mimochodem trutkę zadać i dalej z dziewkami gzić się we zbożu. Jak się taki proceder rozpowszechni, to chyba na żebry przyjdzie nam pójść. Co?

– Prawda – dodał Yarpen. – Dlatego, mówię wam, tego szewca coś niedobrego powinno przypadkowo spotkać, zanim, chędożony, do legendy trafi.

– Ma spotkać, to i spotka – rzekł Niszczuka z przekonaniem. – Zostawcie to mnie.

– A Jaskier – podchwycił krasnolud – ryć mu w balladzie obrobi, na śmiech poda. Żeby mu była hańba i srom, na wieki wieków.

– O jednym zapomnieliście – powiedział Geralt. – Jest tu taki jeden, który może wam pomieszać szyki. Który na żadne podziały ani umowy nie pójdzie. Mówię o Eycku z Denesle. Rozmawialiście z nim?

– O czym? – zgrzytnął Boholt, drągiem poprawiając

polana w ognisku. – Z Eyckiem, Geralt, nie pogadasz. On nie zna się na interesach.

– Jak podjeżdżaliśmy pod wasz obóz – powiedział Trzy Kawki – spotkaliśmy go. Klęczał na kamieniach, w pełnej zbroi, i gapił się w niebo.

– On tak cięgiem czyni – rzekł Zdzieblarz. – Medytuje, albo modły odprawia. Powiada, że tak trzeba, bo on od bogów ma rozkazane ludzi od złego ochraniać.

– U nas, w Crinfrid – mruknął Boholt – trzyma się takich w obórce, na łańcuchu, i daje kawałek węgla, wtedy oni na ścianach cudności malują. Ale dość tu będzie o bliźnich plotkować, o interesach gadajmy.

W krąg światła weszła bezszelestnie niewysoka młoda kobieta o czarnych włosach opiętych złotą siateczką, owinięta wełnianym płaszczem.

– Co tu tak śmierdzi? – zapytał Yarpen Zigrin, udając, że jej nie widzi. – Nie siarka aby?

– Nie – Boholt, patrząc w bok, demonstracyjnie pociągnął nosem. – To piżmo albo inne pachnidło.

– Nie, to chyba... – krasnolud wykrzywił się. – Ach! Toż to wielmożna pani Yennefer! Witamy, witamy.

Czarodziejka powoli powiodła wzrokiem po zebranych, na chwilę zatrzymała na wiedźminie błyszczące oczy. Geralt uśmiechnął się lekko.

– Pozwolicie się przysiąść?

– Ależ oczywiście, dobrodziejko nasza – powiedział Boholt i czknął. – Siadajcie o tu, na kulbace. Rusz rzyć, Kennet, i podaj jaśnie czarodziejce kulbakę.

– Panowie tu o interesach, jak słyszę. – Yennefer usiadła, wyciągając przed siebie zgrabne nogi w czarnych pończochach. – Beze mnie?

– Nie śmieliśmy – rzekł Yarpen Zigrin – niepokoić tak ważnej osoby.

– Ty, Yarpen – Yennefer zmrużyła oczy, obracając głowę w stronę krasnoluda – lepiej milcz. Od pierwszego dnia ostentacyjnie traktujesz mnie jak powietrze, więc rób tak dalej, nie przeszkadzaj sobie. Bo mnie to również nie przeszkadza.

– Co też wy, pani. – Yarpen pokazał w uśmiechu nierówne zęby. – Niech mnie kleszcze obleżą, jeśli nie traktuję was lepiej niż powietrze. Powietrze, dla przykładu, zdarza mi się zepsuć, na co wobec was nie ośmieliłbym się żadną miarą.

Brodaci „chłopcy" zaryczeli gromkim śmiechem, ale ucichli natychmiast na widok sinej poświaty, jaka nagle otoczyła czarodziejkę.

– Jeszcze jedno słowo i z ciebie zostanie zepsute powietrze, Yarpen – powiedziała Yennefer głosem, w którym dźwięczał metal. – I czarna plama na trawie.

– W rzeczy samej – Boholt chrząknął, rozładowując ciszę, jaka zapadła. – Milcz, Zigrin. Posłuchamy, co ma nam do powiedzenia pani Yennefer. Użaliła się dopiero co, że bez niej o interesach mówimy. Z tego wnoszę, że ma dla nas jakąś propozycję. Posłuchajmy, proszę waszmości, co to za propozycja. Byle tylko nie proponowała nam, że sama, czarami, ukatrupi smoka.

– A co? – Yennefer uniosła głowę. – Uważasz, że to niemożliwe, Boholt?

– Może i możliwe. Ale dla nas nieopłacalne, bo pewnie zażądalibyście wówczas połowy smoczego skarbca.

– Co najmniej – rzekła zimno czarodziejka.

– No, to sami widzicie, że to dla nas żaden interes. My, pani, jesteśmy biedni wojownicy, jeśli łup nam koło nosa przejdzie, to głód w oczy zagląda. My szczawiem i lebiodą się żywimy...

– Od święta tylko czasem świstak się trafi – wtrącił Yarpen Zigrin smutnym głosem.

– ...wodą kryniczną popijamy – Boholt golnął sobie z gąsiorka i otrząsnął się z lekka. – Dla nas, pani Yennefer, wyjścia nie ma. Albo łup, albo w zimie pod płotem zamarznąć. A gospody kosztują.

– I piwo – dodał Niszczuka.

– I dziewki wszeteczne – rozmarzył się Zdzieblarz.

– Dlatego – Boholt popatrzył w niebo – sami, bez czarów i bez waszej pomocy, smoka ubijemy.

– Takiś pewien? Pamiętaj, że są granice możliwości, Boholt.

– Może i są, nigdy nie spotkałem. Nie, pani. Powtarzam, sami smoka ubijemy, bez żadnych czarów.

– Zwłaszcza – dodał Yarpen Zigrin – że czary też pewnikiem mają swoje granice możliwości, których, przeciwnie do naszych, nie znamy.

– Sam na to wpadłeś – spytała wolno Yennefer – czy ktoś ci to podpowiedział? Czy to nie obecność wiedźmina w tym zacnym gronie pozwala wam na takie zadufanie?

– Nie – rzekł Boholt, patrząc na Geralta, który zdawał się drzemać, leniwie wyciągnięty na derce, z siodłem pod głową. – Wiedźmin nic do tego nie ma. Posłuchajcie, wielmożna Yennefer. Złożyliśmy królowi propozycję, nie zaszczycił nas odpowiedzią. Myśmy cierpliwi, do rana zaczekamy. Jeśli król ugodę przybije, jedziemy dalej razem. Jeśli nie, my wracamy.

– My też – warknął krasnolud.

– Targów żadnych nie będzie – kontynuował Boholt. – Albo wóz, albo przewóz. Powtórzcie nasze słowa Niedamirowi, pani Yennefer. A wam to powiem – ugoda dobra też dla was, i dla Dorregaraya, o ile się z nim dogadacie. Nam, zważcie, smocze ścierwo niepotrzebne, jeno ogon weźmiemy. A reszta wasza będzie, tylko brać-wybierać. Nie poskąpimy wam ni zębów, ni mózgu, niczego, co wam potrzebne do czarodziejstwa.

– Oczywista – dodał Yarpen Zigrin, chichocząc. – Padlina będzie dla was, czarodziejów, nikt wam jej nie zabierze. Chyba że inne sępy.

Yennefer wstała, zarzucając płaszcz na ramię.

– Niedamir nie będzie czekał do rana – powiedziała ostro. – Zgadza się na wasze warunki już teraz. Wbrew, wiedzcie to, radzie mojej i Dorregaraya.

– Niedamir – wycedził powoli Boholt – objawia mądrość, która zadziwia u tak młodego króla. Bo dla mnie, pani Yennefer, mądrość to między innymi umiejętność puszczania mimo uszu głupich lub nieszczerych rad.

Yarpen Zigrin parsknął w brodę.

– Inaczej zaśpiewacie – czarodziejka wzięła się pod boki – gdy jutro smok was pochlasta, podziurawi i potrzaska piszczele. Będziecie mi buty lizać i skamleć o pomoc. Jak zwykle. Jak ja was dobrze znam, jak dobrze znam takich, jak wy. Do mdłości was znam.

Odwróciła się, odeszła w mrok, bez słowa pożegnania.

– Za moich czasów – rzekł Yarpen Zigrin – czarownicy siedzieli w wieżach, czytali uczone księgi i mieszali kopyścią w tyglach. Nie plątali się wojownikom pod nogami, nie wtrącali się w nasze sprawy. I nie kręcili tyłkiem przed oczami chłopów.

– Tyłek, szczerze rzekłszy, niczego sobie – powiedział Jaskier, strojąc lutnię. – Co, Geralt? Geralt? Hej, gdzie podział się wiedźmin?

– A co nas to obchodzi? – mruknął Boholt, dorzucając drewna do ognia. – Poszedł. Może za potrzebą, proszę waszmości. Jego rzecz.

– Pewnie – zgodził się bard i uderzył dłonią po strunach. – Zaśpiewać wam coś?

– A zaśpiewaj, cholera – powiedział Yarpen Zigrin i splunął. – Ale nie myśl, Jaskier, że dam ci za twoje beczenie choć szeląga. Tu, chłopie, nie królewski dwór.

– To widać – kiwnął głową trubadur.

V

– Yennefer.

Odwróciła się, jak gdyby zaskoczona, chociaż wiedźmin nie wątpił, że już z daleka słyszała jego kroki. Postawiła na ziemi drewniany ceberek, wyprostowała się, odgarnęła z czoła włosy wyzwolone spod złotej siateczki, krętymi lokami spadające na ramiona.

– Geralt.

Jak zwykle, nosiła tylko dwa kolory. Swoje kolory – czerń i biel. Czarne włosy, czarne, długie rzęsy każące zgadywać skryty pod nimi kolor oczu. Czarna spódnica, czarny, krótki kaftanik z białym, futrzanym kołnierzem. Biała koszula z najcieńszego lnu. Na szyi czarna aksamitka ozdobiona usianą diamencikami gwiazdą z obsydianu.

– Nic się nie zmieniłaś.

– Ty też nie – skrzywiła wargi. – I w obu wypadkach jest to równie normalne. Lub, jak wolisz, równie nienormalne. W każdym razie, napomykanie o tym, choć może

i stanowi niezły sposób na rozpoczęcie rozmowy, jest bez-
sensowne. Prawda?

– Prawda – kiwnął głową, patrząc w bok, w stronę namiotu Niedamira i ognisk królewskich łuczników przysło-
niętych ciemnymi sylwetkami furgonów. Od strony dalszego ogniska dobiegał dźwięczny głos Jaskra śpiewające-
go „Gwiazdy nad traktem", jedną ze swych najbardziej
udanych ballad miłosnych.

– Cóż, wstęp mamy zatem już za sobą – rzekła czarodziejka. – Słucham, co dalej.

– Widzisz, Yennefer...

– Widzę – przerwała ostro. – Ale nie rozumiem. Po co
tutaj przyjechałeś, Geralt? Przecież nie z powodu smoka?
Chyba pod tym względem nic się nie zmieniło?

– Nie. Nic się nie zmieniło.

– Po co więc, pytam, dołączyłeś do nas?

– Jeśli ci powiem, że z twojego powodu, uwierzysz?

Patrzyła na niego w milczeniu, a w jej błyszczących
oczach było coś, co nie mogło się podobać.

– Uwierzę, czemu nie – powiedziała wreszcie. – Mężczyźni lubią spotkania ze swymi dawnymi kochankami,
lubią ożywiać wspomnienia. Lubią wyobrażać sobie, że
niegdysiejsze miłosne uniesienia dają im coś w rodzaju
dożywotniego prawa własności do partnerki. To dobrze
wpływa na ich samopoczucie. Nie jesteś wyjątkiem. Mimo
wszystko.

– Mimo wszystko – uśmiechnął się – masz rację, Yennefer. Twój widok znakomicie wpływa na moje samopoczucie. Innymi słowy, cieszę się, że cię widzę.

– I to wszystko? No, to powiedzmy, że i ja się cieszę.
Nacieszywszy się, życzę dobrej nocy. Udaję się, widzisz,
na spoczynek. Przedtem mam zamiar umyć się, a do tej
czynności zwykłam się rozbierać. Oddal się zatem, by
grzecznie zapewnić mi minimum dyskrecji.

– Yen – wyciągnął ku niej ręce.

– Nie mów tak do mnie! – syknęła wściekle, odskakując, a z palców, które wysunęła w jego stronę, sypnęły się
błękitne i czerwone iskry. – A jeżeli mnie dotkniesz, wy-
palę ci oczy, draniu.

Wiedźmin cofnął się. Czarodziejka, uspokojona nieco, znowu odgarnęła włosy z czoła, stanęła przed nim z pięściami wspartymi o biodra.

– Ty co myślałeś, Geralt? Że poplotkujemy wesoło, że powspominamy dawne czasy? Że może na zakończenie pogawędki pójdziemy razem na wóz i pokochamy się na kożuchach, ot tak, dla odświeżenia wspomnień? Co?

Geralt, nie będąc pewien, czy czarodziejka magicznie czyta w myślach, czy wyłącznie trafnie zgaduje, milczał, uśmiechając się krzywo.

– Te cztery lata zrobiły swoje, Geralt. Przeszło mi już, tylko i wyłącznie dlatego nie naplułam ci w oczy przy dzisiejszym spotkaniu. Ale niech cię nie zwiedzie moja uprzejmość.

– Yennefer...

– Milcz! Dałam ci więcej niż jakiemukolwiek mężczyźnie, łajdaku. Sama nie wiem, dlaczego właśnie tobie. A ty... O nie, mój drogi. Ja nie jestem dziwką ani przygodnie nadybaną w lesie elfką, którą można pewnego ranka porzucić, odejść, nie budząc, zostawiając na stole bukiecik fiołków. Którą można wystawić na pośmiewisko. Uważaj! Jeśli powiesz teraz chociaż słowo, pożałujesz!

Geralt nie powiedział ani słowa, bezbłędnie wyczuwając wrzącą w Yennefer złość. Czarodziejka ponownie odgarnęła z czoła nieposłuszne loki, spojrzała mu w oczy, z bliska.

– Spotkaliśmy się, trudno – rzekła cicho. – Nie będziemy robić z siebie widowiska dla wszystkich. Zachowajmy twarz. Udawajmy dobrych znajomych. Ale nie popełnij błędu, Geralt. Między tobą a mną nie ma już niczego. Niczego, rozumiesz? I ciesz się, bo oznacza to, że porzuciłam już pewne projekty, jakie jeszcze niedawno wobec ciebie miałam. Ale to wcale nie oznacza, że ci wybaczyłam. Ja ci nigdy nie wybaczę, wiedźminie. Nigdy.

Odwróciła się gwałtownie, chwyciła cebrzyk, rozpryskując wodę, odeszła za wóz.

Geralt odpędził brzęczącego nad uchem komara, wolno odszedł w stronę ogniska, przy którym rzadkimi oklaskami nagradzano właśnie występ Jaskra. Spojrzał na gra-

natowe niebo ponad czarną, zębatą piłą szczytów. Miał
ochotę się roześmiać. Nie wiedział, dlaczego.

VI

– Ostrożnie tam! Baczenie dawać! – zawołał Boholt,
obracając się na koźle do tyłu, w stronę kolumny. – Bliżej
skały! Dawać baczenie!

Wozy toczyły się, podskakując na kamieniach. Woźnice
klęli, chlaszcząc konie lejcami, wychylając się, zerkali
niespokojnie, czy koła są w dostatecznej odległości od
skraju wąwozu, przy którym biegła wąska, nierówna droga. W dole, na dnie przepaści, białą pianą kotłowała się
wśród głazów rzeka Braa.

Geralt wstrzymał konia, przyciskając się do skalnej
ściany pokrytej rzadkim brązowym mchem i białymi wy-
kwitami wyglądającymi jak liszaje. Pozwolił, by wyprzedził go furgon Rębaczy. Od czoła kolumny przycwałował
Zdzieblarz wiodący pochód razem ze zwiadowcami z Hołopola.

– Dobra! – wrzasnął. – Ruszajcie skorzej! Dalej jest
przestronniej!

Król Niedamir i Gyllenstiern, obaj wierzchem, w asy-
ście kilku konnych łuczników, zrównali się z Geraltem. Za
nimi turkotały wozy królewskiego taboru. Jeszcze dalej
toczył się wóz krasnoludów powożony przez Yarpena Zigrina wrzeszczącego bez przerwy.

Niedamir, szczuplutki i piegowaty wyrostek w białym
kożuszku, minął wiedźmina, obrzucając go wyniosłym,
choć wyraźnie znudzonym spojrzeniem. Gyllenstiern wyprostował się, wstrzymał konia.

– Pozwólcie no, panie wiedźminie – powiedział wład-
czo.

– Słucham – Geralt szturchnął klacz piętami, ruszył
powoli obok kanclerza, za taborem. Dziwił się, że mając
tak imponujące brzuszysko, Gyllenstiern przedkłada siodło nad wygodną jazdę na wozie.

– Wczoraj – Gyllenstiern ściągnął lekko wodze nabija-
ne złotymi guzami, odrzucił z ramienia turkusowy płaszcz

– wczoraj powiedzieliście, że nie interesuje was smok. Co was tedy interesuje, panie wiedźminie? Czemu jedziecie z nami?

– To wolny kraj, panie kanclerzu.

– Na razie. Ale w tym orszaku, panie Geralt, każdy powinien znać swoje miejsce. I rolę, jaką ma spełnić, zgodnie z wolą króla Niedamira. Pojmujecie to?

– O co wam idzie, panie Gyllenstiern?

– Powiem wam. Słyszałem, że ostatnio trudno dogadać się z wami, wiedźminami. Rzecz w tym, że co się wiedźminowi wskaże potwora do zabicia, wiedźmin, zamiast brać miecz i rąbać, zaczyna medytować, czy to się aby godzi, czy to nie wykracza poza granice możliwości, czy nie jest sprzeczne z kodeksem i czy potwór to aby faktycznie potwór, jakby tego nie było widać na pierwszy rzut oka. Widzi mi się, że zaczęło się wam po prostu za dobrze powodzić. Za moich czasów wiedźmini nie śmierdzieli groszem, a wyłącznie onucami. Nie rozprawiali, rąbali, co się im wskazało, za jedno im było, czy to wilkołak, czy smok, czy poborca podatków. Liczyło się, czy dobrze cięty. Co, Geralt?

– Macie dla mnie jakieś zlecenie, Gyllenstiern? – spytał oschle wiedźmin. – Mówcie tedy, o co chodzi. Zastanowimy się. A jeżeli nie macie, to szkoda sobie gębę strzępić, nieprawdaż?

– Zlecenie? – westchnął kanclerz. – Nie, nie mam. Tu idzie o smoka, a to wyraźnie wykracza poza twoje granice możliwości, wiedźminie. Wolę już Rębaczy. Ciebie chciałem jedynie uprzedzić. Ostrzec. Wiedźmińskie fanaberie, polegające na dzieleniu potworów na dobre i złe, ja i król Niedamir możemy tolerować, ale nie życzymy sobie o nich słuchać, a tym bardziej oglądać, jak są wprowadzane w życie. Nie mieszajcie się do królewskich spraw, wiedźminie. I nie kumajcie się z Dorregarayem.

– Nie zwykłem kumać się z czarodziejami. Skąd takie przypuszczenie?

– Dorregaray – powiedział Gyllenstiern – prześciga w fanaberiach nawet wiedźminów. Nie poprzestaje na dzieleniu potworów na dobre i złe. Uważa, że wszystkie są dobre.

- Przesadza nieco.
- Niewątpliwie. Ale broni swoich poglądów z zadziwiającym uporem. Zaprawdę, nie zdziwiłbym się, gdyby mu się coś przytrafiło. A że dołączył do nas w dziwnym towarzystwie...
- Nie jestem towarzystwem dla Dorregaraya. Ani on dla mnie.
- Nie przerywaj. Towarzystwo jest dziwne. Wiedźmin pełen skrupułów niczym lisie futro pcheł. Czarodziej powtarzający druidzkie brednie o równowadze w naturze. Milczący rycerz Borch Trzy Kawki i jego eskorta z Zerrikanii, gdzie, jak powszechnie wiadomo, składa się ofiary przed podobizną smoka. I wszyscy oni nagle przyłączają się do polowania. Dziwne, nieprawdaż?
- Niech wam będzie, że prawdaż.
- Wiedz więc - rzekł kanclerz - że najbardziej zagadkowe problemy znajdują, jak dowodzi praktyka, najprostsze rozwiązania. Nie zmuszaj mnie, wiedźminie, abym po nie sięgnął.
- Nie rozumiem.
- Rozumiesz, rozumiesz. Dzięki za rozmowę, Geralt.

Geralt zatrzymał się. Gyllenstiern popędził konia, dołączył do króla, doganiając tabor. Obok przejechał Eyck z Denesle w pikowanym kaftanie z jasnej skóry poznaczonej odciskami od pancerza, ciągnąc jucznego konia obładowanego zbroją, jednolicie srebrną tarczą i potężną kopią. Geralt pozdrowił go uniesieniem dłoni, ale błędny rycerz odwrócił głowę w bok, zaciskając wąskie wargi, uderzył konia ostrogami.

- Nie przepada za tobą - powiedział Dorregaray, podjeżdżając. - Co, Geralt?
- Najwyraźniej.
- Konkurencja, prawda? Obaj prowadzicie podobną działalność. Tyle że Eyck jest idealistą, a ty profesjonałem. Mała różnica, zwłaszcza dla tych, których zabijacie.
- Nie porównuj mnie z Eyckiem, Dorregaray. Diabli wiedzą, kogo krzywdzisz tym porównaniem, jego czy mnie, ale nie porównuj.
- Jak chcesz. Dla mnie, otwarcie mówiąc, obaj jesteście jednako odrażający.

- Dziękuję.

- Nie ma za co - czarodziej poklepał po szyi konia spłoszonego wrzaskami Yarpena i jego krasnoludów. - Dla mnie, wiedźminie, nazywanie mordu powołaniem jest odrażające, niskie i głupie. Nasz świat jest w równowadze. Unicestwianie, mordowanie jakichkolwiek stworzeń, które ten świat zamieszkują, rozchwiewa tę równowagę. A brak równowagi zbliża zagładę, zagładę i koniec świata, takiego, jakim go znamy.

- Druidzka teoria - stwierdził Geralt. - Znam ją. Wyłożył mi ją kiedyś pewien stary hierofant, jeszcze w Rivii. Dwa dni po naszej rozmowie rozszarpały go szczurołaki. Zachwiania równowagi nie dało się stwierdzić.

- Świat, powtarzam - Dorregaray spojrzał na niego obojętnie - jest w równowadze. Naturalnej równowadze. Każdy gatunek ma swoich naturalnych wrogów, każdy jest naturalnym wrogiem dla innych gatunków. Ludzi to również dotyczy. Wyniszczenie naturalnych wrogów człowieka, któremu się poświęciłeś, a które już się zaczyna obserwować, grozi degeneracją rasy.

- Wiesz co, czarowniku - zdenerwował się Geralt - przejdź się kiedyś do matki, której dziecko pożarł bazyliszek, i powiedz jej, że powinna się cieszyć, bo dzięki temu rasa ludzka ocalała przed degeneracją. Zobaczysz, co ci odpowie.

- Dobry argument, wiedźminie - powiedziała Yennefer podjeżdżając do nich z tyłu na swoim wielkim karoszu. - A ty, Dorregaray, uważaj, co wygadujesz.

- Nie zwykłem ukrywać swoich poglądów.

Yennefer wjechała między nich. Wiedźmin zauważył, że złotą siateczkę na włosach zastąpiła przepaska ze zrolowanej, białej chustki.

- Jak najprędzej zacznij je ukrywać, Dorregaray - powiedziała. - Zwłaszcza przed Niedamirem i Rębaczami, którzy już podejrzewają, że zamierzasz przeszkodzić w zabiciu smoka. Póki tylko gadasz, traktują cię jak niegroźnego maniaka. Jeśli jednak spróbujesz coś przedsięwziąć, skręcą ci kark, zanim zdążysz westchnąć.

Czarodziej uśmiechnął się pogardliwie i lekceważąco.

– A poza tym – ciągnęła Yennefer – wygłaszając te poglądy psujesz powagę naszego zawodu i powołania.

– Czymże to?

– Swoje teorie możesz odnosić do wszelkiego stworzenia i robactwa, Dorregaray. Ale nie do smoków. Bo smoki są naturalnymi i najgorszymi wrogami człowieka. I nie o degenerację rasy ludzkiej tu idzie, ale o jej przetrwanie. Żeby przetrwać, trzeba rozprawić się z wrogami, z tymi, którzy mogą to przetrwanie uniemożliwić.

– Smoki nie są wrogami człowieka – wtrącił Geralt.

Czarodziejka spojrzała na niego i uśmiechnęła się. Wyłącznie wargami.

– W tej kwestii – powiedziała – zostaw ocenę nam, ludziom. Ty, wiedźmin, nie jesteś od oceniania. Jesteś od roboty.

– Jak zaprogramowany, bezwolny golem?

– Twoje, nie moje porównanie – odparła zimno Yennefer. – Ale cóż, trafne.

– Yennefer – rzekł Dorregaray. – Jak na kobietę o twoim wykształceniu i w twoim wieku wygadujesz zaskakujące brednie. Dlaczegóż to właśnie smoki awansowały u ciebie na czołowych wrogów ludzi? Dlaczego nie inne, stokroć groźniejsze stworzenia, te, które mają na sumieniu stokroć więcej ofiar niż smoki? Dlaczego nie hirikki, widłogony, mantikory, amfisbeny czy gryfy? Dlaczego nie wilki?

– Powiem ci, dlaczego. Przewaga człowieka nad innymi rasami i gatunkami, jego walka o należne w przyrodzie miejsce, o przestrzeń życiową, mogą zostać wygrane tylko wówczas, gdy ostatecznie wyeliminuje się koczownictwo, wędrówki z miejsca na miejsce w poszukiwaniu żarcia, zgodnie z kalendarzem natury. W przeciwnym razie nie osiągnie się należytego tempa rozrodczości, dziecko ludzkie zbyt długo nie jest samodzielne. Tylko bezpieczna za murami miasta lub warowni kobieta może rodzić we właściwym tempie, to znaczy co rok. Płodność, Dorregaray, to rozwój, to warunek przetrwania i dominacji. I tu dochodzimy do smoków. Tylko smok, żaden inny potwór, może zagrozić miastu lub warowni. Gdyby smoki nie zostały wytępione, ludzie dla bezpieczeństwa rozpraszaliby się, zamiast łączyć, bo smoczy ogień w gęsto zabudowanym osiedlu to koszmar, to setki ofiar, to straszliwa zagłada. Dlatego smoki muszą zostać wybite do ostatniego, Dorregaray.

Dorregaray popatrzył na nią z dziwnym uśmiechem na ustach.

– Wiesz, Yennefer, nie chciałbym dożyć chwili, gdy zrealizuje się twoja idea o panowaniu człowieka, gdy tobie podobni zajmą należne im miejsce w przyrodzie. Na szczęście, nigdy do tego nie dojdzie. Prędzej wyrżniecie się nawzajem, wytrujecie, wyzdychacie na dur i tyfus, bo to brud i wszy, nie smoki, zagrażają waszym wspaniałym miastom, w których kobiety rodzą co rok, ale tylko jeden noworodek na dziesięć żyje dłużej niż dziesięć dni. Tak, Yennefer, płodność, płodność i jeszcze raz płodność. Zajmij się, moja droga, rodzeniem dzieci, to bardziej naturalne dla ciebie zajęcie. To zajmie ci czas, który obecnie bezpłodnie tracisz na wymyślanie bzdur. Żegnam.

Popędziwszy konia, czarodziej pocwałował w kierunku czoła kolumny. Geralt, rzuciwszy okiem na bladą i wściekle skrzywioną twarz Yennefer, zaczął współczuć mu z wyprzedzeniem. Wiedział, o co szło. Yennefer, jak większość czarodziejek, była sterylna. Ale jak niewiele czarodziejek bolała nad tym faktem i na wspominanie o nim reagowała prawdziwym szałem. Dorregaray zapewne wiedział o tym. Nie wiedział prawdopodobnie o tym, jaka jest mściwa.

– Narobi sobie kłopotów – syknęła. – Oj, narobi. Uważaj, Geralt. Nie myśl, że jeśli przyjdzie co do czego, a ty nie wykażesz rozsądku, to będę cię bronić.

– Bez obaw – uśmiechnął się. – My, to znaczy wiedźmini i bezwolne golemy, działamy zawsze rozsądnie. Jednoznacznie i wyraźnie wytyczone są bowiem granice możliwości, między którymi możemy się poruszać.

– No, no, patrzcie – Yennefer spojrzała na niego, wciąż blada. – Obraziłeś się jak panienka, której wytknięto brak cnoty. Jesteś wiedźminem, nie zmienisz tego. Twoje powołanie...

– Przestań z tym powołaniem, Yen, bo mnie już zaczyna mdlić.

– Nie mów tak do mnie, mówiłam. A twoje mdłości mało mnie interesują. Jak i wszystkie pozostałe reakcje z ograniczonego, wiedźmińskiego wachlarza reakcji.

– Niemniej, obejrzysz niektóre z nich, jeśli nie przestaniesz raczyć mnie opowiadaniami o szczytnych przesłaniach i walce o dobro ludzi. I o smokach, straszliwych wrogach ludzkiego plemienia. Wiem lepiej.

– Tak? – zmrużyła oczy czarodziejka. – A cóż ty takiego wiesz, wiedźminie?

– Choćby to – Geralt zlekceważył gwałtowne, ostrzegawcze drganie medalionu na szyi – że gdyby smoki nie miały skarbców, to pies z kulawą nogą nie interesowałby się nimi, a już na pewno nie czarodzieje. Ciekawe, że przy każdym polowaniu na smoka zawsze kręci się jakiś czarodziej, mocno powiązany z Gildią Jubilerów. Tak jak ty. I później, chociaż na rynek powinno trafić zatrzęsienie kamieni, jakoś nie trafiają i ich cena nie spada. Nie opowiadaj mi więc o powołaniu i o walce o przetrwanie rasy. Za dobrze i za długo cię znam.

– Za długo – powtórzyła, złowrogo krzywiąc wargi. – Niestety. Ale nie myśl, że dobrze, ty sukinsynu. Psiakrew, jaka ja byłam głupia... Ach, idź do diabła! Patrzeć na ciebie nie mogę!

Krzyknęła, poderwała karosza, ostro pocwałowała do przodu. Wiedźmin wstrzymał wierzchowca, przepuścił wóz krasnoludów, ryczących, klnących, gwiżdżących na kościanych piszczałkach. Między nimi, rozwalony na workach z owsem, leżał Jaskier, pobrzękując na lutni.

– Hej! – ryczał Yarpen Zigrin siedzący na koźle, wskazując na Yennefer. – Coś się tam czerni na szlaku! Ciekawe, co to? Wygląda jak kobyła!

– Bez ochyby! – odwrzasnął Jaskier odsuwając na tył głowy śliwkowy kapelusik. – To kobyła! Wierzchem na wałachu! Niebywałe!

Yarpenowi chłopcy zatrzęśli brodami w chóralnym śmiechu. Yennefer udawała, że nie słyszy.

Geralt wstrzymał konia, przepuścił konnych łuczników

Niedamira. Za nimi, w pewnej odległości, jechał wolno
Borch, a tuż za nim Zerrikanki stanowiące ariergardę kolumny. Geralt zaczekał, aż podjadą, poprowadził klacz
bok w bok z koniem Borcha. Jechali, milcząc.

– Wiedźminie – odezwał się nagle Trzy Kawki. – Chcę
ci zadać jedno pytanie.

– Zadaj.

– Czemu nie zawrócisz?

Wiedźmin przez chwilę przyglądał mu się w milczeniu.

– Naprawdę chcesz to wiedzieć?

– Chcę – powiedział Trzy Kawki zwracając ku niemu
twarz.

– Jadę z nimi, bo jestem bezwolny golem. Bo jestem
wiecheć pakuł gnany wiatrem wzdłuż gościńca. Dokąd,
powiedz mi, mam pojechać? I po co? Tutaj przynajmniej
zebrali się tacy, z którymi mam o czym rozmawiać. Tacy,
którzy nie przerywają rozmowy, gdy podchodzę. Tacy, którzy nawet nie lubiąc mnie, mówią mi to w oczy, nie rzucają kamieniami zza opłotków. Jadę z nimi z tego samego
powodu, dla którego pojechałem z tobą do flisackiej oberży. Bo jest mi wszystko jedno. Nie mam miejsca, do którego mógłbym zmierzać. Nie mam celu, który powinien
znajdować się na końcu drogi.

Trzy Kawki odchrząknął.

– Cel jest na końcu każdej drogi. Każdy go ma. Nawet
ty, chociaż wydaje ci się, że jesteś taki inny.

– Teraz ja zadam ci pytanie.

– Zadaj.

– Czy ty masz cel będący na końcu drogi?

– Mam.

– Szczęściarz.

– To nie jest sprawa szczęścia, Geralt. To jest sprawa
tego, w co wierzysz i czemu się poświęcisz. Nikt nie powinien wiedzieć o tym lepiej od... Od wiedźmina.

– Ciągle słyszę dziś o powołaniu – westchnął Geralt. –
Powołaniem Niedamira jest zagarnąć Malleore. Powołaniem Eycka z Denesle jest bronić ludzi przed smokami.
Dorregaray czuje się powołany do czegoś wręcz odwrotne-
go. Yennefer, z racji pewnych zmian, jakim poddano jej

organizm, nie może spełniać swojego powołania i strasznie się miota. Cholera, tylko Rębacze i krasnoludy nie czują żadnego powołania, chcą się po prostu nachapać. Może dlatego tak mnie do nich ciągnie?

– Nie do nich cię ciągnie, Geralcie z Rivii. Nie jestem ślepy ni głuchy. Nie na dźwięk ich imion sięgnąłeś wtedy po sakiewkę. Ale wydaje mi się...

– Niepotrzebnie ci się wydaje – rzekł wiedźmin bez gniewu.

– Przepraszam.

– Niepotrzebnie przepraszasz.

Wstrzymali konie, ledwie na czas, by nie wpaść na zatrzymaną nagle kolumnę łuczników z Caingorn.

– Co się stało? – Geralt stanął w strzemionach. – Dlaczegośmy się zatrzymali?

– Nie wiem – Borch odwrócił głowę. Vea, ze ściągniętą dziwnie twarzą, wyrzekła szybko kilka słów.

– Podskoczę na czoło – rzekł wiedźmin – i sprawdzę.

– Zostań.

– Dlaczego?

Trzy Kawki milczał przez chwilę patrząc w ziemię.

– Dlaczego? – powtórzył Geralt.

– Jedź – rzekł Borch. – Może tak będzie lepiej.

– Co ma być lepiej?

– Jedź.

Most, spinający dwie krawędzie przepaści, wyglądał solidnie, zbudowany z grubych, sosnowych bali, wsparty na czworokątnym filarze, o który, szumiąc, długimi wąsami piany rozbijał się nurt.

– Hej, Zdzieblarz! – wrzasnął Boholt podprowadzając wóz. – Czegoś się zatrzymał?

– A bo ja wiem, jaki ten most?

– Czemu tędy nam droga? – spytał Gyllenstiern, podjeżdżając bliżej. – Nie w smak mi pchać się z wozami na tę kładkę. Hej, szewcze! Czemu tędy wiedziesz, a nie szlakiem? Szlak przecież idzie dalej, ku zachodowi?

Bohaterski truciciel z Hołopola zbliżył się, zdejmując baranią czapkę. Wyglądał przezabawnie, ustrojony w opięty na siermiędze staromodny półpancerz wyklepany zapewne jeszcze za panowania króla Sambuka.

– Tędy droga krótsza, miłościwy panie – powiedział nie do kanclerza, lecz wprost do Niedamira, którego twarz nadal wyrażała bolesne wręcz znudzenie.

– Jak niby? – spytał zmarszczony Gyllenstiern. Niedamir nie zaszczycił szewca nawet uważniejszym spojrzeniem.

– To – powiedział Kozojed, wskazując na górujące nad okolicą trzy szczerbate szczyty – to są Chiava, Pustula i Skakunowy Ząb. Szlak wiedzie ku ruinom starej warowni, otacza Chiavę od północy, za źródłami rzeki. A mostem możem drogę skrócić. Wąwozem przejdziem na płań między góry. A jeśli tamój smoczych śladów nie znajdziemy, pójdziemy na wschód dalej, przepatrzymy jary. A jeszcze dalej na wschód są równiuśkie hale, prosta droga tamtędy do Caingorn, ku waszym, panie, dziedzinom.

– A gdzieżeś to, Kozojed, takiego umu o tych górach nabrał? – spytał Boholt. – Przy kopycie?

– Nie, panie. Owcem tu za młodu pasał.

– A ten most wytrzyma? – Boholt wstał na koźle, spojrzał w dół, na spienioną rzekę. – Przepaść ma ze czterdzieści sążni.

– Wytrzyma, panie.

– Skąd w ogóle taki most w tej dziczy?

– Tego mosta – rzekł Kozojed – trolle dawnymi czasy pobudowały, kto tędy jeździł, musiał im płacić słony grosz. Ale że rzadko tędy jeździli, tedy trolle z torbami poszli. A most ostał.

– Powtarzam – powiedział gniewnie Gyllenstiern – wozy mamy ze sprzętem i paszą, możemy na bezdrożach utknąć. Czy nie lepiej szlakiem jechać?

– Można i szlakiem – wzruszył ramionami szewc – ale to dłuższa droga. A król prawił, że mu do smoka pilno, że wygląda go, niby kania dżdżownic.

– Dżdżu – poprawił kanclerz.

– Niech będzie, że dżdżu – zgodził się Kozojed. – A mostem i tak będzie bliżej.

– No, to jazda, Kozojed – zdecydował Boholt. – Suń przodem, ty i twoje wojsko. U nas taki obyczaj, przodem puszczać najwaleczniejszych.

- Nie więcej niż jeden wóz na raz - ostrzegł Gyllenstiern.

- Dobra - Boholt smagnął konie, wóz zadudnił po balach mostu. - Za nami, Zdzieblarz! Bacz, czy koła równo idą!

Geralt wstrzymał konia, drogę zagrodzili mu łucznicy Niedamira w swoich purpurowo-złotych kaftanach stłoczeni na kamiennym przyczółku.

Klacz wiedźmina parsknęła.

Ziemia zadrżała. Góry zadygotały, zębaty skraj skalistej ściany zamazał się nagle na tle nieba, a sama ściana przemówiła nagle głuchym, wyczuwalnym dudnieniem.

- Uwaga! - zaryczał Boholt, już po drugiej stronie mostu. - Uwaga tam!

Pierwsze kamienie, na razie drobne, zaszuściły i zastukały po dygoczącym spazmatycznie obrywie. Na oczach Geralta część drogi, rozziewając się w czarną, przeraźliwie szybko rosnącą szczelinę, oberwała się, poleciała w przepaść z ogłuszającym łoskotem.

- Po koniach!!! - wrzasnął Gyllenstiern. - Miłościwy panie! Na drugą stronę!

Niedamir, z głową wtuloną w grzywę konia, runął na most, za nim skoczył Gyllenstiern i kilku łuczników. Za nimi, dudniąc, wwalił się na trzeszczące dyle królewski furgon z łopoczącą chorągwią z gryfem.

- To lawina! Z drogi! - zawył z tyłu Yarpen Zigrin chlaszcząc biczem po końskich zadach, wyprzedzając drugi wóz Niedamira i roztrącając łuczników. - Z drogi, wiedźminie! Z drogi!

Obok wozu krasnoludów przecwałował Eyck z Denesle, wyprostowany i sztywny. Gdyby nie śmiertelnie blada twarz i zaciśnięte w rozedrganym grymasie usta, można by pomyśleć, że błędny rycerz nie zauważa sypiących się na szlak głazów i kamieni. Z tyłu, z grupy łuczników, ktoś krzyczał dziko, rżały konie.

Geralt szarpnął wodze, spiął konia, tuż przed nim ziemia zagotowała się od lecących z góry głazów. Wóz krasnoludów z turkotem przetoczył się po kamieniach, tuż przed mostem podskoczył, osiadł z trzaskiem na bok, na ułamaną oś. Koło odbiło się od balustrady, poleciało w dół, w kipiel.

Klacz wiedźmina, sieczona ostrymi odłamkami skał, stanęła dęba. Geralt chciał zeskoczyć, ale zaczepił klamrą buta o strzemię, upadł na bok, na drogę. Klacz zarżała i popędziła przed siebie, prosto na tańczący nad przepaścią most. Po moście biegły krasnoludy wrzeszcząc i pomstując.

– Szybciej, Geralt! – krzyknął biegnący za nimi Jaskier, oglądając się.

– Wskakuj, wiedźminie! – zawołał Dorregaray miotając się w siodle, z trudem utrzymując szalejącego konia.

Z tyłu, za nimi, cała droga tonęła w chmurze pyłu wzbijanego przez lecące głazy, druzgocące wozy Niedamira. Wiedźmin wczepił palce w rzemienie juków za siodłem czarodzieja. Usłyszał krzyk.

Yennefer zwaliła się razem z koniem, odturlała w bok, dalej od wierzgających na oślep kopyt, przypadła do ziemi, osłaniając głowę rękoma. Wiedźmin puścił siodło, pobiegł ku niej, nurkując w ulewę kamieni, przeskakując otwierające się pod nogami rozpadliny. Yennefer, szarpnięta za ramię, uniosła się na kolana. Oczy miała szeroko otwarte, z rozciętej brwi ciekła jej strużka krwi sięgająca już końca ucha.

– Wstawaj, Yen!

– Geralt! Uważaj!

Ogromny, płaski blok skalny, z łoskotem i zgrzytem szorując po ścianie obrywu, zsuwał się, leciał prosto na nich. Geralt padł nakrywając sobą czarodziejkę. W tym samym momencie blok eksplodował, rozerwał się na miliard odłamków, które spadły na nich, tnąc jak osy.

– Szybciej! – krzyknął Dorregaray. Wymachując różdżką na tańczącym koniu, rozsadzał w pył kolejne głazy, osuwające się z obrywu. – Na most, wiedźminie!

Yennefer machnęła ręką, wyginając palce, krzyknęła niezrozumiale. Kamienie, stykając się z niebieskawą półsferą, wyrosłą nagle nad ich głowami, znikały jak krople wody padające na rozpaloną blachę.

– Na most, Geralt! – krzyknęła czarodziejka. – Blisko mnie!

Pobiegli, ścigając Dorregaraya i kilku spieszonych łuczników. Most kołysał się i trzeszczał, bale wyginały się na wszystkie strony miotając nimi od balustrady do balustrady.

– Szybciej!

Most osiadł nagle z przenikliwym trzaskiem, połowa, którą już przebyli, urwała się, z łoskotem poleciała w przepaść, wraz z nią wóz krasnoludów, roztrzaskując się o kamienne zęby wśród oszalałego rżenia koni. Część, na której się znajdowali, wytrzymała, ale Geralt zorientował się nagle, że biegną już pod górę, pod raptownie stromiejącą strominę. Yennefer zaklęła dysząc.

– Padnij, Yen! Trzymaj się!

Resztka mostku zgrzytnęła, chrupnęła i opuściła się jak pochylnia. Upadli, wczepiając palce w szczeliny między balami. Yennefer nie utrzymała się. Pisnęła po dziewczęcemu i pojechała w dół. Geralt, uczepiony jedną ręką, wyciągnął sztylet, wraził ostrze między bale, oburącz uchwycił się rękojeści. Stawy w jego łokciach zatrzeszczały, gdy Yennefer szarpnęła nim, zawisając na pasie i pochwie miecza, przerzuconego przez plecy. Most chrupnął znowu i pochylił się jeszcze bardziej, prawie do pionu.

– Yen – wystękał wiedźmin. – Zrób coś... Cholera, rzuć zaklęcie!

– Jak? – usłyszał jej gniewne, stłumione warknięcie. – Przecież wiszę!

– Zwolnij jedną rękę!

– Nie mogę...

– Hej! – wrzasnął z góry Jaskier. – Trzymacie się? Hej! Geralt nie uznał za celowe potwierdzać.

– Dajcie linę! – darł się Jaskier. – Prędko, psiakrew!

Obok trubadura pojawili się Rębacze, krasnoludy i Gyllenstiern. Geralt usłyszał ciche słowa Boholta.

– Poczekaj, śpiewaku. Ona zaraz odpadnie. Wtedy wyciągniemy wiedźmina.

Yennefer zasyczała jak żmija wijąc się na plecach Geralta. Pas boleśnie wpił mu się w pierś.

– Yen? Możesz złapać oparcie? Nogami? Możesz coś zrobić nogami?

– Tak – jęknęła. – Pomajtać.

Geralt spojrzał w dół, na rzekę, kotłującą się wśród ostrych głazów, o które obijały się, wirując, nieliczne belki mostu, koń i trup w jaskrawych barwach Caingorn. Za głazami, w szmaragdowym, przejrzystym odmęcie, zobaczył wrzecionowate cielska wielkich pstrągów, leniwie poruszających się w prądzie.

– Trzymasz się, Yen?

– Jeszcze... tak...

– Podciągnij się. Musisz złapać oparcie...

– Nie... mogę...

– Dajcie linę! – wrzeszczał Jaskier. – Co wyście, pogłupieli? Spadną obydwoje!

– Może i dobrze? – zastanowił się niewidoczny Gyllenstiern.

Most zatrzeszczał i obsunął się jeszcze bardziej. Geralt zaczął tracić czucie w palcach, zaciśniętych na rękojeści sztyletu.

– Yen...

– Zamknij się... i przestań wiercić...

– Yen?

– Nie mów tak do mnie...

– Wytrzymasz?

– Nie – powiedziała zimno. Nie walczyła już, wisiała mu na plecach martwym, bezwładnym ciężarem.

– Yen?

– Zamknij się.

– Yen. Wybacz mi.

– Nie. Nigdy.

Coś pełzło w dół, po balach. Szybko. Jak wąż.

Emanująca zimną poświatą lina, wyginając się i zwijając, jak żywa, namacała ruchliwym końcem kark Geralta, przesunęła się pod pachami, zamotała w luźny węzeł. Czarodziejka, pod nim, jęknęła, wciągając powietrze. Był pewien, że zaszlocha. Mylił się.

– Uwaga! – krzyknął z góry Jaskier. – Wyciągamy was! Niszczuka! Kennet! W górę ich! Ciągnijcie!

Szarpnięcie, bolesny, duszący ucisk naprężonej liny. Yennefer westchnęła ciężko. Pojechali w górę, szybko, szorując brzuchami o szurpate dyle.

Na górze Yennefer wstała pierwsza.

VII

– Z całego taboru – rzekł Gyllenstiern – ocaliliśmy jeden furgon, królu, nie licząc wozu Rębaczy. Z oddziału zostało siedmiu łuczników. Po tamtej stronie przepaści nie ma już drogi, jest tylko piarg i gładka ściana, jak daleko pozwala widzieć załom. Nie wiadomo, czy ocalał ktokolwiek z tych, co zostali, gdy most się zawalił.

Niedamir nie odpowiedział. Eyck z Denesle, wyprostowany, stanął przed królem, utkwiwszy w nim błyszczące, zgorączkowane oczy.

– Ściga nas gniew bogów – powiedział wznosząc ręce. – Zgrzeszyliśmy, królu Niedamirze. To była święta wyprawa, wyprawa przeciw złu. Bo smok to zło, tak, każdy smok to wcielone zło. Ja zła nie mijam obojętnie, ja rozgniatam je pod stopą... Unicestwiam. Tak, jak każą bogowie i Święta Księga.

– Co on plecie? – zmarszczył się Boholt.

– Nie wiem – rzekł Geralt, poprawiając uprząż klaczy. – Nie pojąłem ni słowa.

– Bądźcie cicho – powiedział Jaskier. – Staram się to zapamiętać, może da się wykorzystać, gdy się dobierze rymy.

– Mówi Święta Księga – rozwrzeszczał się na dobre Eyck – że wynijdzie z otchłani wąż, smok obrzydły, siedem głów i dziesięć rogów mający! A na grzbiecie jego zasiądzie niewiasta w purpurach i szkarłatach, a puchar złoty będzie w jej dłoni, a na czole jej wypisany będzie znak wszelkiego i ostatecznego kurewstwa!

– Znam ją! – ucieszył się Jaskier. – To Cilia, żona wójta Sommerhaldera!

– Uciszcie się, panie poeto – rzekł Gyllenstiern. – A wy, rycerzu z Denesle, mówcie jaśniej, jeśli łaska.

– Przeciw złu, królu – zawołał Eyck – trzeba wystąpić z czystym sercem i sumieniem, z podniesioną głową! A kogo my tu widzimy? Krasnoludów, którzy są poganami, rodzą się w ciemnościach i kłaniają się ciemnym mocom! Czarowników bluźnierców, uzurpujących sobie boskie prawa, siły i przywileje! Wiedźmina, który jest wstrętnym odmieńcem, przeklętym, nienaturalnym tworem. Dziwicie się, że spadła na nas kara? Królu Niedamirze! Sięgnęliśmy granic możliwości! Nie wystawiajmy na próbę bożej łaskawości. Wzywam was, królu, byście oczyścili z plugastwa nasze szeregi, zanim...

– O mnie ani słowa – żałośnie wtrącił Jaskier. – Ani słówka o poetach. A tak się staram.

Geralt uśmiechnął się do Yarpena Zigrina głaszczącego powolnym ruchem ostrze zatkniętego za pas topora. Krasnolud, ubawiony, wyszczerzył zęby. Yennefer odwróciła się demonstracyjnie, udając, że rozdarta aż po biodro spódnica frasuje ją bardziej niż słowa Eycka.

– Przesadziliśmy nieco, panie Eyck – odezwał się ostro Dorregaray. – Chociaż niewątpliwie ze szlachetnych pobudek. Za niepotrzebne zgoła uważam uświadamianie nam, co myślicie o czarodziejach, krasnoludach i wiedźminach. Choć, jak sądzę, wszyscyśmy już przywykli do takich opinii, ani to grzeczne, ani rycerskie, panie Eyck. A już zupełnie niepojęte po tym, kiedy to wy, nie kto inny, biegniecie i podajecie magiczną elfią linę zagrożonym śmiercią wiedźminowi i czarodziejce. Z tego, co mówicie, wynika, że raczej powinniście się modlić, by spadli.

– Psiakrew – szepnął Geralt do Jaskra. – To on podał tę linę? Eyck? Nie Dorregaray?

– Nie – mruknął bard. – To Eyck, to faktycznie on.

Geralt pokręcił głową z niedowierzaniem. Yennefer zaklęła pod nosem, wyprostowała się.

– Rycerzu Eyck – powiedziała z uśmiechem, który każdy prócz Geralta mógł wziąć za miły i życzliwy. – Jakże to? Jestem plugastwo, a wy ratujecie mi życie?

– Jesteście damą, pani Yennefer – rycerz skłonił się sztywno. – A wasza urodziwa i szczera twarz pozwala wierzyć, że wyrzekniecie się kiedyś przeklętego czarnoksięstwa.

Boholt parsknął.

– Dziękuję wam, rycerzu – rzekła sucho Yennefer. – I wiedźmin Geralt też wam dziękuje. Podziękuj mu, Geralt.

– Prędzej mnie szlag trafi – wiedźmin westchnął rozbrajająco szczerze. – Za co niby? Jestem plugawy odmieniec, a moja nieurodziwa twarz nie rokuje żadnych nadziei na poprawę. Rycerz Eyck wyciągnął mnie z przepaści niechcący, tylko dlatego, że kurczowo trzymałem się urodziwej damy. Gdybym sam tam wisiał, Eyck nie kiwnąłby palcem. Nie mylę się, prawda, rycerzu?

– Mylicie się, panie Geralcie – powiedział spokojnie błędny rycerz. – Nikomu będącemu w potrzebie nie odmawiam pomocy. Nawet komuś takiemu jak wiedźmin.

– Podziękuj, Geralt. I przeproś – powiedziała ostro czarodziejka. – W przeciwnym razie potwierdzisz, że przynajmniej w odniesieniu do ciebie Eyck miał zupełną rację. Nie potrafisz współżyć z ludźmi. Bo jesteś inny. Twój udział w tej wyprawie jest pomyłką. Przygnał cię tu bezsensowny cel. Sensownie będzie więc odłączyć się. Sądzę, że sam już to zrozumiałeś. A jeżeli nie, to wreszcie zrozum.

– O jakim to celu mówicie, pani? – wtrącił się Gyllenstiern. Czarodziejka spojrzała na niego, nie odpowiedziała. Jaskier i Yarpen Zigrin uśmiechnęli się do siebie znacząco, ale tak, by czarodziejka tego nie dostrzegła.

Wiedźmin spojrzał w oczy Yennefer. Były zimne.

– Przepraszam i dziękuję, rycerzu z Denesle – skłonił głowę. – Wszystkim tu obecnym dziękuję. Za pospieszny ratunek udzielony bez namysłu. Słyszałem, wisząc, jak jeden przez drugiego rwaliście się do pomocy. Wszystkich tu obecnych proszę o wybaczenie. Wyjąwszy szlachetną Yennefer, której dziękuję, o nic nie prosząc. Żegnam. Plugastwo z dobrej woli opuszcza kompanię. Bo plugastwo ma was dosyć. Bywaj, Jaskier.

– Ejże, Geralt – zawołał Boholt. – Nie strój fochów niby dzieweczka, nie rób z igły wideł. Do diabła z...

– Ludzieeeee!

Od strony gardzieli wąwozu biegł Kozojed i kilku hołopolskich milicjantów wysłanych na zwiady.

– Co jest? Czemu on tak się drze? – uniósł głowę Niszczuka.

– Ludzie... Wasze... miłości... – dyszał szewc.

– Wykrztuśże, człowieku – powiedział Gyllenstiern, zaczepiając kciuki o złoty pas.

- Smok! Tam, smok!
- Gdzie?
- Za wąwozem... Na równym... Panie, on...
- Do koni! - zakomenderował Gyllenstiern.
- Niszczuka! - wrzasnął Boholt. - Na wóz! Zdzieblarz, na koń i za mną!
- W dyrdy, chłopaki! - ryknął Yarpen Zigrin. - W dyrdy, psia mać!
- Hej, poczekajcie! - Jaskier zarzucił lutnię na ramię. - Geralt! Weź mnie na konia!
- Wskakuj!

Wąwóz kończył się usypiskiem jasnych skał, coraz rzadszych, tworzących nieregularny krąg. Za nimi teren opadał lekko na trawiastą, pagórkowatą halę, ze wszystkich stron zamkniętą wapiennymi ścianami, ziejącymi tysiącami otworów. Trzy wąskie kaniony, ujścia wyschłych strumieni, otwierały się na halę.

Boholt, który pierwszy docwałował do bariery głazów, zatrzymał nagle konia, stanął w strzemionach.

- O, zaraza - powiedział. - O, jasna zaraza. To... to nie może być!

- Co? - spytał Dorregaray podjeżdżając. Obok niego Yennefer, zeskakując z wozu Rębaczy, oparła się piersią o skalny blok, wyjrzała, cofnęła się, przetarła oczy.

- Co? Co jest? - krzyknął Jaskier, wychylając się zza pleców Geralta. - Co jest, Boholt?

- Ten smok... jest złoty.

Nie dalej niż sto kroków od kamiennej gardzieli wąwozu, z którego wyszli, na drodze do wiodącego na północ kanionu, na łagodnie obłym, niewysokim pagórze, siedziało stworzenie. Siedziało, wyginając w regularny łuk długą, smukłą szyję, skłoniwszy wąską głowę na wysklepioną pierś, oplatając ogonem przednie, wyprostowane łapy.

Było w tym stworzeniu, w pozycji, w jakiej siedziało, coś pełnego niewysłowionej gracji, coś kociego, coś, co zaprzeczało jego ewidentnie gadziej proweniencji. Niezaprzeczalnie gadziej. Stworzenie było bowiem pokryte łuską, wyraźną w rysunku, błyszczącą rażącym oczy blaskiem jasnego, żółtego złota. Bo stworzenie siedzące na pagórku było złote – złote od czubków zarytych w ziemię pazurów po koniec długiego ogona, poruszającego się leciutko wśród porastających pagór ostów. Patrząc na nich wielkimi, złotymi oczami, stworzenie rozwinęło szerokie, złociste, nietoperze skrzydła i tak trwało nieruchome, każąc się podziwiać.

– Złoty smok – szepnął Dorregaray. – To niemożliwe... Żywa legenda!

– Nie ma, psia mać, złotych smoków – stwierdził Niszczuka i splunął. – Wiem, co mówię.

– To co to jest to, co siedzi na pagórku? – spytał rzeczowo Jaskier.

– To jakieś oszustwo.

– Iluzja.

– To nie jest iluzja – powiedziała Yennefer.

– To złoty smok – rzekł Gyllenstiern. – Najprawdziwszy złoty smok.

– Złote smoki są tylko w legendach!

– Przestańcie – wtrącił nagle Boholt. – Nie ma się czym gorączkować. Byle bałwan widzi, że to złoty smok. A co to, proszę waszmości, za różnica, złoty, siny, sraczkowaty czy w kratkę? Duży nie jest, załatwimy go raz-dwa. Zdzieblarz, Niszczuka, rozgrużajcie wóz, wyciągajcie sprzęt. Też mi różnica, złoty, niezłoty.

– Jest różnica, Boholt – powiedział Zdzieblarz. – I to zasadnicza. To nie jest smok, którego tropimy. Nie ten, podtruty pod Hołopolem, który siedzi w jamie, na kruszcu i klejnotach. A ten tu siedzi na rzyci jedynie. To po cholerę nam on?

– Ten smok jest złoty, Kennet – warknął Yarpen Zigrin. – Widziałeś kiedy takiego? Nie rozumiesz? Za jego skórę weźmiemy więcej, niż wyciągnęlibyśmy ze zwykłego skarbca.

– I to nie psując rynku drogich kamieni – dodała Yennefer uśmiechając się nieładnie. – Yarpen ma rację. Umowa obowiązuje nadal. Jest co dzielić, no nie?

– Hej, Boholt? – wrzasnął Niszczuka z wozu przebierając z rumorem w ekwipunku. – Co zakładamy na siebie i na konie? Czym ta złota gadzina może ziać, hę? Ogniem? Kwasem? Parą?

– A zaraza jego wie, proszę waszmości – zafrasował się Boholt. – Hej, czarodzieje! Czy legendy o złotych smokach mówią, jak takiego zabić?

– Jak go zabić? A zwyczajnie! – krzyknął nagle Kozojed. – Nie ma co medytować, dajcie prędko jakiego zwierzaka. Napchamy go czymś trującym i podrzucimy gadu, niech sczeźnie.

Dorregaray popatrzył na szewca z ukosa, Boholt splunął, Jaskier odwrócił głowę z grymasem obrzydzenia. Yarpen Zigrin uśmiechał się obleśnie, wziąwszy się pod boki.

– Co tak patrzycie? – spytał Kozojed. – Bierzmy się do roboty, trzeba uradzić, czym napchamy ścierwo, żeby gad skapiał co rychlej. Musi to być coś, co jest strasznie jadowite, trujące albo zgniłe.

– Aha – przemówił krasnolud, wciąż z uśmiechem. – Coś, co jest jadowite, paskudne i śmierdzące. Wiesz co, Kozojed? Wychodzi, że to ty.

– Co?

– Gówno. Zjeżdżaj stąd, ciżmopsuju, niech oczy moje na ciebie nie patrzą.

– Panie Dorregaray – rzekł Boholt podchodząc do czarodzieja. – Okażcie przydatność. Przypomnijcie sobie legendy i podania. Co wam wiadomo o złotych smokach?

Czarodziej uśmiechnął się, prostując się wyniośle.

– Co mi wiadomo o złotych smokach, pytasz? Mało, ale wystarczająco wiele.

– Słuchamy tedy.

– A słuchajcie, i słuchajcie uważnie. Tam, przed nami, siedzi złoty smok. Żywa legenda, być może ostatnie i jedyne w swoim rodzaju stworzenie, jakie ocalało przed waszym morderczym szałem. Nie zabija się legendy. Ja, Dorregaray, nie pozwolę wam ruszyć tego smoka. Zrozumiano? Możecie się pakować, troczyć juki i wracać do domów.

Geralt był przekonany, że wybuchnie wrzawa. Mylił się.

– Mości czarodzieju – przerwał ciszę głos Gyllenstierna. – Baczcie no, co i do kogo mówicie. Król Niedamir może kazać wam, Dorregarayowi, troczyć juki i wynosić się do diabła. Ale nie odwrotnie. Czy to jest jasne?

– Nie – rzekł dumnie czarodziej. – Nie jest. Bo ja jestem mistrz Dorregaray i nie będzie mi rozkazywał ktoś, kogo królestwo obejmuje obszar widoczny z wysokości ostrokołu parszywej, brudnej i zasmrodzonej warowni. Czy wiecie, panie Gyllenstiern, że jeśli wypowiem zaklęcie i wykonam ruch ręką, to zmienicie się w krowi placek, a wasz nieletni król w coś niewypowiedzianie gorszego? Czy to jest jasne?

Gyllenstiern nie zdążył odpowiedzieć, bowiem Boholt, przystąpiwszy do Dorregaraya, chwycił go za ramię i obrócił ku sobie. Niszczuka i Zdzieblarz, milczący i ponurzy, wysunęli się zza pleców Boholta.

– Słuchajcie no, panie magik – rzekł cicho ogromny Rębacz. – Zanim zaczniecie wykonywać te wasze ruchy ręką, posłuchajcie. Mógłbym długo tłumaczyć, proszę waszmości, co sobie robię z twoich zakazów, z twoich legend i z twojego głupiego gadania. Ale nie chce mi się. Niech więc to starczy ci za moją odpowiedź.

Boholt odchrząknął, przyłożył palec do nosa i z bliskiej odległości nasmarkał czarodziejowi na czubki butów.

Dorregaray pobladł, ale nie poruszył się. Widział – jak i wszyscy – morgenstern łańcuchowy na łokciowej długości trzonku trzymany przez Niszczukę w nisko opuszczonej dłoni. Wiedział – jak i wszyscy – że czas, potrzebny na rzucenie zaklęcia jest nierównie dłuższy od czasu, jaki potrzebny będzie Niszczuce na rozwalenie mu głowy na ćwierci.

– No – powiedział Boholt. – A teraz odejdźcie grzecznie na bok, proszę waszmości. A jeśli przyjdzie ci ochota znowu otworzyć gębę, to prędko wetknij sobie w nią wiecheć trawy. Bo jeśli jeszcze raz usłyszę twoje stękania, to mnie popamiętasz.

Boholt odwrócił się, zatarł dłonie.

– No, Niszczuka, Zdzieblarz, do roboty, bo nam gad w końcu ucieknie.

– Nie wygląda, żeby on miał zamiar uciekać – powiedział Jaskier obserwujący przedpole. – Patrzcie no na niego.

Złoty smok, siedzący na pagórku, ziewnął, zadarł głowę, zamachał skrzydłami, smagnął ziemię ogonem.

– Królu Niedamirze i wy, rycerze! – zaryczał rykiem

brzmiącym jak mosiężna trąba. – Jestem smok Villentretenmerth! Jak widzę, nie ze wszystkim zatrzymała was
lawina, którą to ja, nie chwalący się, spuściłem wam na
głowy. Dotarliście aż tutaj. Jak wiecie, z doliny tej są tylko trzy wyjścia. Na wschód, ku Hołopolu, i na zachód, ku
Caingorn. I z tych dróg możecie skorzystać. Północnym
wąwozem, panowie, nie pójdziecie, bo ja, Villentretenmerth, zabraniam wam tego. Jeśli zaś ktoś mego zakazu
respektować nie zechce, wyzywam go oto na bój, na honorowy, rycerski pojedynek. Na broń konwencjonalną, bez
czarów, bez ziania ogniem. Walka do pełnej kapitulacji
jednej ze stron. Czekam odpowiedzi przez herolda waszego, jak każe zwyczaj!

Wszyscy stali otworzywszy szeroko usta.

– On gada! – sapnął Boholt. – Niebywałe!

– I do tego strasznie mądrze – rzekł Yarpen Zigrin. –
Czy ktoś wie, co to jest broń konfesjonalna?

– Zwykła, niemagiczna – powiedziała Yennefer marszcząc brwi. – Mnie jednak zastanawia coś innego. Nie
można mówić artykułowane, mając rozwidlony język.
Łajdak używa telepatii. Uważajcie, to działa w obie strony. Może czytać wasze myśli.

– Co on, zgłupiał ze szczętem, czy jak? – zdenerwował
się Kennet Zdzieblarz. – Honorowy pojedynek? Z głupim
gadem? A takiego! Idziemy na niego kupą! W kupie siła!

– Nie.

Obejrzeli się.

Eyck z Denesle, już na koniu, w pełnej zbroi, z kopią
osadzoną przy strzemieniu, prezentował się dużo lepiej
niż na piechotę. Spod podniesionej zasłony hełmu gorzały
zgorączkowane oczy, bielała blada twarz.

– Nie, panie Kennet – powtórzył rycerz. – Chyba, że
po moim trupie. Nie dopuszczę, by obrażano w mojej obecności honor rycerski. Kto odważy się złamać zasady ho-
norowego pojedynku...

Eyck mówił coraz głośniej, egzaltowany głos łamał mu
się i drżał z podniecenia.

– ...kto znieważy honor, znieważy i mnie, i krew jego
lub moja popłynie na tę umęczoną ziemię. Bestia żąda po-

jedynku? Dobrze więc! Niechaj herold otrąbi moje imię! Niech zadecyduje sąd bogów! Za smokiem siła kłów i pazurów, i piekielna złość, a za mną...

– Co za kretyn – mruknął Yarpen Zigrin.

– ...za mną prawość, za mną wiara, za mną łzy dziewic, które ten gad...

– Skończ, Eyck, bo rzygać się chce! – wrzasnął Boholt. – Dalej, w pole! Bierz się za smoka, zamiast gadać!

– Ej, Boholt, zaczekaj – rzekł nagle krasnolud, szarpiąc brodę. – Zapomniałeś o umowie? Jeśli Eyck położy gadzinę, weźmie połowę...

– Eyck nic nie weźmie – wyszczerzył zęby Boholt. – Znam go. Jemu wystarczy, jeśli Jaskier ułoży o nim piosenkę.

– Cisza! – oznajmił Gyllenstiern. – Niech tak będzie. Przeciwko smokowi wystąpi prawy rycerz błędny, Eyck z Denesle, walczący w barwach Caingorn jako kopia i miecz króla Niedamira. Taka jest królewska decyzja!

– No i masz – zgrzytnął zębami Yarpen Zigrin. – Kopia i miecz Niedamira. Załatwił nas caingornski królik. I co teraz?

– Nic – Boholt splunął. – Nie chcesz chyba zadzierać z Eyckiem, Yarpen? On gada głupio, ale jeśli już wlazł na konia i podniecił się, to lepiej schodzić mu z drogi. Niech idzie, zaraza, i niech załatwi smoka. A potem się zobaczy.

– Kto będzie heroldem? – spytał Jaskier. – Smok chciał herolda. Może ja?

– Nie. To nie piosenki śpiewać, Jaskier – zmarszczył się Boholt. – Heroldem niech będzie Yarpen Zigrin. Ma głos jak buhaj.

– Dobra, co mi tam – rzekł Yarpen. – Dawajcie mi tu chorążego ze znakiem, żeby wszystko było jak należy.

– Tylko grzecznie mówcie, panie krasnoludzie. I dwornie – upomniał Gyllenstiern.

– Nie uczcie mnie jak gadać – krasnolud dumnie wypiął brzuch. – Chodziłem w poselstwa już wtedy, kiedy wy jeszczeście na chleb mówili: „bep", a na muchy: „tapty".

Smok w dalszym ciągu spokojnie siedział na pagórku, wesoło machając ogonem. Krasnolud wdrapał się na największy głaz, odchrząknął i splunął.

– Hej, ty tam! – zaryczał, biorąc się pod boki. – Smoku chędożony! Słuchaj, co ci rzeknie herold! Znaczy się ja! Jako pierwszy honorowo weźmie się za ciebie obłędny rycerz Eyck z Denesle! I wrazi ci kopię w kałdun, wedle świętego zwyczaju, na pohybel tobie, a na radość biednym dziewicom i królowi Niedamirowi! Walka ma być honorowa i wedle prawa, ziać ogniem nie lza, a jeno konfesjonalnie łupić jeden drugiego, dopokąd ten drugi ducha nie wyzionie albo nie zemrze! Czego ci życzymy z duszy, serca! Pojąłeś, smoku?

Smok ziewnął, zamachał skrzydłami, a potem, przypadłszy do ziemi, szybko zlazł z pagóra na równy teren.

– Pojąłem, cny heroldzie! – odryczał. – Niech tedy wystąpi w pole szlachetny Eyck z Denesle. Jam gotów!

– Istne jasełki – Boholt splunął, ponurym wzrokiem odprowadzając Eycka, stępa wyjeżdżającego zza bariery głazów. – Cholerna kupa śmiechu...

– Zamknij jadaczkę, Boholt – krzyknął Jaskier zacierając ręce. – Patrz, Eyck idzie do szarży! Psiakrew, ale będzie piękna ballada!

– Hurra! Wiwat Eyck! – krzyknął ktoś z grupy łuczników Niedamira.

– A ja – odezwał się ponuro Kozojed – ja bym go jednak dla pewności napchał siarką.

Eyck, już w polu, odsalutował smokowi uniesioną kopią, zatrzasnął zasłonę hełmu i uderzył konia ostrogami.

– No, no – powiedział krasnolud. – Głupi to on może jest, ale na szarżowaniu faktycznie się zna. Patrzcie tylko!

Eyck, schylony, zaparty w siodle, zniżył kopię w pełnym galopie. Smok, wbrew oczekiwaniom Geralta, nie odskoczył, nie ruszył półkolem, ale przypłaszczony do ziemi, popędził prosto na atakującego rycerza.

– Bij go! Bij, Eyck! – wrzasnął Yarpen.

Eyck, choć niesiony galopem, nie uderzył na wprost, na oślep. W ostatniej chwili zmienił zwinnie kierunek, przerzucił kopię nad końskim łbem. Przelatując obok smoka, z całej mocy pchnął, stając w strzemionach. Wszyscy wrzasnęli jednym głosem. Geralt nie przyłączył się do chóru.

Smok uniknął pchnięcia w delikatnym, zwinnym, pełnym gracji obrocie i zwijając się jak żywa, złota wstęga, błyskawicznie, ale miękko, iście po kociemu, sięgnął łapą pod brzuch konia. Koń kwiknął, wysoko wyrzucając zad, rycerz zakolebał się w siodle, ale nie wypuścił kopii. W momencie, gdy koń prawie zarywał się chrapami w ziemię, smok ostrym pociągnięciem łapy zmiótł Eycka z siodła. Wszyscy widzieli lecące w górę, wirujące blachy pancerza, wszyscy usłyszeli brzęk i huk, z jakim rycerz zwalił się na ziemię.

Smok przysiadając przygniótł konia łapą, zniżył zębatą paszczę. Koń kwiknął przeraźliwie, zaszamotał się i ścichł.

W ciszy, jaka zapadła, wszyscy usłyszeli głęboki głos smoka Villentretenmertha.

– Mężnego Eycka z Denesle można zabrać z pola, jest niezdolny do dalszej walki. Następny, proszę.

– O, kurwa – powiedział Yarpen Zigrin w ciszy, jaka zapadła.

VIII

– Obie nogi – powiedziała Yennefer wycierając ręce w lnianą szmatkę. – I chyba coś z kręgosłupem. Zbroja na plecach wgnieciona, jakby dostał kafarem. A nogi, to przez własną kopię. Nieprędko on wsiądzie na konia. O ile w ogóle wsiądzie.

– Ryzyko zawodowe – mruknął Geralt.

Czarodziejka zmarszczyła się.

– Tylko tyle masz do powiedzenia?

– A co jeszcze chciałabyś usłyszeć, Yennefer?

– Ten smok jest niewiarygodnie szybki. Za szybki, by mógł z nim walczyć człowiek.

– Rozumiem. Nie, Yen. Nie ja.

– Zasady? – uśmiechnęła się zjadliwie czarodziejka. – Czy zwykły, najzwyklejszy strach? To jedno ludzkie uczucie, którego w tobie nie wytrzebiono?

– Jedno i drugie – zgodził się beznamiętnie wiedźmin.

– Co za różnica?

– Właśnie – Yennefer podeszła bliżej. – Żadna. Zasady

można złamać, strach można pokonać. Zabij tego smoka, Geralt. Dla mnie.

– Dla ciebie?

– Dla mnie. Chcę tego smoka. Całego. Chcę go mieć tylko dla siebie.

– Użyj czarów i zabij go.

– Nie. Ty go zabij. A ja czarami powstrzymam Rębaczy i innych, żeby nie przeszkadzali.

– Padną trupy, Yennefer.

– Od kiedy ci to przeszkadza? Ty zajmij się smokiem, ja biorę na siebie ludzi.

– Yennefer – rzekł chłodno wiedźmin. – Nie mogę zrozumieć. Po co ci ten smok? Aż do tego stopnia olśniewa cię żółty kolor jego łusek? Przecież nie cierpisz biedy, masz niezliczone źródła utrzymania, jesteś sławna. O co więc chodzi? Tylko nie mów nic o powołaniu, bardzo proszę.

Yennefer milczała, wreszcie, skrzywiwszy wargi, z rozmachem kopnęła leżący w trawie kamień.

– Jest ktoś, kto może mi pomóc. Podobno to... wiesz, o co mi chodzi... Podobno to nie jest nieodwracalne. Jest szansa. Mogę jeszcze mieć... Rozumiesz?

– Rozumiem.

– To skomplikowana operacja, kosztowna. Ale w zamian za złotego smoka... Geralt?

Wiedźmin milczał.

– Kiedyśmy wisieli na moście – powiedziała czarodziejka – prosiłeś mnie o coś. Spełnię twoją prośbę. Mimo wszystko.

Wiedźmin uśmiechnął się smutno, wskazującym palcem dotknął obsydianowej gwiazdy na szyi Yennefer.

– Za późno, Yen. Już nie wisimy. Przestało mi zależeć. Mimo wszystko.

Oczekiwał najgorszego, kaskady ognia, błyskawicy, ciosu w twarz, obelgi, przekleństwa. Zdziwił się, widząc tylko powstrzymywane drżenie warg. Yennefer odwróciła się powoli. Geralt pożałował swoich słów. Pożałował emocji, która je zrodziła. Granica możliwości, przekroczona, pękła jak struna lutni. Spojrzał na Jaskra, zobaczył, jak trubadur szybko odwraca głowę, unika jego wzroku.

– No, to sprawę honoru rycerskiego mamy już z głowy, proszę waszmości – zawołał Boholt, już w zbroi, stając przed Niedamirem, wciąż siedzącym na kamieniu z nieodmiennym wyrazem znudzenia na twarzy. – Honor rycerski leży tam i jęczy cichutko. Kiepska to była koncepcja, mości Gyllenstiern, z wypuszczeniem Eycka jako waszego rycerza i wasala. Palcem nie myślę wskazywać, ale wiem, komu Eyck zawdzięcza połamane kulasy. Tak, jako żywo, za jednym pociągnięciem mamy z głowy dwie sprawy. Jednego szaleńca, chcącego szaleńczo ożywiać legendy o tym, jak to śmiały rycerz w pojedynkę pokonuje smoka. I jednego krętacza, który chciał na tym zarobić. Wiecie, o kim mówię, Gyllenstiern, co? To dobrze. A teraz nasz ruch. Teraz smok jest nasz. Teraz my, Rębacze, załatwimy tego smoka. Ale na własny rachunek.

– A umowa, Boholt? – wycedził kanclerz. – Co z umową?

– W rzyci mam umowę.

– To niebywałe! To zniewaga majestatu! – tupnął nogą Gyllenstiern. – Król Niedamir...

– Co, król? – wrzasnął Boholt wspierając się na ogromnym, dwuręcznym mieczu. – Może król życzy sobie osobiście, sam iść na smoka? A może to wy, jego wierny kanclerz, włoczycie w blachy wasze brzuszysko i wystąpicie w pole? Czemu nie, proszę bardzo, my zaczekamy, proszę waszmości. Mieliście swoją szansę, Gyllenstiern, gdyby Eyck zadżgał smoka, to wy wzięlibyście go całego, nam nie dostałoby się nic, ni jedna złota łuska z jego grzbietu. Ale teraz za późno. Przejrzyjcie na oczy. Nie ma już komu bić się w barwach Caingorn. Nie znajdziecie drugiego takiego durnia jak Eyck.

– Nieprawda! – szewc Kozojed przypadł do króla, wciąż zajętego obserwacją sobie tylko znanego punktu na horyzoncie. – Królu panie! Zaczekajcie tylko krzynę, niech no nadciągną nasi z Hołopola, a tylko ich patrzeć! Pluńcie na przemądrzałą szlachtę, precz ich pognajcie! Obaczycie, kto śmiały naprawdę, kto w garści mocny, a nie w gębie!

– Zamknij pysk – spokojnie odezwał się Boholt ścierając plamkę rdzy z napierśnika. – Zamknij pysk, chamie, bo jak nie, to ja ci go zamknę tak, że ci zębiska do gardzieli wlecą.

Kozojed, widząc zbliżających się Kenneta i Niszczukę, wycofał się szybko, skrył wśród hołopolskich milicjantów.

– Królu! – zawołał Gyllenstiern. – Królu, co rozkażesz? Wyraz znudzenia znikł nagle z twarzy Niedamira. Nieletni monarcha zmarszczył piegowaty nos i wstał.

– Co rozkażę? – powiedział cienko. – Nareszcie zapytałeś o to, Gyllenstiern, zamiast decydować za mnie i przemawiać za mnie i w moim imieniu. Bardzo sie cieszę. I niech tak zostanie, Gyllenstiern. Od tej chwili będziesz milczał i słuchał rozkazów. Oto pierwszy z nich. Zbierz ludzi, każ położyć na wóz Eycka z Denesle. Wracamy do Caingorn.

– Panie...

– Ani słowa, Gyllenstiern. Pani Yennefer, szlachetni panowie, żegnam was. Straciłem trochę czasu na tej wyprawie, ale i zyskałem sporo. Wiele się nauczyłem. Dzięki wam za słowa, pani Yennefer, panie Dorregaray, panie Boholt. I dzięki za milczenie, panie Geralt.

– Królu – rzekł Gyllenstiern. – Jak to? Smok jest tuż, tuż. Tylko ręką sięgnąć. Królu, twoje marzenie...

– Moje marzenie – powtórzył zamyślony Niedamir. – Ja go jeszcze nie mam. A jeśli tu zostanę... Może wtedy nie będę go miał już nigdy.

– A Malleore? A ręka księżniczki? – nie rezygnował kanclerz wymachując rękami. – A tron? Królu, tamtejszy lud uzna cię...

– W rzyci mam tamtejszy lud, jak mawia pan Boholt – zaśmiał się Niedamir. – Tron Malleore jest i tak mój, bo mam w Caingorn trzystu pancernych i półtora tysiąca pieszego luda przeciwko ich tysiącu zafajdanych tarczowników. A uznać, to oni mnie i tak uznają. Tak długo będę wieszał, ścinał i włóczył końmi, aż uznają. A ich księżniczka to tłuste cielątko i plunąć mi na jej rękę, potrzebny mi tylko jej kuper, niech urodzi następcę, a potem się ją i tak otruje. Metodą mistrza Kozojeda. Dość gadania, Gyllenstiern. Przystąp do wykonywania otrzymanych rozkazów.

– Zaiste – szepnął Jaskier do Geralta. – Dużo się nauczył.

- Dużo - potwierdził Geralt patrząc na pagórek, na którym złoty smok, zniżywszy trójkątną głowę, lizał rozwidlonym, szkarłatnym jęzorem coś, co siedziało w trawie obok niego. - Ale nie chciałbym być jego poddanym, Jaskier.

- I co teraz będzie, jak myślisz?

Wiedźmin patrzył spokojnie na maleńkie, szarozielone stworzonko, trzepoczące nietoperzymi skrzydełkami obok złotych pazurów schylonego smoka.

- A co ty na to wszystko, Jaskier? Co ty o tym myślisz?

- A jakie znaczenie ma to, co ja myślę? Ja jestem poetą, Geralt. Czy moje zdanie ma jakieś znaczenie?

- Ma.

- No, to ci powiem. Ja, Geralt, jak widzę gada, żmiję, dajmy na to, albo inną jaszczurkę, to aż mną rzuca, tak się tego paskudztwa brzydzę i boję. A ten smok...

- No?

- On... on jest ładny, Geralt.

- Dziękuję, ci, Jaskier.

- Za co?

Geralt odwrócił głowę, wolnym ruchem sięgnął do klamry pasa, skosem przecinającego pierś, skrócił go o dwie dziurki. Uniósł prawą dłoń, sprawdzając, czy rękojeść miecza jest we właściwym położeniu. Poeta przyglądał się szeroko otwartymi oczami.

- Geralt! Ty zamierzasz...

- Tak - rzekł spokojnie wiedźmin. - Jest granica możliwości. Mam tego wszystkiego dość. Idziesz z Niedamirem czy zostajesz, Jaskier?

Trubadur schylił się, ostrożnie i pieczołowicie ułożył lutnię pod kamieniem, wyprostował się.

- Zostaję. Jak powiedziałeś? Granica możliwości? Rezerwuję sobie ten tytuł dla ballady.

- To może być twoja ostatnia ballada.

- Geralt?

- Aha?

- Nie zabijaj... Możesz?

- Miecz to jest miecz, Jaskier. Gdy się go już dobędzie...

– Postaraj się.

– Postaram się.

Dorregaray zachichotał, obrócił się w stronę Yennefer i Rębaczy, wskazał na oddalający się orszak królewski.

– Tam oto – powiedział – odchodzi król Niedamir. Nie wydaje już królewskich rozkazów ustami Gyllenstierna. Odchodzi wykazawszy rozsądek. Dobrze, że jesteś, Jaskier. Proponuję, żebyś zaczął układać balladę.

– O czym?

– A o tym – czarodziej wyjął różdżkę zza pazuchy – jak mistrz Dorregaray, czarnoksiężnik, pogonił do domów hultajstwo chcące po hultajsku zabić ostatniego złotego smoka, jaki pozostał na świecie. Nie ruszaj się, Boholt! Yarpen, ręce precz od topora! Nawet nie drgnij, Yennefer! Dalej, hultaje, za królem, jak za panią matką. Jazda, do koni, do wozów. Ostrzegam, kto zrobi jeden niewłaściwy ruch, z tego zostanie swąd i szkliwo na piasku. Ja nie żartuję.

– Dorregaray! – zasyczała Yennefer.

– Mości czarodzieju – rzekł pojednawczo Boholt. – Alboż to się godzi...

– Milcz, Boholt. Powiedziałem, nie ruszycie tego smoka. Nie zabija się legendy. W tył zwrot i wynocha.

Ręka Yennefer wystrzeliła nagle do przodu, a ziemia dookoła Dorregaraya eksplodowała błękitnym ogniem, zakotłowała się kurzawą rwanej darni i żwiru. Czarodziej zachwiał się, otoczony płomieniami. Niszczuka przyskakując uderzył go w twarz nasadą pięści. Dorregaray upadł, z jego różdżki strzeliła czerwona błyskawica, nieszkodliwie gasnąc wśród głazów. Zdzieblarz, doskakując z drugiej strony, kopnął leżącego czarodzieja, odwinął się, by powtórzyć. Geralt wpadł między nich, odepchnął Zdzieblarza, wydobył miecz, ciął płasko, mierząc pomiędzy naramiennik a napierśnik zbroi. Przeszkodził mu Boholt, parując cios szeroką klingą dwuręcznego miecza. Jaskier podstawił nogę Niszczuce, ale bezskutecznie – Niszczuka wczepił się w tęczowy kubrak barda i huknął go kułakiem między oczy. Yarpen Zigrin, przyskakując z tyłu, podciął Jaskrowi nogi, uderzając toporzyskiem w zgięcie kolan.

Geralt zwinął się w piruecie, uchodząc przed mieczem Boholta, uderzył krótko doskakującego Zdzieblarza, zrywając mu żelazny naręczak. Zdzieblarz odskoczył, potknął się, upadł. Boholt stęknął, zawinął mieczem jak kosą. Geralt przeskoczył nad świszczącym ostrzem, głowicą miecza gruchnął Boholta w napierśnik, odrzucił, ciął, mierząc w policzek. Boholt, widząc, że nie zdoła sparować ciężkim mieczem, rzucił się w tył, padając na wznak. Wiedźmin doskoczył do niego i w tym momencie poczuł, że ziemia umyka mu spod drętwiejących nóg. Zobaczył, jak horyzont z poziomego robi się pionowy. Nadaremnie usiłując złożyć palce w ochronny Znak, wyrżnął ciężko bokiem o ziemię, wypuszczając miecz ze zmartwiałej dłoni. W uszach tętniło mu i szumiało.

– Związcie ich, dopóki działa zaklęcie – powiedziała Yennefer gdzieś z góry i bardzo daleka. – Wszystkich trzech.

Dorregaray i Geralt, otumanieni i bezwładni, dali się spętać i przywiązać do wozu bez oporu i bez słowa. Jaskier rzucał się i rugał, więc jeszcze przed przywiązaniem dostał po pysku.

– Po co ich wiązać, zdrajców, psich synów – rzekł Kozojed podchodząc. – Od razu ich utłuc i spokój.

– Sam jesteś syn, i to nie psi – powiedział Yarpen Zigrin. – Nie obrażaj tu psów. Poszedł won, zelówo.

– Straszniescie śmiali – warknął Kozojed. – Obaczym, czy wam śmiałości starczy, gdy moi z Hołopola nadciągną, a tylko ich patrzeć. Zoba...

Yarpen, wykręcając się z nieoczekiwaną przy swej posturze zwinnością, łupnął go toporzyskiem przez łeb. Stojący obok Niszczuka poprawił kopniakiem. Kozojed przeleciał kilka sążni i zarył nosem w trawę.

– Popamiętacie! – wrzasnął na czworakach. – Wszystkich was...

– Chłopaki! – ryknął Yarpen Zigrin. – W rzyć szewca, dratwa jego mać! Łap go, Niszczuka!

Kozojed nie czekał. Zerwał się i kłusem pognał w stronę wschodniego kanionu. Za nim chyłkiem pobiegli hołopolscy tropiciele. Krasnoludy, rechocząc, ciskały za nimi kamieniami.

– Od razu jakoś powietrze poświeżało – zaśmiał się Yarpen. – No, Boholt, bierzemy się za smoka.

– Pomału – podniosła rękę Yennefer. – Brać, to możecie, ale nogi. Za pas. Wszyscy, jak tu stoicie.

– Że jak? – Boholt zgarbił się, a oczy rozbłysły mu złowrogim blaskiem. – Co powiadacie, jaśnie wielmożna pani wiedźmo?

– Wynoście się stąd w ślad za szewcem – powtórzyła Yennefer. – Wszyscy. Sama sobie poradzę ze smokiem. Bronią niekonwencjonalną. A na odchodnym możecie mi podziękować. Gdyby nie ja, pokosztowalibyście wiedźmińskiego miecza. No, już, prędziutko, Boholt, zanim się zdenerwuję. Ostrzegam, znam zaklęcie, za pomocą którego mogę porobić z was wałachów. Wystarczy, że ruszę ręką.

– No nie – wycedził Boholt. – Moja cierpliwość sięgnęła granic możliwości. Nie dam robić z siebie głupka. Zdzieblarz, odczep no dyszel od wozu. Czuję, że i mnie potrzebna będzie broń niekonwencjonalna. Zaraz ktoś tu oberwie po krzyżu, proszę waszmości. Nie będę wskazywać palcem, ale zaraz oberwie po krzyżu pewna paskudna wiedźma.

– Spróbuj tylko, Boholt. Uprzyjemnisz mi dzień.

– Yennefer – powiedział z wyrzutem krasnolud. – Dlaczego?

– Może ja po prostu nie lubię się dzielić, Yarpen?

– Cóż – uśmiechnął się Yarpen Zigrin. – Głęboko ludzkie. Tak ludzkie, że aż prawie krasnoludzkie. Przyjemnie jest widzieć swojskie cechy u czarodziejki. Bo i ja nie lubię się dzielić, Yennefer.

Zgiął się w krótkim, błyskawicznym zamachu. Stalowa kula, wydobyta nie wiadomo skąd i kiedy, warknęła w powietrzu i łupnęła Yennefer w środek czoła. Zanim czarodziejka zdążyła się opamiętać, wisiała już w powietrzu, podtrzymywana za ręce przez Zdzieblarza i Niszczukę, a Yarpen pętał jej kostki powrozem. Yennefer wrzasnęła wściekle, ale jeden ze stojących z tyłu chłopaków Yarpena zarzucił jej lejce na głowę, ściągnął mocno, wpijając rzemień w otwarte usta, stłumił krzyk.

– No i co, Yennefer – powiedział Boholt podchodząc. – Jak chcesz zrobić ze mnie wałacha? Kiedy ani ręką ruszyć?

Rozerwał jej kołnierz kubraczka, rozdarł i rozchełstał koszulę. Yennefer wizgnęła, dławiona lejcami.

– Nie mam teraz czasu – rzekł Boholt obmacując ją bezwstydnie wśród rechotu krasnoludów – ale poczekaj trochę, wiedźmo. Jak załatwimy smoka, urządzimy sobie zabawę. Przywiążcie ją porządnie do koła, chłopcy. Obie łapki do obręczy, tak, by ni palcem kiwnąć nie mogła. I niech jej teraz nikt nie rusza, psiakrew, proszę waszmości. Kolejność ustalimy wedle tego, jak kto się spisze przy smoku.

– Boholt – odezwał się skrępowany Geralt, cicho, spokojnie i złowrogo. – Uważaj. Odnajdę cię na końcu świata.

– Dziwię ci się – odrzekł Rębacz, równie spokojnie. – Ja na twoim miejscu siedziałbym cicho. Znam cię i muszę poważnie traktować twoją groźbę. Nie będę miał wyjścia. Możesz nie przeżyć, wiedźminie. Wrócimy jeszcze do tej sprawy. Niszczuka, Zdzieblarz, na konie.

– No i masz ci los – stęknął Jaskier. – Po diabła ja się w to mieszałem?

Dorregaray, pochyliwszy głowę, przyglądał się gęstym kroplom krwi, wolno kapiącym mu z nosa na brzuch.

– Może byś się tak przestał gapić! – krzyknęła do Geralta czarodziejka, jak wąż wijąc się w powrozach, na próżno usiłując ukryć obnażone wdzięki. Wiedźmin posłusznie odwrócił głowę. Jaskier nie.

– Na to, co widzę – zaśmiał się bard – zużyłaś chyba całą beczkę eliksiru z mandragory, Yennefer. Skóra jak u szesnastolatki, niech mnie gęś poszczypie.

– Zamknij pysk, skurwysynu! – zawyła czarodziejka.

– Ile ty właściwie masz lat? – Jaskier nie rezygnował. – Ze dwieście? No, powiedzmy, sto pięćdziesiąt. A zachowałaś się jak...

Yennefer wykręciła szyję i splunęła na niego, ale niecelnie.

– Yen – rzekł z wyrzutem wiedźmin wycierając oplute ucho o ramię.

– Niech on przestanie się gapić!

– Ani myślę – rzekł Jaskier nie spuszczając oczu z uciesznego widoku, jaki przedstawiała rozchełstana czarodziejka. – To przez nią tu siedzimy. I mogą nam poderżnąć gardła. A ją najwyżej zgwałcą, co w jej wieku...

– Zamknij się, Jaskier – powiedział wiedźmin.

– Ani myślę. Właśnie mam zamiar ułożyć balladę o dwóch cyckach. Proszę mi nie przeszkadzać.

– Jaskier – Dorregaray pociągnął krwawiącym nosem.
– Bądź poważny.

– Jestem, cholera, poważny.

Boholt, podpierany przez krasnoludów, z trudem wgramolił się na siodło, ciężki i pałubowaty od zbroi i nałożonych na nią skórzanych ochraniaczy. Niszczuka i Zdzieblarz już siedzieli na koniach trzymając w poprzek siodeł ogromne, dwuręczne miecze.

– Dobra – charknął Boholt. – Idziemy na niego.

– A nie – powiedział głęboki głos, brzmiący jak mosiężna surma. – To ja przyszedłem do was!

Zza pierścienia głazów wynurzył się połyskujący złotem długi pysk, smukła szyja uzbrojona rzędem trójkątnych, zębatych wyrostków, szponiaste łapy. Złe, gadzie oczy z pionową źrenicą patrzyły spod rogowatych powiek.

– Nie mogłem się doczekać w polu – powiedział smok Villentretenmerth rozglądając się – więc przyszedłem sam. Jak widzę, chętnych do walki coraz mniej?

Boholt wziął wodze w zęby, a koncerz w obie pięści.

– Jehce stahcy – powiedział niewyraźnie, gryząc rzemień. – Stahaj do wahki, hadzie!

– Staję – rzekł smok wyginając grzbiet w łuk i zadzierając obelżywie ogon.

Boholt rozejrzał się. Niszczuka i Zdzieblarz wolno, demonstracyjnie spokojnie okrążali smoka z obu stron. Z tyłu czekał Yarpen Zigrin i jego chłopcy z toporami w rękach.

– Aaaargh! – ryknął Boholt waląc silnie konia piętami i unosząc miecz.

Smok zwinął się, przypadł do ziemi i z góry, zza własnego grzbietu, niczym skorpion, uderzył ogonem, godząc nie w Boholta, ale w Niszczukę, atakującego z boku. Niszczuka zwalił się wraz z koniem wśród brzęku, wrzasku i rżenia. Boholt, przypadając w galopie, ciął straszliwym zamachem, smok uskoczył zwinnie przed szeroką klingą. Impet galopu przeniósł Boholta obok. Smok wykręcił się, stając na tylnych łapach i dziabnął szponami Zdzieblarza, za jednym zamachem rozrywając brzuch konia i udo jeźdźca. Boholt, mocno odchylony w siodle, zdołał zatoczyć koniem, ciągnąc wodze zębami, ponownie zaatakował.

Smok chlasnął ogonem po pędzących ku niemu krasnoludach, przewracając wszystkich, po czym rzucił się na Boholta, po drodze jakby mimochodem przydeptując energicznie Zdzieblarza usiłującego wstać. Boholt, miotając głową, usiłował manewrować rozgalopowanym koniem, ale smok był nierównie szybszy i zręczniejszy. Chytrze zachodząc Boholta od lewej, by utrudnić mu cięcie, zdzielił go pazurzastą łapą. Koń stanął dęba i rzucił się w bok, Boholt wyleciał z siodła, gubiąc miecz i hełm, runął do tyłu, na ziemię, waląc głową o głaz.

– Chodu, chłopaki!!! W góry!!! – zawył Yarpen Zigrin przekrzykując wrzask Niszczuki przywalonego koniem. Powiewając brodami krasnoludy kopnęły się ku skałom z szybkością zadziwiającą przy ich krótkich nogach. Smok nie ścigał ich. Siadł spokojnie i rozejrzał się. Niszczuka miotał się i wrzeszczał pod koniem. Boholt leżał bez ruchu. Zdzieblarz pełzł w stronę skał, bokiem, jak ogromny, żelazny krab.

– Niewiarygodne – szeptał Dorregaray. – Niewiarygodne...

– Hej! – Jaskier targnął się w powrozach, aż wóz zadygotał. – Co to jest? Tam! Patrzcie!

Od strony wschodniego wąwozu widać było wielką chmurę kurzu, rychło też dobiegły ich krzyki, turkot i tętent. Smok wyciągnął szyję, popatrując.

Na równinę wtoczyły się trzy wielkie wozy, wypełnione zbrojnym ludem. Rozdzielając się zaczęły okrążać smoka.

– To... psiakrew, to milicja i cechy z Hołopola! – zawołał Jaskier. – Obeszli źródła Braa! Tak, to oni! Patrzcie, to Kozojed, tam, na czele!

Smok zniżył głowę, delikatnie popchnął w stronę wozu małe, szarawe, popiskujące stworzonko. Potem uderzył ogonem po ziemi, zaryczał donośnie i pomknął jak strzała na spotkanie Hołopolan.

– Co to jest? – spytała Yennefer. – To małe? To, co kręci się w trawie? Geralt?

– To, czego smok bronił przed nami – powiedział wiedźmin. – To, co wykluło się niedawno w jaskini, tam, w północnym kanionie. Smoczątko wyklute z jaja smoczycy otrutej przez Kozojeda.

Smoczątko, potykając się i szorując po ziemi wypukłym brzuszkiem, chwiejnie podbiegło do wozu, pisnęło, stanęło słupka, rozcapierzyło skrzydełka, potem zaś bez zastanowienia przylgnęło do boku czarodziejki. Yennefer, z wielce niewyraźną miną, westchnęła głośno.

– Lubi cię – mruknął Geralt.

– Młody, ale niegłupi – Jaskier wykręcając się w więzach, wyszczerzył zęby. – Patrzcie, gdzie wetknął łebek, chciałbym być na jego miejscu, cholera. Hej, mały, uciekaj! To Yennefer! Postrach smoków! I wiedźminów. A przynajmniej jednego wiedźmina...

– Milcz, Jaskier – krzyknął Dorregaray. – Patrzcie tam, na pole! Już go dopadli, niech ich zaraza!

Wozy Hołopolan, dudniąc niczym bojowe rydwany, gnały na atakującego je smoka.

– Lać go! – ryczał Kozojed, uczepiony pleców woźnicy. – Lać go, kumotrzy, gdzie popadnie i czym popadnie! Nie żałować!

Smok zwinnie uskoczył przed najeżdżającym na niego pierwszym wozem, błyskającym ostrzami kos, wideł i rohatyn, ale dostał się między dwa następne, z których, targnięta rzemieniami, spadła na niego wielka, podwójna, rybacka sieć. Smok, zaplątany, zwalił się, poturlał, zwinął w kłębek, rozkraczył łapy. Sieć, rwana na strzępy, zatrzeszczała ostro. Z pierwszego wozu, który zdołał zawrócić, ciśnięto na niego następne sieci, oplatając go dokumentnie. Dwa pozostałe wozy też zakręciły, pomknęły ku smokowi, turkocąc i podskakując na wybojach.

– Popadłeś w sieci, karasiu! – darł się Kozojed. – Zaraz my ciebie z łuski oskrobiemy!

Smok zaryczał, buchnął strzelającym w niebo strumieniem pary. Hołopolscy milicjanci sypnęli się ku niemu, zeskakując z wozów. Smok zaryczał znowu, rozpaczliwie, rozwibrowanym rykiem.

Z północnego kanionu przyszła odpowiedź, wysoki, bojowy krzyk.

Wyciągnięte w szaleńczym galopie, powiewając jasnymi warkoczami, gwiżdżąc przenikliwie, otoczone migotliwymi błyskami szabel, z wąwozu wypadły...

– Zerrikanki! – krzyknął wiedźmin bezsilnie szarpiąc powrozy.

– O, cholera! – zawtórował Jaskier. – Geralt! Rozumiesz?

Zerrikanki przejechały przez ciżbę jak gorący nóż przez faskę masła, znacząc drogę porąbanymi trupami, w biegu zeskoczyły z koni, stając obok targającego się w sieci smoka. Pierwszy z nadbiegających milicjantów natychmiast stracił głowę. Drugi zamierzył się na Veę widłami, ale Zerrikanka, trzymając szablę oburącz, odwrotnie, końcem do dołu, rozchlastała go od krocza po mostek. Pozostali zrejterowali pospiesznie.

– Na wozy! – ryknął Kozojed. – Na wozy, kumotrzy! Wozami ich rozjedziemy!

– Geralt! – krzyknęła nagle Yennefer, kurcząc związane nogi i nagłym rzutem wpychając je pod wóz, pod wykręcone do tyłu, skrępowane ręce wiedźmina. – Znak Igni! Przepalaj! Wyczuwasz powróz? Przepalaj, do cholery!

– Na ślepo? – jęknął Geralt. – Poparzę cię, Yen!

– Składaj Znak! Wytrzymam!

Usłuchał, poczuł mrowienie w palcach złożonych w Znak Igni tuż nad związanymi kostkami czarodziejki. Yennefer odwróciła głowę, wgryzła się w kołnierz kubraczka tłumiąc jęk. Smoczątko, piszcząc, tłukło skrzydełkami u jej boku.

– Yen!

– Przepalaj! – zawyła.

Więzy puściły w momencie, gdy obrzydliwy, mdlący odór przypiekanej skóry stał się nie do wytrzymania. Dorregaray wydał z siebie dziwny odgłos i zemdlał, obwisły w pętach u koła wozu.

Czarodziejka, skrzywiona z bólu, wyprężyła się, unosząc wolną już nogę. Krzyknęła wściekłym, pełnym bólu i złości głosem. Medalion na szyi Geralta zatargał się jak żywy. Yennefer wyprężyła udo i machnęła nogą w stronę szarżujących wozów hołopolskiej milicji, wykrzyczała zaklęcie. Powietrze zatrzeszczało i zapachniało ozonem.

– O, bogowie – jęknął Jaskier w podziwie. – Cóż to będzie za ballada, Yennefer!

Zaklęcie, rzucone zgrabną nóżką, nie ze wszystkim udało się czarodziejce. Pierwszy wóz, wraz ze wszystkim, co się na nim znajdowało, nabrał po prostu kaczeńcowo żółtej barwy, czego hołopolscy wojownicy w zapale bitewnym nawet nie zauważyli. Z drugim wozem poszło lepiej – cała jego załoga w okamgnieniu zmieniła się w ogromne, kostropate żaby, które, rechocąc uciesznie, rozkicały się na wszystkie strony. Wóz, pozbawiony kierownictwa, przewrócił się i rozleciał. Konie, rżąc histerycznie, umknęły w dal, wlokąc za sobą ułamany dyszel.

Yennefer zagryzła wargi i ponownie zamachała nogą w powietrzu. Kaczeńcowy wóz, wśród skocznych tonów muzyki, dobiegającej skądś z góry, rozpłynął się nagle w kaczeńcowy dym, a cała jego obsada klapnęła w trawę, ogłupiała, tworząc malowniczą kupę. Koła trzeciego wozu z okrągłych zrobiły się kwadratowe i skutek był natychmiastowy. Konie stanęły dęba, wóz wywalił się, a hołopolskie wojsko wykuliło się i posypało na ziemię. Yennefer, już z czystej mściwości, machała zawzięcie nogą i krzyczała zaklęcia, zamieniając Hołopolan na chybił trafił w żółwie, gęsi, stonogi, flamingi i pasiaste prosięta. Zerrikanki wprawnie i metodycznie dorzynały pozostałych.

Smok, poszarpawszy wreszcie sieć na strzępy, zerwał się, załopotał skrzydłami, zaryczał i pomknął, wyciągnięty jak struna, za ocalałym z pogromu, umykającym szewcem Kozojedem. Kozojed pomykał jak jeleń, ale smok był szybszy. Geralt, widząc rozwierającą się paszczę i błyskające zęby, ostre jak sztylety, odwrócił głowę. Usłyszał makabryczny wrzask i obrzydliwy chrzęst. Jaskier krzyknął zduszonym głosem. Yennefer, z twarzą białą jak płótno, zgięła się w pół, wykręciła w bok i zwymiotowała pod wóz.

Zapadła cisza, przerywana jedynie okazjonalnym gęganiem, kumkaniem i pokwikiwaniem niedobitków hołopolskiej milicji.

Vea, uśmiechnięta nieładnie, stanęła nad Yennefer, szeroko rozstawiwszy nogi. Zerrikanka uniosła szablę. Yennefer, blada, uniosła nogę.

– Nie – powiedział Borch, zwany Trzy Kawki, siedzący
na kamieniu. Na kolanach trzymał smoczątko, spokojne
i zadowolone.

– Nie będziemy zabijać pani Yennefer – powtórzył
smok Villentretenmerth. – To już nieaktualne. Co więcej,
teraz jesteśmy wdzięczni pani Yennefer za nieocenioną
pomoc. Uwolnij ich, Vea.

– Rozumiesz, Geralt? – szepnął Jaskier, rozcierając
zdrętwiałe ręce. – Rozumiesz? Jest taka starożytna ballada o złotym smoku. Złoty smok może...

– Może przybrać każdą postać – mruknął wiedźmin. –
Również ludzką. Też o tym słyszałem. Ale nie wierzyłem.

– Panie Yarpenie Zigrin! – zawołał Villentretenmerth
do krasnoluda uczepionego pionowej skały na wysokości
dwudziestu łokci nad ziemią. – Czego tam szukacie? Świ-
staków? Nie jest to wasz przysmak, jeśli dobrze pamiętam. Zejdźcie na dół i zajmijcie się Rębaczami. Potrzebują
pomocy. Nie będzie się już zabijać. Nikogo.

Jaskier, rzucając niespokojne spojrzenia na Zerrikanki,
czujnie krążące po pobojowisku, cucił wciąż nieprzytom-
nego Dorregaraya. Geralt smarował maścią i opatrywał
poparzone kostki Yennefer. Czarodziejka syczała z bólu
i mruczała zaklęcia.

Uporawszy się z zadaniem, wiedźmin wstał.

– Zostańcie tu – powiedział. – Muszę z nim porozmawiać.

Yennefer krzywiąc się wstała.

– Idę z tobą, Geralt – wzięła go pod rękę. – Mogę? Proszę, Geralt.

– Ze mną, Yen? Myślałem...

– Nie myśl – przycisnęła się do jego ramienia.

– Yen?

– Już dobrze, Geralt.

Spojrzał w jej oczy, które były ciepłe. Jak dawniej. Pochylił głowę i pocałował w usta, gorące, miękkie i chętne.
Jak dawniej.

Podeszli. Yennefer, podtrzymywana, dygnęła głęboko,
jak przed królem, ujmując suknię końcami palców.

– Trzy Kaw... Villentretenmerth... – powiedział wiedźmin.

– Moje imię w wolnym przekładzie na wasz język oznacza Trzy Czarne Ptaki – powiedział smok.

Smocżątko, wczepione pazurkami w jego przedramię, podstawiło kark pod głaszczącą dłoń.

– Chaos i Ład – uśmiechnął się Villentretenmerth. – Pamiętasz, Geralt? Chaos to agresja, Ład to obrona przed nią. Warto pędzić na koniec świata, by przeciwstawić się agresji i złu, prawda, wiedźminie? Zwłaszcza, jak mówiłeś, gdy zapłata jest godziwa. A tym razem była. To był skarb smoczycy Myrgtabrakke, tej otrutej pod Hołopolem. To ona mnie wezwała, bym jej pomógł, bym powstrzymał grożące jej zło. Myrgtabrakke odleciała już, krótko po tym, gdy zniesiono z pola Eycka z Denesle. Czasu miała dość, gdy wy gadaliście i kłóciliście się. Ale zostawiła mi swój skarb, moją zapłatę.

Smocżątko pisnęło i zatrzepotało skrzydełkami.

– Więc ty...

– Tak – przerwał smok. – Cóż, takie czasy. Stworzenia, które wy zwykliście nazywać potworami, od pewnego czasu czują się coraz bardziej zagrożone przez ludzi. Nie dają już sobie rady same. Potrzebują Obrońcy. Takiego... wiedźmina.

– A cel... Cel, który jest na końcu drogi?

– Oto on – Villentretenmerth uniósł przedramię. Smocżątko pisnęło przestraszone. – Właśnie go osiągnąłem. Dzięki niemu przetrwam, Geralcie z Rivii, udowodnię, że nie ma granic możliwości. Ty też znajdziesz kiedyś taki cel, wiedźminie. Nawet ci, co się różnią, mogą przetrwać. Żegnaj, Geralt. Żegnaj, Yennefer.

Czarodziejka, chwytając mocniej ramię wiedźmina, dygnęła ponownie. Villentretenmerth wstał, spojrzał na nią, a twarz miał bardzo poważną.

– Wybacz szczerość i prostolinijność, Yennefer. To jest wypisane na waszych twarzach, nie muszę nawet starać się czytać w myślach. Jesteście stworzeni dla siebie, ty i wiedźmin. Ale nic z tego nie będzie. Nic. Przykro mi.

– Wiem – Yennefer pobladła lekko. – Wiem, Villentretenmerth. Ale i ja chciałabym wierzyć, że nie ma granicy możliwości. A przynajmniej w to, że jest ona jeszcze bardzo daleko.

Vea podchodząc dotknęła ramienia Geralta, wypowiedziała szybko kilka słów. Smok zaśmiał się.

– Geralt, Vea mówi, że długo pamiętać będzie balię
„Pod Zadumanym Smokiem". Liczy, że się jeszcze kiedyś
spotkamy.

– Co? – spytała Yennefer mrużąc oczy.

– Nic – rzekł szybko wiedźmin. – Villentretenmerth...

– Słucham cię, Geralcie z Rivii.

– Możesz przybrać każdą postać. Każdą, jaką zechcesz.

– Tak.

– Dlaczego więc człowiek? Dlaczego Borch z trzema
czarnymi ptakami w herbie?

Smok uśmiechnął się pogodnie.

– Nie wiem, Geralt, w jakich okolicznościach zetknęli
się po raz pierwszy ze sobą odlegli przodkowie naszych
ras. Ale faktem jest, że dla smoków nie ma niczego bardziej odrażającego niż człowiek. Człowiek budzi w smokach instynktowny, nieracjonalny wstręt. Ze mną jest
inaczej. Dla mnie... jesteście sympatyczni. Żegnajcie.

To nie była stopniowa, rozmazująca się transformacja,
ani mgliste, roztętnione drżenie jak przy iluzji. To było
nagłe jak mgnienie oka. W miejscu, gdzie przed sekundą
stał kędzierzawy rycerz w tunice ozdobionej trzema czarnymi ptakami, siedział złoty smok, wyciągając wdzięcznie
długą, smukłą szyję. Skłoniwszy głowę smok rozpostarł
skrzydła, olśniewająco złote w promieniach słońca. Yennefer westchnęła głośno.

Vea, już w siodle, obok Tei, pokiwała ręką.

– Vea – powiedział wiedźmin – miałaś rację.

– Hm?

– On jest najpiękniejszy.

OKRUCH LODU

I

Zdechła owca, spuchła i wzdęta, godząca w niebo zesztywniałymi nogami, poruszyła się. Geralt, przykucnięty pod murem, wolno wydobył miecz, uważając, by klinga nie zgrzytnęła o okucia pochwy. W odległości dziesięciu kroków od niego kupa odpadków wygarbiła się nagle i zafalowała. Wiedźmin zerwał się i skoczył, zanim jeszcze dobiegła do niego fala smrodu bijąca z poruszonego śmieciowiska.

Zakończona obłym, wrzecionowatym, najeżonym kolcami zgrubieniem macka, wystrzelając nagle spod śmieci, pomknęła mu na spotkanie z niesamowitą prędkością. Wiedźmin pewnie wylądował na resztkach rozwalonego mebla, chwiejących się na kupie zgniłych warzyw, zabalansował, złapał równowagę, jednym krótkim cięciem miecza rozpłatał mackę, odcinając maczugowatą przyssawkę. Natychmiast odskoczył, ale tym razem ześlizgnął się z desek i po uda zapadł w grząskie gnojowisko.

Śmietnik eksplodował, buchnęła w górę gęsta, smrodliwa maź, skorupy garnków, przegniłe szmaty i blade niteczki kiszonej kapusty, a spod nich wyprysnął ogromny, bulwowaty korpus, bezkształtny jak groteskowy kartofel, smagający powietrze trzema mackami i kikutem czwartej.

Geralt, uwięźnięty i unieruchomiony, ciął z szerokiego skrętu bioder, gładko odrąbując następną mackę. Dwie pozostałe, grube jak konary, spadły na niego z siłą, jeszcze głębiej wbijając w odpadki. Korpus sunął ku niemu, orząc w śmietnisku niby wleczona beczka. Zobaczył, jak ohydna bulwa pęka, rozwierając się szeroką paszczęką pełną wielkich, klockowatych zębów.

Pozwolił, by macki oplotły go w pasie, z mlaśnięciem wyrwały ze śmierdzącej mazi i powlekły w stronę korpusu, kolistymi ruchami wgryzającego się w śmietnik. Zębata paszczęka zakłapała dziko i wściekle. Przywleczony w pobliże okropnej gęby wiedźmin uderzył mieczem, oburącz, klinga wcięła się posuwiście i miękko. Ohydny, słodkawy odór pozbawiał oddechu. Potwór zasyczał i zadygotał, macki puściły, konwulsyjnie załopotały w powietrzu. Geralt, grzęznąc w śmieciach, ciął jeszcze raz, na odlew, ostrze obrzydliwie chrupnęło i zazgrzytało na wyszczerzonych zębiskach. Stwór zagulgotał i oklapł, ale natychmiast rozdął się, sycząc, bryzgając na wiedźmina cuchnącą mazią. Łapiąc oparcie gwałtownymi ruchami więznących w paskudztwie nóg, Geralt wyrwał się, rzucił w przód, rozgarniając śmieci piersią jak pływak wodę, rąbnął z całej siły, z góry, z mocą naparł na ostrze wcinające się w korpus, pomiędzy blado fosforyzujące ślepia. Potwór stęknął bulgotliwie, zatrzepał się, rozlewając na kupie gnoju niczym przekłuty pęcherz, rażąc wyczuwalnymi, ciepłymi podmuchami, falami smrodu. Macki drgały i wiły się wśród zgnilizny.

Wiedźmin wygramolił się z gęstej brei, stanął na pływająco chybotliwym, ale twardym podłożu. Czuł, jak coś lepkiego i wstrętnego, co dostało się do buta, pełza mu po łydce. Do studni, pomyślał, byle prędzej obmyć się z tego, z tej obrzydliwości. Obmyć się. Macki stwora jeszcze raz pacnęły po odpadkach, chlapliwie i mokro, znieruchomiały.

Spadła gwiazda, sekundową błyskawicą ożywiając czarny, upstrzony nieruchomymi światełkami firmament. Wiedźmin nie wypowiedział żadnego życzenia.

Oddychał ciężko, chrapliwie, czując, jak mija działanie wypitych przed walką eliksirów. Przylegająca do murów miasta gigantyczna kupa śmieci i odpadków, stromo opadająca w dół, w stronę połyskliwej wstęgi rzeki, w świetle gwiazd wyglądała ładnie i ciekawie. Wiedźmin splunął.

Potwór był martwy. Był już częścią tej kupy śmieci, w której kiedyś bytował.

Spadła druga gwiazda.

– Śmietnik – powiedział wiedźmin z wysiłkiem. – Paskudztwo, gnój i gówno.

II

– Śmierdzisz, Geralt – skrzywiła się Yennefer, nie odwracając się od zwierciadła, przed którym zmywała barwiczkę z powiek i rzęs. – Wykąp się.

– Wody nie ma – powiedział zaglądając do cebra.

– Zaradzimy temu – czarodziejka wstała, szerzej otworzyła okno. – Wolisz morską czy zwykłą?

– Morską, dla odmiany.

Yennefer gwałtownie rozpostarła ręce, wykrzyczała zaklęcie, wykonując dłońmi krótki, zawiły gest. Przez otwarte okno powiało nagle ostrym, mokrym chłodem, okiennice zatrzęsły się, a do izby wdarła się ze świstem zielona, skotłowana w nieregularną kulę kurzawa. Balia zapieniła się od wody, falującej niespokojnie, uderzającej o brzegi, pryskającej na podłogę. Czarodziejka usiadła, wracając do przerwanej czynności.

– Udało się? – spytała. – Co to było, tam, na śmietnisku?

– Zeugl, jak sądziłem – Geralt ściągnął buty, zrzucił ubranie i włożył nogę do szaflika. – Zaraza, Yen, jakie to zimne. Nie możesz zagrzać tej wody?

– Nie – czarodziejka, zbliżając twarz do zwierciadła, wkropliła sobie coś do oka za pomocą szklanej pałeczki. – Takie zaklęcie cholernie męczy i powoduje u mnie mdłości. A tobie, po eliksirach, zimna dobrze zrobi.

Geralt nie spierał się. Spieranie się z Yennefer nie miało żadnego sensu.

– Zeugl robił trudności? – czarodziejka zanurzyła pałeczkę we flakoniku i wkropliła sobie coś do drugiego oka, komicznie wykrzywiając usta.

– Nic szczególnego.

Zza otwartego okna rozległ się łomot, ostry trzask łamanego drewna i bełkotliwy głos, fałszywie i nieskładnie powtarzający refren popularnej, obscenicznej piosenki.

– Zeugl – czarodziejka sięgnęła po kolejny flakonik ze stojącej na stole imponującej baterii, wyciągnęła z niego korek. W izbie zapachniało bzem i agrestem. – No, proszę. Nawet w mieście nietrudno o pracę dla wiedźmina, wcale nie musisz włóczyć się po pustkowiach. Wiesz, Istredd twierdzi, że to już staje się regułą. Miejsce każdego wymierającego stwora z lasów i moczarów zajmuje coś innego, jakaś nowa mutacja, przystosowana do sztucznego, stworzonego przez ludzi środowiska.

Geralt jak zawsze skrzywił się na wzmiankę o Istreddzie. Zaczynał mieć szczerze dosyć zachwytów Yennefer nad genialnością Istredda. Nawet jeśli Istredd miał rację.

– Istredd ma rację – ciągnęła Yennefer wcierając pachnące bzem i agrestem coś w policzki i powieki. – Popatrz sam, pseudoszczury w kanałach i piwnicach, zeugle na śmietniskach, płaskwy w zanieczyszczonych fosach i ściekach, tajęże w stawach młyńskich. To nieledwie symbioza, nie sądzisz?

I ghule na cmentarzach, pożerające nieboszczyków już nazajutrz po pogrzebie, pomyślał, spłukując z siebie mydło. Pełna symbioza.

– Tak – czarodziejka odsunęła flakoniki i słoiczki. – W miastach też może się znaleźć zajęcie dla wiedźmina. Myślę, że kiedyś osiądziesz na stałe w jakimś mieście, Geralt.

Prędzej mnie szlag trafi, pomyślał. Ale nie powiedział tego głośno. Zaprzeczanie Yennefer, jak wiedział, nieuchronnie wiodło do kłótni, a kłótnia z Yennefer nie należała do rzeczy najbezpieczniejszych.

– Skończyłeś, Geralt?
– Tak.
– Wyjdź z balii.

Nie wstając, Yennefer niedbale machnęła ręką i wypowiedziała zaklęcie. Woda z szaflika wraz z tą rozlaną na podłodze i tą ociekającą z Geralta szumiąc skupiła się w półprzezroczystą kulę i ze świstem wyleciała przez okno. Usłyszał głośny plusk.

– A bodaj was zaraza, kurwie syny! – rozległ się z dołu rozsierdzony wrzask. – Nie macie gdzie szczyn wylewać?

A bodaj was wszy żywcem zżarły, bodajby was pokaziło, bodajbyście zdechli!

Czarodziejka zamknęła okno.

– Psiakrew, Yen – wiedźmin zachichotał. – Mogłaś rzucić wodę gdzieś dalej.

– Mogłam – mruknęła. – Ale mi się nie chciało.

Wzięła kaganek ze stołu i podeszła do niego. Biała nocna koszula, oblepiając w ruchu jej ciało, czyniła ją nieziemsko atrakcyjną. Bardziej niż gdyby była naga, pomyślał.

– Chcę cię obejrzeć – powiedziała. – Zeugl mógł cię drasnąć.

– Nie drasnął mnie. Poczułbym.

– Po eliksirach? Nie rozśmieszaj mnie. Po eliksirach nie poczułbyś otwartego złamania, dopóki wystająca kość nie zaczęłaby zaczepiać o żywopłoty. A na zeuglu mogło być wszystko, w tym tężec i jad trupi. W razie czego jeszcze jest czas na przeciwdziałanie. Obróć się.

Czuł na ciele miękkie ciepło płomienia kaganka, okazjonalne muśnięcia jej włosów.

– Wygląda, że wszystko w porządku – powiedziała. – Połóż się, zanim eliksiry nie zwalą cię z nóg. Te mieszanki są diabelnie niebezpieczne. Wykańczasz się nimi powoli.

– Muszę je brać przed walką.

Yennefer nie odpowiedziała. Usiadła znowu przed zwierciadłem, powoli rozczesała czarne, kręte, połyskliwe loki. Zawsze czesała włosy przed pójściem do łóżka. Geralt uważał to za dziwactwo, ale wprost uwielbiał obserwować ją przy tej czynności. Podejrzewał, że Yennefer o tym wiedziała.

Zrobiło mu się nagle bardzo zimno, a eliksiry faktycznie trzęsły nim, drętwiły kark, pływały w dole brzucha wirami mdłości. Zaklął pod nosem, zwalił się na łóżko, nie przestając przy tym patrzeć na Yennefer.

Ruch w rogu izby zwrócił jego uwagę, przyciągnął wzrok. Na przybitych krzywo do ściany, omotanych pajęczyną rogach jelenich siedział czarny niby smoła, nieduży ptak.

Odwróciwszy głowę w bok, patrzył na wiedźmina żółtym, nieruchomym okiem.

– Co to jest, Yen? Skąd to tu się wzięło?

– Co? – Yennefer odwróciła głowę. – A, to. To jest pustułka.

– Pustułka? Pustułki są rudodropiate, a to jest czarne.

– To jest czarodziejska pustułka. Zrobiłam ją.

– Po co?

– Jest mi potrzebna – ucięła. Geralt nie zadawał więcej pytań, wiedział, że Yennefer nie odpowie.

– Idziesz jutro do Istredda?

Czarodziejka odsunęła flakoniki na brzeg stołu, schowała grzebień do szkatułki i zamknęła tryptykowe ramki zwierciadła.

– Idę. Z samego rana. A co?

– Nic.

Położyła się obok, nie gasząc kaganka. Nigdy nie gasiła światła, nie znosiła zasypiać w ciemności. Czy to kaganek, czy latarnia, czy świeca, musiały dopalić się do końca. Zawsze. Jeszcze jedno dziwactwo. Yennefer miała nieprawdopodobną liczbę dziwactw.

– Yen?

– Aha?

– Kiedy stąd wyjedziemy?

– Nie nudź – ostro szarpnęła pierzyną. – Jesteśmy tu od trzech dni, a ty zadałeś to pytanie co najmniej trzydzieści razy. Mówiłam ci, mam tu sprawy do załatwienia.

– Z Istreddem?

– Tak.

Westchnął i objął ją, nie kryjąc intencji.

– Ej – szepnęła. – Brałeś eliksiry...

– No to co?

– Nic – zachichotała jak podlotek, przytulając się do niego, wyginając i unosząc, by ułatwić zsunięcie koszuli. Zachwyt jej nagością jak zwykle spłynął mu dreszczem po plecach, zamrowił w palcach stykających się z jej skórą. Dotknął ustami jej piersi, krągłych i delikatnych, o sutkach tak bladych, że uzewnętrzniających się jedynie kształtem. Wplótł palce w jej włosy pachnące bzem i agrestem.

Poddawała się jego pieszczotom, mrucząc jak kot, trąc zgiętym kolanem o jego biodro.

Rychło okazało się, że – jak zwykle – przecenił swoją wytrzymałość na wiedźmińskie eliksiry, zapomniał o ich wrednym działaniu na organizm. A może to nie eliksiry, pomyślał, może to zmęczenie walką, ryzykiem, zagrożeniem i śmiercią? Zmęczenie, na które już rutyniarsko nie zwracam uwagi? Ale mój organizm, choć sztucznie poprawiony, nie poddaje się rutynie. Reaguje naturalnie. Tyle że wtedy, kiedy nie trzeba. Zaraza.

Ale Yennefer – jak zwykle – nie pozwoliła się zdeprymować byle drobiazgiem. Poczuł, jak go dotyka, usłyszał, jak mruczy, tuż przy jego uchu. Jak zwykle, mimo woli zastanowił się nad kosmiczną liczbą innych okazji, przy których musiała używać tego wielce praktycznego zaklęcia. A potem przestał się zastanawiać.

Jak zwykle było niezwykle.

Patrzył na jej usta, na ich kącik, drgający w bezwiednym uśmiechu. Dobrze znał ten uśmiech, zawsze wydawał mu się bardziej uśmiechem tryumfu niż szczęścia. Nigdy nie pytał jej o to. Wiedział, że nie odpowie.

Czarna pustułka, siedząca na jelenich rogach, strzepnęła skrzydłami, kłapnęła krzywym dziobem. Yennefer odwróciła głowę i westchnęła. Bardzo smutno.

– Yen?

– Nic, Geralt – pocałowała go. – Nic.

Kaganek pełgał chwiejnym płomieniem. W ścianie chrobotała mysz, a kornik w komódce tykał z cicha, miarowo, jednostajnie.

– Yen?

– Mhm?

– Wyjedźmy stąd. Źle się tu czuję. To miasto fatalnie na mnie działa.

Obróciła się na bok, przesunęła dłonią po jego policzku, odgarniając włosy, pojechała palcami niżej, dotknęła zgrubiałych szram, znaczących bok szyi.

– Czy wiesz, co oznacza nazwa tego miasta? Aedd Gynvael?

– Nie. To z języka elfów?

– Tak. Oznacza okruch lodu.

– Dziwnie to nie pasuje do tej parszywej dziury.

– Wśród elfów – szepnęła czarodziejka w zamyśleniu – krąży legenda o Królowej Zimy, która w czasie zamieci przebiega kraje saniami zaprzężonymi w białe konie. Jadąc, królowa rozsiewa dookoła twarde, ostre, maleńkie okruchy lodu i biada temu, kogo taki okruch trafi w oko lub w serce. Taki ktoś jest zgubiony. Nic już nie będzie w stanie go ucieszyć, wszystko, co nie będzie miało bieli śniegu, będzie dla niego brzydkie, wstrętne, odrażające. Nie zazna spokoju, porzuci wszystko, podąży za Królową, za swoim marzeniem i miłością. Oczywiście, nigdy jej nie odnajdzie i zginie z tęsknoty. Podobno tu, w tym mieście, w zamierzchłych czasach zdarzyło się coś takiego. Piękna legenda, prawda?

– Elfy wszystko umieją ubrać w ładne słowa – mruknął sennie, wodząc ustami po jej ramieniu. – To wcale nie legenda, Yen. To ładne opisanie paskudnego zjawiska, jakim jest Dziki Gon, przekleństwo pewnych okolic. Niewytłumaczalny, zbiorowy szał, zmuszający ludzi do przyłączenia się do upiornego orszaku, pędzącego po niebie. Widziałem to. Rzeczywiście, często zdarza się zimą. Dawano mi nieliche pieniądze, bym położył kres tej zarazie, ale nie podjąłem się. Na Dziki Gon nie ma sposobu...

– Wiedźmin – szepnęła, całując go w policzek. – Za grosz romantyzmu nie ma w tobie. A ja... ja lubię legendy elfów, są takie piękne. Szkoda, że ludzie nie mają takich legend. Może kiedyś będą mieli? Może stworzą je? Ale o czym mają traktować legendy ludzi? Dookoła, gdziekolwiek spojrzeć, szarość i nijakość. Nawet to, co pięknie się zaczyna, wiedzie rychło w nudę i pospolitość, w ten ludzki rytuał, ten nużący rytm, nazywany życiem. Och, Geralt, niełatwo być czarodziejką, ale porównując to ze zwykłą, ludzką egzystencją... Geralt? – złożyła głowę na jego pierś, poruszaną wolnym oddechem.

– Śpij – szepnęła. – Śpij, wiedźminie.

III

Miasto źle wpływało na niego.

Od samego rana. Od samego rana wszystko psuło mu humor, wprawiało w przygnębienie i złość. Wszystko. Złościło go, że zaspał, przez co samo rano stało się praktycznie samym południem. Denerwował go brak Yennefer, która wyszła, zanim się obudził.

Musiała się spieszyć, bo utensylia, które zwykle porządnie układała w szkatułkach, leżały na stole bezładnie rozsypane niczym kostki rzucone przez wróżbitę w rytuale przepowiedni. Pędzelki z delikatnego włosia – te duże, służące do pudrowania twarzy, te mniejsze, którymi nakładała pomadkę na usta, i te zupełnie maleńkie, do henny, którą barwiła rzęsy. Kredki i sztyfty do powiek i brwi. Szczypczyki i łyżeczki ze srebra. Słoiczki i buteleczki z porcelany i mlecznego szkła, zawierające, jak wiedział, eliksiry i maści o ingrediencjach tak banalnych jak sadza, tłuszcz gęsi i sok z marchwi, i tak groźnie tajemniczych jak mandragora, antymon, belladonna, cannabis, smocza krew i skoncentrowany jad skorpionów olbrzymów. A nad tym wszystkim, dookoła, w powietrzu – zapach bzu i agrestu, pachnidła, którego zawsze używała.

Była w tych przedmiotach. Była w tym zapachu.

Ale nie było jej.

Zszedł na dół, czując rosnący niepokój i wzbierającą złość. Na wszystko.

Złościła go zimna i stężała jajecznica, którą podał mu na śniadanie oberżysta, na moment odrywając się od dziewczęcia, które obmacywał na zapleczu. Złościło go to, że dziewczę miało najwyżej dwanaście lat. I łzy w oczach.

Ciepła, wiosenna pogoda i radosny pogwar tętniącej życiem ulicy nie poprawił Geraltowi nastroju. Wciąż nic nie podobało mu się w Aedd Gynvael, miasteczku, które, jak uznał, było jak złośliwa parodia wszystkich znanych mu miasteczek – było karykaturalnie bardziej hałaśliwe, bardziej duszne, brudne i denerwujące.

Ciągle wyczuwał nikły smród śmieciowiska w odzieży i włosach. Postanowił pójść do łaźni.

W łaźni zdenerwowała go mina łaziebnika, patrzącego na jego wiedźmiński medalion, na miecz położony na brzegu kadzi. Zdenerwował go fakt, że łaziebnik nie zaproponował mu dziewki. Nie miał zamiaru korzystać z dziewki, ale w łaźniach wszystkim je proponowano, złościł go więc uczyniony dla niego wyjątek.

Gdy wyszedł, ostro zalatując szarym mydłem, jego humor nie uległ poprawie, a Aedd Gynvael nie wypiękniało ani trochę. Wciąż nie było tu nic, co mogłoby się podobać. Nie podobały się wiedźminowi kupy wolnego nawozu zalegające uliczki. Nie podobali mu się żebracy kucający pod murem świątyni. Nie podobał mu się koślawy napis na murze głoszący: ELFY DO REZERWATU!

Do zamku nie wpuszczono go, odesłano za starostą do gildii kupieckiej. Zdenerwowało go to. Zdenerwowało go też, gdy starszy cechu, elf, kazał mu szukać starosty na rynku, patrząc przy tym na niego z pogardą i wyższością dziwną u kogoś, kogo zaraz mają zapędzić do rezerwatu.

Na rynku kłębiło się od ludzi, pełno tu było straganów, wozów, koni, wołów i much. Na podwyższeniu stał pręgierz z delikwentem obrzucanym przez gawiedź błotem i łajnem. Delikwent z podziwu godnym opanowaniem plugawie lżył swoich dręczycieli, niespecjalnie podnosząc głos.

Dla Geralta, posiadającego niezłe obycie, cel przebywania starosty wśród tego rejwachu był całkowicie jasny. Przyjezdni kupcy z karawan mieli łapówki wkalkulowane w ceny, musieli zatem komuś te łapówki wręczyć. Starosta, także świadom zwyczaju, zjawił się, by kupcy nie musieli się fatygować.

Miejsce, gdzie urzędował, znaczył brudnobłękitny baldachim, rozpięty na tyczkach. Stał tam stół oblężony przez rozjazgotanych interesantów. Za stołem siedział starosta Herbolth, demonstrując wszem i wobec lekceważenie i pogardę, malujące się na wyblakłej twarzy.

– Hej! A ty dokąd?

Geralt powoli odwrócił głowę. I momentalnie zgłuszył w sobie złość, opanował zdenerwowanie, zziębił się w twardy, zimny okruch lodu. Nie mógł już pozwolić sobie na emocje. Mężczyzna, który zastąpił mu drogę, miał włosy żółtawe jak piórka wilgi i takie same brwi nad bladymi, pustymi oczami. Wąskie dłonie o długich palcach opierał o pas z masywnych, mosiężnych płytek, obciążony mieczem, buzdyganem i dwoma sztyletami.

– Aha – powiedział mężczyzna. – Poznaję cię. Wiedźmin, nieprawdaż? Do Herboltha?

Geralt kiwnął głową, nie przestając obserwować rąk mężczyzny. Wiedział, że ręce tego mężczyzny niebezpiecznie było spuszczać z oczu.

– Słyszałem o tobie, pogromco potworów – rzekł żółtowłosy, obserwując czujnie ręce Geralta. – Chociaż zdaje mi się, żeśmy się nigdy nie spotkali, ty też zapewne o mnie słyszałeś. Jestem Ivo Mirce. Ale wszyscy mówią na mnie Cykada.

Wiedźmin kiwnął głową na znak, że słyszał. Znał też cenę, jaką za głowę Cykady dawano w Wyzimie, Caelf i Vattweir. Gdyby pytano go o zdanie, powiedziałby, że to za mała cena. Ale nie pytano go.

– Dobra – powiedział Cykada. – Starosta, jak mi wiadomo, czeka na ciebie. Możesz iść. Ale miecz, przyjacielu, zostawisz. Mnie tu, uważasz, płacą za to, żebym pilnował takiego ceremoniału. Nikt z bronią nie ma prawa podejść do Herboltha. Pojąłeś?

Geralt obojętnie wzruszył ramionami, rozpiął pas, owinąwszy nim pochwę wręczył miecz Cykadzie. Cykada uśmiechnął się kątem ust.

– No proszę – powiedział. – Jak grzecznie, ani słowa protestu. Wiedziałem, że plotki o tobie są przesadzone. Chciałbym, żebyś ty kiedyś poprosił o mój miecz, zobaczyłbyś wówczas moją odpowiedź.

– Hola, Cykada! – zawołał nagle starosta, wstając. – Przepuść go! Chodźcie tu żywo, panie Geralcie, witam, witam. Usuńcie się, panowie kupcy, zostawcie nas na chwilę. Wasze interesy muszą ustąpić sprawom o większym znaczeniu dla miasta. Petycje przedstawcie memu sekretarzowi!

Pozorowana wylewność powitania nie zwiodła Geralta. Wiedział, że służyła wyłącznie za element przetargowy. Kupcy dostali czas na przemyślenie, czy łapówki są aby dostatecznie wysokie.

– Założę się, że Cykada usiłował cię sprowokować – Herbolth niedbałym uniesieniem dłoni odpowiedział na równie niedbały ukłon wiedźmina. – Nie przejmuj się tym. Cykada dobywa broni wyłącznie na rozkaz. Prawda, nie bardzo mu to w smak, ale póki ja mu płacę, musi słuchać, inaczej fora ze dwora, z powrotem na gościniec. Nie przejmuj się nim.

– Po diabła wam ktoś taki jak Cykada, starosto? Aż tak tu niebezpiecznie?

– Bezpiecznie, bo płacę Cykadzie – Herbolth zaśmiał się. – Jego sława sięga daleko i to mi jest na rękę. Widzisz, Aedd Gynvael i inne miasta w dolinie Toiny podlegają namiestnikom z Rakverelina. A namiestnicy ostatnimi czasy zmieniają się co sezon. Nie wiadomo zresztą, po co się zmieniają, bo i tak co drugi to półelf lub ćwierćelf, przeklęta krew i rasa, wszystko, co złe, przez elfów.

Geralt nie dodał, że również przez wozaków, bo żart, choć znany, nie wszystkich śmieszył.

– Każdy nowy namiestnik – ciągnął nabzdyczony Herbolth – zaczyna od usuwania grododzierżców i starostów starego reżymu, by obsadzić na stołkach swoich krewnych i znajomych. Ale po tym, co Cykada zrobił kiedyś wysłannikom pewnego namiestnika, mnie już nikt nie próbuje rugować z posady i jestem sobie najstarszym starostą najstarszego reżymu, nawet już nie pamiętam którego. No, ale my tu gadu-gadu, a żyła opadła, jak zwykła była mawiać moja świętej pamięci pierwsza żona. Przejdźmy do rzeczy. Jakiż to gad zalągł się na naszym śmietnisku?

– Zeugl.

– W życiu nie słyszałem o czymś takim. Mniemam, już ubity?

– Już ubity.

– Ile ma to kosztować miejską kasę? Siedemdziesiąt?

– Sto.

– No, no, panie wiedźminie! Chybaście się blekotu napili! Sto marek za zabicie byle robaka zadomowionego w kupie gówna?

– Robak czy nie robak, starosto, pożarł ośmioro ludzi, jak sami twierdziliście.

– Ludzi? Dobre sobie! Potworzysko, jak mi doniesiono, zjadło starego Zakorka, który słynął tym, że nigdy nie trzeźwiał, jedną starą babę z podgrodzia i kilkoro dzieci przewoźnika Sulirada, co nieprędko odkryto, bo Sulirad sam nie wie, ile ma dzieci, za szybko je robi, by mógł zliczyć. Też mi ludzie! Osiemdziesiąt.

– Gdybym nie zabił zeugla, wkrótce pożarłby kogoś znaczniejszego. Aptekarza, dajmy na to. I skąd bralibyście wówczas maść na szankry? Sto.

– Sto marek to kupa pieniędzy. Nie wiem, czy dałbym tyle za dziewięciogłową hydrę. Osiemdziesiąt pięć.

– Sto, panie Herbolth. Zważcie, że chociaż nie była to dziewięciogłowa hydra, nikt z tutejszych, nie wyłączając słynnego Cykady, nie potrafił jakoś poradzić sobie z zeuglem.

– Bo nikt tutejszy nie zwykł babrać się w łajnie i odpadkach. Moje ostatnie słowo: dziewięćdziesiąt.

– Sto.

– Dziewięćdziesiąt pięć, na demony i diabły!

– Zgoda.

– No – Herbolth uśmiechnął się szeroko. – Załatwione. Zawsze się tak pięknie targujesz, wiedźminie?

– Nie – Geralt się nie uśmiechnął. – Raczej rzadko. Ale chciałem wam zrobić przyjemność, starosto.

– I zrobiłeś, niech cię dżuma – zarechotał Herbolth. – Hej, Przegrzybek! Sam tu! Księgę dawaj i sakwę i odlicz mi tu migiem dziewięćdziesiąt marek.

– Miało być dziewięćdziesiąt pięć.

– A podatek?

Wiedźmin zaklął z cicha. Starosta postawił na kwicie zamaszysty znaczek, potem podłubał w uchu czystym końcem pióra.

– Tuszę, teraz na gnojowisku spokój będzie? Hę, wiedźminie?

– Powinien. Był tylko jeden zeugl. Co prawda, mógł zdążyć się rozmnożyć. Zeugle są dwupłciowe jak ślimaki.

– Co ty mi tu prawisz za bajki? – Herbolth spojrzał na niego zezem. – Do mnożenia trzeba dwojga, znaczy się samca i samicy. Cóż to, czy te zeugle lęgną się niczym pchły albo myszy, ze słomy zgniłej w sienniku? Każdy głupek to przecież wie, że nie ma myszów i myszowych, że wszystkie one jednakie i lęgną się same z siebie i ze słomy zgniłej.

– A ślimaki z liści mokrych się lęgną – wtrącił sekretarz Przegrzybek, wciąż zajęty układaniem monet w słupki.

– Każdy to wie – zgodził się Geralt, uśmiechając pogodnie. – Nie ma ślimaków i ślimakowych. Są tylko liście. A kto sądzi inaczej, jest w błędzie.

– Dosyć – uciął starosta, patrząc na niego podejrzliwie. – Dosyć mi tu o robactwie. Pytałem, czy się nam może na śmieciowisku znów coś ulać, i bądź łaskaw odpowiedzieć, jasno a krótko.

– Za jakiś miesiąc należałoby spenetrować wysypisko, najlepiej z psami. Małe zeugle nie są niebezpieczne.

– A ty byś tego nie mógł zrobić, wiedźminie? Co do zapłaty, dogadamy się.

– Nie – Geralt odebrał pieniądze z rąk Przegrzybka. – Nie mam zamiaru tkwić w waszym urokliwym mieście nawet przez tydzień, a co dopiero miesiąc.

– Ciekawe rzeczy prawisz – Herbolth uśmiechnął się krzywo, patrząc mu prosto w oczy. – Zaiste, ciekawe. Bo ja myślę, że dłużej tu pobędziesz.

– Źle myślicie, starosto.

– Czyżby? Przyjechałeś tu z tą czarną wróżką, jak jej tam, zapomniałem... Guinever, chyba. „Pod Jesiotrem" z nią na kwaterze stanąłeś. Mówią, że w jednej izbie.

– I co z tego?

– A to, że ona, ilekroć do Aedd Gynvael zawita, to nie wyjeżdża tak prędko. A bywać, to ona u nas już bywała.

Przegrzybek uśmiechnął się szeroko, szczerbato i znacząco. Herbolth nadal patrzył w oczy Geralta, bez uśmiechu. Geralt uśmiechnął się również, najpaskudniej jak umiał.

– Ja tam zresztą nic nie wiem – starosta odwrócił wzrok i powiercił obcasem w ziemi. – I tyle mnie to obchodzi co łajno sobacze. Ale czarodziej Istredd, pomnijcie na to, to u nas ważna osoba. Niezastąpiona dla tego grodu, bezcenna, rzekłbym. Poważanie ma u ludzi, tutejszych i inszych też. My w jego czarodziejstwo nosów nie pchamy ani osobliwie w inne jego sprawy.

– Może i słusznie – zgodził się wiedźmin. – A gdzie on mieszka, jeśli wolno spytać?

– Nie wiesz? A przecież o tu, widzisz ten dom? Ten biały, wysoki, wetkany pomiędzy skład a cekhauz jak, nie przymierzając, świeca w rzyć. Ale teraz go tam nie zastaniesz. Istredd niedawno wedle południowego wału wykopał coś w ziemi i ryje teraz dookoła jak kret. I ludzi mi zagonił do tych wykopków. Poszedłem, pytam grzecznie, czego to, mistrzu, kopiecie dołki jak dziecko, ludzie się śmiać zaczynają. Co tam w tej ziemi jest? A on popatrzył na mnie jak na kapcana jakiegoś i mówi: „Historia". Jaka znowu historia, pytam. A on na to: „Historia ludzkości. Odpowiedzi na pytania. Na pytanie, co było, i na pytanie, co będzie." Gówno tu było, ja na to, ugór, krzaki i wilkołaki, zanim miasta nie pobudowano. A co będzie, zależy od tego, kogo w Rakverelinie namiestnikiem naznaczą, jakiego znowu półelfa parszywego. A w ziemi nie ma żadnych historii, nic tam nie ma, chyba glisty, jeśli komuś na ryby wola. Myślisz, że posłuchał? A gdzie tam. Kopie dalej. Jeśli więc chcesz się z nim widzieć, idź pod południowy wał.

– Eee, panie starosto – parsknął Przegrzybek. – Teraz to on w domu. Gdzie mu tam teraz do wykopków, teraz kiedy...

Herbolth spojrzał na niego groźnie. Przegrzybek zgarbił się i zachrząkał, przebierając nogami. Wiedźmin, nadal nieładnie uśmiechnięty, skrzyżował ręce na piersi.

– Tak, hem, hem – starosta odkaszlnął. – Kto wie, może faktycznie Istredd jest teraz w domu. Co mnie to zresztą...

– Bywajcie w zdrowiu, starosto – rzekł Geralt nie wysilając się nawet na parodię ukłonu. – Życzę dobrego dnia.

Podszedł do Cykady, wychodzącego mu na spotkanie, brzęczącego orężem. Bez słowa wyciągnął rękę po swój miecz, który Cykada trzymał w zgięciu łokcia. Cykada cofnął się.

– Spieszno ci, wiedźminie?

– Spieszno.

– Obejrzałem sobie twój miecz.

Geralt zmierzył go spojrzeniem, które przy najlepszych chęciach nie mogłoby być uznane za ciepłe.

– Jest się czym chwalić – kiwnął głową. – Niewielu go oglądało. A jeszcze mniej mogło o tym rozpowiadać.

– Ho, ho. – Cykada błysnął zębami. – Strasznie groźnie to zabrzmiało, aż mnie ciarki przeszły. Zawsze mnie ciekawiło, wiedźminie, dlaczego ludzie tak się was boją. I myślę, że już wiem.

– Spieszę się, Cykada. Oddaj miecz, jeśli łaska.

– Dym w oczy, wiedźminie, nic, aby dym w oczy. Straszycie ludzi niby pszczelarz pszczoły dymem i smrodem, tymi waszymi kamiennymi twarzami, tym gadaniem, plotkami, które pewnie sami o sobie rozpuszczacie. A pszczoły uciekają przed dymem, durne one, miast wbić żądło w wiedźmińską rzyć, która spuchnie naonczas jak każda inna. Mówią o was, że nie czujecie jak ludzie. Łeż to. Gdyby którego z was dobrze dźgnąć, poczułby.

– Skończyłeś?

– Tak – powiedział Cykada, oddając mu miecz. – Wiesz co mnie ciekawi, wiedźminie?

– Wiem. Pszczoły.

– Nie. Tak sobie dumam, jeślibyś ty wszedł w uliczkę z jednej strony z mieczem, a ja z drugiej, to który z nas doszedłby do końca uliczki? Rzecz widzi mi się warta zakładu.

– Dlaczego czepiasz się mnie, Cykada? Szukasz zwady? O co ci chodzi?

– O nic. Tak mnie tylko ciekawi, ileż to prawdy jest w tym, co ludzie gadają. Żeście tacy dobrzy w walce, wy, wiedźmini, bo ani w was serca, ani duszy, ani litości, ani sumienia. I tego wystarczy? Bo o mnie, dla przykładu, mówią to samo. I nie bez podstaw. Straszniem tedy ciekaw, kto z nas dwu, wszedłszy w uliczkę, wyszedłby z niej żywy. Co? Warto by się założyć? Jak myślisz?

– Mówiłem, spieszy mi się. Nie będę tracił czasu na rozmyślanie nad głupstwami. I nie zwykłem się zakładać. Ale gdyby ci kiedyś wpadło do głowy przeszkadzać mi w chodzeniu uliczką, to dobrze ci radzę, Cykada, zastanów się wpierw.

– Dym – Cykada uśmiechnął się. – Dym w oczy, wiedźminie. Nic więcej. Do zobaczenia, kto wie, może w jakiejś uliczce?

– Kto wie.

IV

– Tu będziemy mogli swobodnie porozmawiać. Siadaj, Geralt.

Tym, co najbardziej rzucało się w oczy w pracowni, była imponująca liczba ksiąg – to one zajmowały najwięcej miejsca w tym obszernym pomieszczeniu. Opasłe tomiska wypełniały regały na ścianach, wyginały półki, piętrzyły się na skrzyniach i komodach. Musiały, jak ocenił wiedźmin, kosztować majątek. Nie brakowało, rzecz jasna, innych, typowych elementów wystroju – wypchanego krokodyla, wiszącej u sufitu zasuszonej ryby najeżki, zakurzonego kościotrupa i potężnej kolekcji słojów z alkoholem, zawierających każde chyba wyobrażalne paskudztwo – skolopendry, pająki, węże, ropuchy, a także niezliczone ludzkie i nieludzkie fragmenty, głównie flaki. Był tam nawet homunkulus lub coś, co przypominało homunkulusa, ale równie dobrze mogło być uwędzonym noworodkiem.

Na Geralcie kolekcja ta nie zrobiła wrażenia – mieszkał przez pół roku u Yennefer w Vengerbergu, a Yennefer miała jeszcze ciekawszy zbiór, zawierający nawet niesłychanych rozmiarów fallus, podobno górskiego trolla. Posiadała też wielce udatnie wypchanego jednorożca, na którego grzbiecie lubiła się kochać. Geralt był zdania, że jeżeli istniało miejsce gorzej nadające się do uprawiania miłości, to był nim chyba tylko grzbiet żywego jednorożca. W przeciwieństwie do niego, który łóżko uważał za luksus i cenił sobie wszystkie możliwe zastosowania tego wspaniałego mebla, Yennefer potrafiła być szalenie ekstrawagancka. Geralt przypomniał sobie miłe momenty spędzone z czarodziejką na pochyłym dachu, w pełnej próchna dziupli, na balkonie, i to cudzym, na balustradzie mostu, na chybotliwym czółnie na rwącej rzece i w czasie lewitacji trzydzieści sążni nad ziemią. Ale jednorożec był najgorszy. Któregoś szczęśliwego dnia kukła załamała się jednak pod nim, rozpruła i rozleciała, dostarczając licznych powodów do śmiechu.

– Co cię tak bawi, wiedźminie? – spytał Istredd, siadając za długim stołem, którego blat zalegała spora liczba zmurszałych czerepów, kości i zardzewiałego żelastwa.

– Za każdym razem, gdy widzę te rzeczy – wiedźmin usiadł naprzeciw, wskazując na słoje i słoiki – zastanawiam się, czy rzeczywiście nie można uprawiać magii bez tego całego obrzydlistwa, na widok którego kurczy się żołądek.

– Kwestia gustu – rzekł czarodziej. – Jak też i przyzwyczajenia. Co jednego brzydzi, drugiego jakoś nie rusza. A ciebie, Geralt, co brzydzi? Ciekawe, co też może brzydzić kogoś, kto, jak słyszałem, dla pieniędzy potrafi wejść po szyję w gnój i nieczystości? Nie traktuj, proszę, tego pytania jako obrazę czy prowokację. Naprawdę jestem ciekaw, co może wywołać u wiedźmina uczucie odrazy.

– Czy w tym słoiku nie trzymasz przypadkiem krwi miesięcznej nie tkniętej dziewicy, Istredd? Wiedz, że brzydzi mnie, gdy wyobrażam sobie ciebie, poważnego czarodzieja, z buteleczką w garści, usiłującego zdobyć ten cenny płyn, kropla po kropli, klęcząc, że się tak wyrażę, u samego źródła.

– Celnie – Istredd uśmiechnął się. – Mówię oczywiście o twoim błyskotliwym dowcipie, bo co do zawartości słoika, to nie trafiłeś,

– Ale używasz czasami takiej krwi, prawda? Do niektórych zaklęć, jak słyszałem, ani podejdź bez krwi dziewicy, najlepiej zabitej w czasie pełni księżyca piorunem z jasnego nieba. W czym, ciekawość, krew taka lepsza jest od krwi starej gamratki, która po pijanemu spadła z ostrokołu?

– W niczym – zgodził się czarodziej z miłym uśmiechem na ustach. – Ale gdyby się wydało, że tę rolę może praktycznie równie dobrze spełnić krew wieprza, o ileż łatwiejsza do zdobycia, wtedy byle hołota zaczęłaby eksperymentować z czarami. A gdy hołocie przyjdzie nazbierać i użyć owej tak fascynującej cię dziewiczej krwi, smoczych łez, jadu białych tarantul, wywaru z obciętych niemowlęcych rączek lub z trupa, ekshumowanego o północy, to niejeden się rozmyśli.

Zamilkli. Istredd, sprawiając wrażenie głęboko zamyślonego, postukał paznokciami w leżącą przed nim spękaną, zbrązowiałą, pozbawioną żuchwy czaszkę, palcem

wskazującym wodził po zębatej krawędzi otworu, ziejące-
go z kości skroniowej. Geralt przyglądał mu się nienatręt-
nie. Zastanawiał się, ile czarodziej może mieć lat. Wiedział, że ci zdolniejsi potrafili wyhamować proces starze-
nia się permanentnie i w dowolnym wieku. Mężczyźni,
dla reputacji i prestiżu, preferowali wiek zaawansowanie
dojrzały, sugerujący wiedzę i doświadczenie. Kobiety – jak
Yennefer – mniej dbały o prestiż, bardziej o atrakcyjność.
Istredd nie wyglądał na więcej niż zasłużone, krzepkie
czterdzieści. Miał lekko szpakowate, proste, sięgające ramion włosy i liczne, dodające powagi zmarszczki na czole,
przy ustach i w kącikach powiek. Geralt nie wiedział, czy
głębia i mądrość szarych, łagodnych oczu była naturalna
czy wywołana czarami. Po krótkiej chwili doszedł do
wniosku, że to wszystko jedno.

– Istredd – przerwał niezręczne milczenie. – Przyszedłem tu, bo chciałem zobaczyć się z Yennefer. Pomimo że
jej nie zastałem, zaprosiłeś mnie do środka. Na rozmowę.
O czym? O hołocie, próbującej łamać wasz monopol na
używanie magii? Wiem, że do tej hołoty zaliczasz również
mnie. Nic to dla mnie nowego. Przez chwilę miałem wrażenie, że okażesz się inny niż twoi konfratrzy, którzy często nawiązywali ze mną poważne rozmowy, po to tylko,
by oznajmić mi, że mnie nie lubią.

– Nie myślę przepraszać cię za moich, jak się wyrazi-
łeś, konfratrów – odrzekł spokojnie czarodziej. – Rozumiem ich, bo tak jak i oni, aby dojść do jakiej takiej
wprawy w czarnoksięstwie, musiałem się nielicho napra-
cować. Jako zupełny szczeniak, kiedy moi rówieśnicy biegali po polach z łukami, łowili ryby albo grali w cetno i licho, ja ślęczałem nad manuskryptami. Od kamiennej podłogi w wieży łamało mnie w kościach i rwało w stawach,
oczywiście latem, bo zimą trzaskało szkliwo na zębach.
Od kurzu ze starych zwojów i ksiąg kasłałem, aż oczy wy-
łaziły mi na łeb, a mój mistrz, stary Roedskilde, nigdy
nie przepuścił okazji, by ściobnąć mnie po plecach naha-
jem, sądząc widocznie, że bez tego nie osiągnę zadowala-
jących postępów w nauce. Nie użyłem ani wojaczki, ani
dziewcząt, ani piwa za najlepszych lat, kiedy wszystkie te
rozrywki najlepiej smakują.

– Biednyś – wiedźmin skrzywił się. – Zaiste, łza się
w oku kręci.

– Po co ta ironia? Próbuję wyjaśnić ci przyczyny, dla
których czarodzieje nie przepadają za wsiowymi znacho-
rami, zaklinaczami, uzdrawiaczami, jędzami i wiedźminami. Nazwij to, jak chcesz, nawet zwykłą zawiścią, ale
tu właśnie leży przyczyna antypatii. Złości nas, gdy magię, sztukę, którą nauczono nas traktować jako elitarny
kunszt, przywilej najlepszych i święte misterium, widzimy w rękach profanów i naturszczyków. Nawet, gdy jest
to dziadowska, nędzna i śmiechu warta magia. Dlatego
moi konfratrzy cię nie lubią. Ja, nawiasem mówiąc, też
cię nie lubię.

Geralt miał dość dyskusji, dość kluczenia, dość przy-
krego uczucia niepokoju, które było niczym ślimak pełza-
jący po karku i plecach. Spojrzał prosto w oczy Istredda,
zacisnął palce na brzegu stołu.

– Chodzi o Yennefer, prawda?

Czarodziej uniósł głowę, wciąż lekko stukając paznokciami po leżącym na stole czerepie.

– Gratuluję przenikliwości – powiedział, wytrzymując
spojrzenie wiedźmina. – Moje uznanie. Tak, chodzi o Yennefer.

Geralt milczał. Kiedyś, przed laty, przed wielu, wielu
laty, jeszcze jako młody wiedźmin, czekał w zasadzce na
mantikorę. I czuł, że mantikora się zbliża. Nie widział jej,
nie słyszał. Ale czuł. Nigdy nie zapomniał tego uczucia.
A teraz odczuwał dokładnie to samo.

– Twoja przenikliwość – podjął czarodziej – oszczędzi
nam sporo czasu, jaki zajęłoby dalsze owijanie w baweł-
nę. A tak, sprawę mamy jasną.

Geralt nie skomentował.

– Moja bliska znajomość z Yennefer – ciągnął Istredd
– datuje się od dość dawna, wiedźminie. Przez długi czas
była to znajomość bez zobowiązań, oparta na dłuższych
lub krótszych, bardziej lub mniej regularnych okresach
przebywania ze sobą. Tego typu niezobowiązujące part-
nerstwo jest powszechnie praktykowane wśród ludzi naszej profesji. Tyle że nagle przestało mi to odpowiadać.

Zdecydowałem się złożyć jej propozycję zostania ze mną na stałe.

– Co odpowiedziała?

– Że się namyśli. Dałem jej czas do namysłu. Wiem, że nie jest to dla niej łatwa decyzja.

– Dlaczego mi to mówisz, Istredd? Co tobą kieruje, poza godną szacunku, ale zaskakującą szczerością, tak rzadką wśród ludzi twojej profesji? Jaki cel ma ta szczerość?

– Prozaiczny – czarodziej westchnął. – Bo, widzisz, to twoja osoba utrudnia Yennefer podjęcie decyzji. Proszę cię zatem, abyś zechciał się usunąć. Byś zniknął z jej życia, przestał przeszkadzać. Krótko: byś wyniósł się do diabła. Najlepiej po cichu i bez pożegnania, co, jak mi się zwierzyła, zwykłeś praktykować.

– Zaiste – Geralt uśmiechnął się wymuszenie. – Twoja prostolinijna szczerość wprawia mnie w coraz większe osłupienie. Wszystkiego mogłem się spodziewać, ale nie takiej prośby. Czy nie uważasz, że zamiast prosić, należało raczej kropnąć mnie zza węgła kulistym piorunem? Nie byłoby przeszkody, byłoby trochę sadzy, którą trzeba by zdrapać z muru. Sposób i łatwiejszy, i pewniejszy. Bo, widzisz, prośbie można odmówić, piorunowi kulistemu nie sposób.

– Nie biorę pod uwagę możliwości odmowy.

– Dlaczego? Byłabyż ta dziwna prośba niczym innym, jak tylko ostrzeżeniem, poprzedzającym piorun lub inne wesołe zaklęcie? Czy też może prośba ta ma być poparta brzęczącymi argumentami? Sumą, która oszołomi chciwego wiedźmina? Ileż to zamierzasz mi zapłacić, bym usunął się z drogi, wiodącej ku twemu szczęściu?

Czarodziej przestał stukać w czaszkę, położył na niej dłoń, zacisnął palce. Geralt zauważył, że knykcie mu pobielały.

– Nie było moim zamiarem znieważać cię podobną ofertą – powiedział. – Daleki byłem od tego. Ale... jeśli... Geralt, jestem czarodziejem, i to nie najgorszym. Nie myślę chełpić się tu wszechmocą, ale wiele z twoich życzeń, jeśli zechciałbyś je wyrazić, mógłbym spełnić. Niektóre, o, z równą łatwością.

Machnął ręką, niedbale, jakby odpędzał komara. W powietrzu nad stołem zaroiło się nagle od bajecznie kolorowych motyli niepylaków.

– Moim życzeniem, Istredd – wycedził wiedźmin, odganiając trzepoczące przy twarzy owady – jest, abyś przestał pchać się między mnie i Yennefer. Mało mnie obchodzą propozycje, które jej składasz. Mogłeś się jej oświadczać, gdy była z tobą. Dawniej. Bo dawniej było dawniej, a teraz jest teraz. Teraz jest ze mną. Mam się usunąć, ułatwić ci sprawę? Odmawiam. Nie tylko ci nie pomogę, ale będę przeszkadzał, w miarę skromnych możliwości. Jak widzisz, nie ustępuję ci w szczerości.

– Nie masz prawa mi odmawiać. Nie ty.

– Za kogo ty mnie masz, Istredd?

Czarodziej spojrzał mu prosto w oczy, przechylając się przez stół. .

– Za jej przelotną miłostkę. Za chwilową fascynację, w najlepszym razie, za kaprys, za przygodę, jakich Yenna miała setki, bo Yenna lubi bawić się emocjami, jest impulsywna i nieobliczalna w kaprysach. Za to cię uważam, albowiem zamieniwszy z tobą te kilka słów, odrzuciłem możliwość, by traktowała cię wyłącznie instrumentalnie. A wierz mi, to się jej zdarza wcale często.

– Nie zrozumiałeś pytania.

– Mylisz się, zrozumiałem. Ale celowo mówię wyłącznie o emocjach Yenny. Bo ty jesteś wiedźminem i żadnych emocji doznawać nie możesz. Nie chcesz spełnić mojej prośby, bo wydaje ci się, że zależy ci na niej, myślisz, że... Geralt, ty jesteś z nią tylko dlatego, że ona tego chce, i będziesz z nią tak długo, jak ona zechce. A to, co czujesz, to projekcja jej emocji, zainteresowania, które ci okazuje. Na wszystkie demony Dołu, Geralt, nie jesteś dzieckiem, wiesz, kim jesteś. Jesteś mutantem. Nie zrozum mnie opacznie, nie mówię tego, by cię znieważyć czy okazywać pogardę. Stwierdzam fakt. Jesteś mutantem, a jedną z podstawowych cech twojej mutacji jest pełna niewrażliwość na emocje. Takim cię stworzono, byś mógł wykonywać twój zawód. Rozumiesz? Ty nie możesz niczego odczuwać. To, co bierzesz za uczucia, to pamięć komórkowa, somatyczna, jeśli wiesz, co znaczy to słowo.

– Wyobraź sobie, że wiem.

– Tym lepiej. Posłuchaj więc. Proszę cię o coś, o co mogę poprosić wiedźmina, a człowieka nie mógłbym. Jestem szczery z wiedźminem, z człowiekiem nie mógłbym sobie pozwolić na szczerość. Geralt, ja chcę dać Yennie zrozumienie i stabilizację, uczucie i szczęście. Możesz, z ręką na sercu, zadeklarować to samo? Nie, nie możesz. Dla ciebie to są słowa pozbawione znaczenia. Włóczysz się za Yenną, ciesząc się jak dziecko z chwilowej sympatii, jaką ci okazuje. Jak zdziczały kot, w którego wszyscy ciskają kamieniami, mruczysz, zadowolony, bo oto znalazł się ktoś, kto nie boi się cię pogłaskać. Rozumiesz, co mam na myśli? Och, wiem, że rozumiesz, głupi nie jesteś, to jasne. Sam więc widzisz, że nie masz prawa mi odmawiać, gdy grzecznie proszę.

– Mam takie samo prawo odmawiać – wycedził Geralt – jak ty prosić, i tym samym nasze prawa znoszą się wzajemnie, wracamy do punktu wyjścia, a ten punkt jest taki: Yen, za nic sobie widać mając moją mutację i jej skutki, jest teraz ze mną. Oświadczyłeś się jej, twoje prawo. Powiedziała, że się namyśli? Jej prawo. Odnosisz wrażenie, że przeszkadzam jej w podjęciu decyzji? Że waha się? Że ja jestem przyczyną jej wahania? A to już moje prawo. Jeżeli się waha, to pewnie jednak ma po temu powody. Pewnie jednak coś jej daję, chociaż może i brak na to słów w wiedźmińskim słowniku.

– Posłuchaj...

– Nie. Ty posłuchaj mnie. Była kiedyś z tobą, powiadasz? Kto wie, może to nie ja, ale ty byłeś dla niej tylko przelotną miłostką, kaprysem, nieopanowaniem emocji, tak dla niej typowym? Istredd, ja nie mogę nawet wykluczyć, czy aby nie traktowała cię wówczas wyłącznie instrumentalnie. Tego, panie czarodzieju, nie da się wykluczyć li tylko na podstawie rozmowy. W takim przypadku, jak mi się zdaje, instrument bywa istotniejszy od elokwencji.

Istredd nie drgnął nawet, nawet nie zacisnął szczęk. Geralt podziwiał jego opanowanie. Niemniej przedłużające się milczenie zdawało się wskazywać, że cios trafił celnie.

– Bawisz się słowami – rzekł wreszcie czarodziej. – Upajasz się nimi. Słowami chcesz zastąpić normalne, ludzkie uczucia, których w tobie nie ma. Twoje słowa nie wyrażają uczuć, to tylko dźwięki, takie wydaje ten czerep, gdy w niego stuknąć. Bo ty jesteś równie pusty jak ten czerep. Nie masz prawa...

– Przestań – przerwał Geralt ostro, być może nawet zbyt ostro. – Przestań odmawiać mi z uporem praw, mam tego dosyć, słyszysz? Powiedziałem ci, nasze prawa są równe. Nie, do nagłej cholery, moje są większe.

– Doprawdy? – czarodziej pobladł lekko, sprawiając tym Geraltowi niewysłowioną przyjemność. – A to z jakiego tytułu?

Wiedźmin zastanowił się chwilę i zdecydował dobić go.

– A z takiego – wypalił – że wczoraj w nocy kochała się ze mną, a nie z tobą.

Istredd przyciągnął czaszkę blisko ku sobie, pogładził ją. Ręka, ku zmartwieniu Geralta, nie drgnęła mu nawet.

– To, według ciebie, daje jakieś prawa?

– Tylko jedno. Prawo do wyciągania wniosków.

– Aha – rzekł wolno czarodziej. – Dobrze. Jak chcesz. Ze mną kochała się dziś przed południem. Wyciągnij wnioski, masz prawo. Ja już wyciągnąłem.

Milczenie trwało długo. Geralt rozpaczliwie szukał słów. Nie znalazł. Żadnych.

– Szkoda tego gadania – powiedział wreszcie, wstając, zły na siebie, bo zabrzmiało to obcesowo i głupio. – Idę.

– Idź do diabła – rzekł Istredd równie obcesowo, nie patrząc na niego.

V

Gdy weszła, leżał w ubraniu na łóżku, z dłońmi podłożonymi pod kark. Udawał, że patrzy w sufit. Patrzył na nią.

Yennefer powoli zamknęła za sobą drzwi. Była piękna.

Jakaż ona jest piękna, pomyślał. Wszystko w niej jest piękne. I groźne. Te jej kolory, ten kontrast czerni i bieli. Piękno i groza. Jej gawronie, naturalne loki. Kości policzkowe, wyraźne, zaznaczające się zmarszczką, którą uśmiech

– jeśli uzna za celowe się uśmiechnąć – tworzy obok ust, cudownie wąskich i bladych pod pomadką. Jej brwi, cudownie nieregularne, gdy zmyje węgielek, którym podkreśla je za dnia. Jej nos, cudownie za długi. Jej drobne dłonie, cudownie nerwowe, niespokojne i zdolne. Talia, cienka i wiotka, podkreślona nadmiernie ściągniętym paskiem. Smukłe nogi, nadające w ruchu obłe kształty czarnej spódnicy. Piękna.

Bez słowa usiadła przy stole, oparła podbródek na splecionych dłoniach.

– No, dobrze, zaczynajmy – powiedziała. – To przedłużające się, pełne dramatyzmu milczenie jest zbyt banalne jak dla mnie. Załatwmy to. Wstawaj z łóżka i nie gap się w powałę z obrażoną miną. Sytuacja jest dostatecznie głupia i nie ma co ugłupiać jej jeszcze bardziej. Wstawaj, mówię.

Wstał posłusznie, bez ociągania, usiadł okrakiem na zydlu naprzeciw. Nie unikała jego wzroku. Mógł się spodziewać.

– Jak mówiłam, załatwmy to, załatwmy to szybko. Żeby nie stawiać cię w niezręcznym położeniu, odpowiem od razu na wszystkie pytania, nie musisz ich nawet zadawać. Tak, to prawda, jadąc z tobą do Aedd Gynvael jechałam do Istredda i wiedziałam, że spotkawszy się z nim, pójdę z nim do łóżka. Nie sądziłam, że to się wyda, że będziecie chwalić się jeden przed drugim. Wiem, jak się teraz czujesz, i przykro mi z tego powodu. Ale nie, nie czuję się winna.

Milczał.

Yennefer potrząsnęła głową, jej lśniące, czarne loki kaskadą spłynęły z ramienia.

– Geralt, powiedz coś.

– On... – odchrząknął. – On mówi o tobie Yenna.

– Tak – nie spuściła oczu. – A ja do niego mówię Val. To jego imię. Istredd to przydomek. Znam go od lat, Geralt. Jest mi bardzo bliski. Nie patrz tak na mnie. Ty też jesteś mi bliski. I w tym tkwi cały kłopot.

– Zastanawiasz się nad przyjęciem jego propozycji?

– A żebyś wiedział, zastanawiam się. Mówiłam ci, zna-

my się od lat. Od... wielu lat. Łączą mnie z nim zainteresowania, cele, ambicje. Rozumiemy się bez słów. Może mi
dać oparcie, a kto wie, może przyjdzie dzień, gdy będą potrzebować oparcia. A nade wszystko... On... on mnie kocha. Tak myślę.

– Nie będę stawał ci na zawadzie, Yen.

Podrzuciła głowę, a jej fiołkowe oczy rozbłysły sinym
ogniem.

– Na zawadzie? Czy ty niczego nie rozumiesz, idioto?
Gdybyś stawał mi na zawadzie, gdybyś mi po prostu przeszkadzał, to w mgnieniu oka pozbyłabym się tej przeszkody, teleportowałabym cię na koniec przylądka Bremervoord albo przeniosła trąbą powietrzną do kraju Hannu.
Przy odrobinie wysiłku wtopiłabym cię w kawał kwarcu
i postawiła w ogródku na klombie piwonii. Mogłabym też
tak przeprać ci mózg, że zapomniałbyś, kim byłam i jak
się nazywałam. I to wszystko pod warunkiem, że chciało-
by mi się. Bo mogłabym po prostu powiedzieć: „Było miło,
żegnaj". Mogłabym zwiać po cichu, tak jak ty to kiedyś
zrobiłeś, uciekając z mojego domu w Vengerbergu.

– Nie krzycz, Yen, nie bądź agresywna. I nie wywlekaj
tej historii z Vengerbergu, przyrzekliśmy sobie przecież
nie wracać już do tego. Nie mam do ciebie żalu, Yen, nie
robię ci przecież wyrzutów. Wiem, że nie da się do ciebie
przyłożyć zwykłej miarki. A to, że mi przykro... To, że zabija mnie świadomość, że cię tracę... To pamięć komórkowa. Atawistyczne resztki uczuć u wypranego z emocji
mutanta...

– Nie cierpię, gdy tak mówisz! – wybuchnęła. – Nie
znoszę, gdy używasz tego słowa. Nigdy więcej nie używaj
go w mojej obecności. Nigdy!

– Czy to zmieni fakt? Przecież jestem mutantem.

– Nie ma żadnego faktu. Nie wymawiaj przy mnie tego słowa.

Czarna pustułka, siedząca na rogach jeleniach, machnęła skrzydłami, zazgrzytała szponami. Geralt spojrzał
na ptaka, na jego żółte, nieruchome oko. Yennefer znowu
oparła podbródek na splecionych dłoniach.

– Yen.

– Słucham, Geralt.

– Obiecałaś odpowiedzieć na moje pytania. Na pytania, których nawet nie muszę zadawać. Zostało jedno, najważniejsze. To, którego nigdy ci nie zadałem. Które bałem się zadać. Odpowiedz na nie.

– Nie potrafię, Geralt – powiedziała twardo.

– Nie wierzę ci, Yen. Znam cię za dobrze.

– Nie można dobrze znać czarodziejki.

– Odpowiedz na moje pytanie, Yen.

– Odpowiadam: nie wiem. Ale cóż to za odpowiedź?

Zamilkli. Dobiegający z ulicy gwar ścichł, uspokoił się.

Chylące się ku zachodowi słońce zapaliło ognie w szparach okiennic, przeszyło izbę skośnymi smugami światła.

– Aedd Gynvael – mruknął wiedźmin. – Okruch lodu... Czułem to. Wiedziałem, że to miasto... Jest mi wrogie. Złe.

– Aedd Gynvael – powtórzyła wolno. – Sanie królowej elfów. Dlaczego? Dlaczego, Geralt?

– Jadę za tobą, Yen, bo zaplątałem, zawęźliłem uprząż moich sań w płozy twoich. A dookoła mnie zamieć. I mróz. Zimno.

– Ciepło stopiłoby w tobie okruch lodu, którym cię ugodziłam – szepnęła. – Wówczas prysłby czar, zobaczyłbyś mnie taką, jaka naprawdę jestem.

– Smagaj tedy białe konie, Yen, niechaj mkną na północ, tam gdzie nigdy nie nastaje odwilż. Oby nigdy nie nastała. Chcę jak najprędzej znaleźć się w twoim lodowym zamku.

– Ten zamek nie istnieje – usta Yennefer drgnęły, skrzywiły się. – Jest symbolem. A nasza sanna jest pościgiem za marzeniem, które jest nieosiągalne. Bo ja, królowa elfów, pragnę ciepła. To właśnie jest moja tajemnica. Dlatego co roku wśród śnieżnej zamieci moje sanie niosą mnie przez jakieś miasteczko i co roku ktoś porażony moim czarem pętli uprząż swoich sań w płozy moich. Co roku. Co roku ktoś nowy. Bez końca. Bo ciepło, którego tak pragnę, niweczy zarazem czar, niweczy magię i urok. Mój ugodzony lodową gwiazdką wybranek staje się nagle zwykłym nikim. A ja w jego odtajałych oczach staję się nie lepsza od innych... śmiertelniczek...

– A spod nieskazitelnej bieli wyłania się wiosna – powiedział. – Wyłania się Aedd Gynvael, brzydkie miasteczko o pięknej nazwie. Aedd Gynvael i jego śmietnik, ogromna, śmierdząca kupa śmieci, w którą muszę wejść, bo za to mi płacą, bo po to mnie stworzono, by wchodzić w plugastwo, które innych napawa wstrętem i obrzydzeniem. Pozbawiono mnie zdolności odczuwania, abym nie był w stanie odczuć, jak potwornie plugawe jest owo plugastwo, bym nie cofnął się, nie uciekł przed nim, przejęty zgrozą. Tak, pozbawiono mnie uczuć. Ale niedokładnie. Ten, kto to robił, spartaczył robotę, Yen.

Zamilkli. Czarna pustułka zaszeleściła piórami, rozwijając i składając skrzydła.

– Geralt...

– Słucham.

– Teraz ty odpowiedz na moje pytanie. Na to pytanie, którego nigdy ci nie zadałam. To, które bałam się... Teraz również ci go nie zadam, ale odpowiedz. Bo... bo bardzo pragnęłabym usłyszeć twoją odpowiedź. To jedno, jedyne słowo, którego nigdy mi nie powiedziałeś. Wypowiedz je, Geralt. Proszę.

– Nie potrafię.

– Co jest przyczyną?

– Nie wiesz? – uśmiechnął się smutno. – Moja odpowiedź byłaby tylko słowem. Słowem, które nie wyraża uczucia, nie wyraża emocji, bo z tych jestem wyprany. Słowem, które byłoby wyłącznie dźwiękiem, jaki wydaje przy uderzeniu pusty i zimny czerep.

Patrzyła na niego w milczeniu. Jej oczy, szeroko rozwarte, nabrały koloru gorejącego fioletu.

– Nie, Geralt – powiedziała – to nieprawda. A może prawda, ale niepełna. Nie jesteś wyprany z uczuć. Teraz to widzę. Teraz wiem, że...

Zamilkła.

– Dokończ, Yen. Zdecydowałaś już. Nie kłam. Znam cię. Widzę to w twoich oczach.

Nie spuściła wzroku. Wiedział.

– Yen – szepnął.

– Daj rękę – powiedziała.

Ujęła jego dłoń pomiędzy swoje, od razu poczuł mrowienie i tętnienie krwi w żyłach przedramienia. Yennefer szeptała zaklęcia, spokojnym, miarowym głosem, ale widział krople potu, którymi wysiłek sperlił jej pobladłe czoło, widział rozszerzone z bólu źrenice.

Puściwszy jego rękę, wyciągnęła dłonie, poruszyła nimi, pieszczotliwym gestem głaszcząc jakiś niewidzialny kształt, powoli, od góry ku dołowi. Między jej palcami powietrze zaczęło gęstnieć i mętnieć, wzdymać się i tętnić jak dym.

Patrzył zafascynowany. Magia twórcza, uważana za szczytowe osiągnięcie czarodziejów, zawsze go fascynowała, o wiele bardziej niż iluzja czy magia transformująca. Tak, Istredd miał rację, pomyślał, w porównaniu z taką magią moje Znaki wyglądają po prostu śmiesznie.

Między drgającymi z wysiłku dłońmi Yennefer powoli materializował się kształt ptaka czarnego jak węgiel. Palce czarodziejki delikatnie głaskały nastroszone piórka, płaską główkę, zakrzywiony dziób. Jeszcze jeden ruch, hipnotyzująco płynny, pieszczotliwy i czarna pustułka, pokręciwszy głową, zaskrzeczała głośno. Jej bliźniaczka, wciąż nieruchomo siedząca na rogach, odpowiedziała skrzeczeniem.

– Dwie pustułki – rzekł Geralt cicho. – Dwie czarne pustułki, stworzone za pomocą magii. Jak mniemam, obie są ci potrzebne.

– Słusznie mniemasz – powiedziała z trudem. – Obie są mi potrzebne. Myliłam się, sądząc, że wystarczy jedna. Jak ja bardzo się myliłam, Geralt... Do jakiej pomyłki przywiodła mnie pycha królowej zimy, przekonanej o swojej wszechmocy. A są rzeczy... których nie sposób zdobyć nawet magią. I są dary, których nie wolno przyjąć, jeśli nie jest się w stanie odwzajemnić ich... czymś równie cennym. W przeciwnym razie taki dar przecieknie przez palce, stopi się niby okruch lodu, zaciśnięty w dłoni. Zostanie tylko żal, poczucie straty i krzywdy...

– Yen...

– Jestem czarodziejką, Geralt. Władza nad materią, którą posiadam, jest darem. Darem odwzajemnionym. Zapłaciłam zań... Wszystkim, co posiadałam. Nie zostało nic.

Milczał. Czarodziejka przetarła czoło drżącą dłonią.

– Myliłam się – powtórzyła. – Ale naprawię mój błąd. Emocje i uczucia...

Dotknęła głowy czarnej pustułki. Ptak nastroszył się, bezgłośnie otwierając krzywy dziób.

– Emocje, kaprysy i kłamstwa, fascynacja i gra. Uczucia i ich brak... Dary, których nie wolno przyjąć... Kłamstwo i prawda. Czym jest prawda? Zaprzeczeniem kłamstwa? Czy stwierdzeniem faktu? A jeżeli fakt jest kłamstwem, czym jest wówczas prawda? Kto jest pełen uczuć, które nim targają, a kto pustą skorupą zimnego czerepu? Kto? Co jest prawdą, Geralt? Czym jest prawda?

– Nie wiem, Yen. Powiedz mi.

– Nie – powiedziała i spuściła oczy. Po raz pierwszy. Nigdy przedtem nie widział, by to robiła. Nigdy.

– Nie – powtórzyła. – Nie mogę, Geralt. Nie mogę ci tego powiedzieć. Powie ci to ten ptak, zrodzony z dotknięcia twojej dłoni. Ptaku? Czym jest prawda?

– Prawda – powiedziała pustułka – jest okruchem lodu.

VI

Chociaż wydawało mu się, że bez celu i zamiaru wędruje zaułkami, nagle znalazł się przy południowym murze, na wykopalisku, wśród sieci rowów, przecinających ruiny przy kamiennej ścianie, błądzących zakosami wśród odsłoniętych kwadratów starożytnych fundamentów.

Istredd był tam. W koszuli z podwiniętymi rękawami i wysokich butach pokrzykiwał na pachołków, rozkopujących motykami pasiastą ścianę wykopu wypełnionego różnokolorowymi warstwami ziemi, gliny i węgla drzewnego. Obok na deskach, leżały poczerniałe kości, skorupy garnków i inne przedmioty, nierozpoznawalne, skorodowane, zbrylone rdzą.

Czarodziej zauważył go natychmiast. Wydawszy kopiącym kilka głośnych poleceń, wyskoczył z wykopu, podszedł, wycierając ręce o spodnie.

– Słucham, o co chodzi? – spytał obcesowo.

Wiedźmin, stojąc przed nim nieruchomo, nie odpowiedział. Pachołkowie, pozorując pracę, obserwowali ich pilnie, szeptali między sobą.

– Aż tryska od ciebie nienawiścią. – Istredd skrzywił się. – O co chodzi, pytam? Zdecydowałeś się? Gdzie jest Yenna? Mam nadzieję, że...

– Nie miej za dużo nadziei, Istredd.

– Oho – powiedział czarodziej. – Cóż to słyszę w twoim głosie? Czy aby dobrze cię wyczuwam?

– A cóż takiego wyczuwasz?

Istredd oparł pięści o biodra i spojrzał na wiedźmina wyzywająco.

– Nie zwódźmy się nawzajem – powiedział. – Nienawidzisz mnie i ja ciebie też. Znieważyłeś mnie, mówiąc o Yennefer... wiesz, co. Ja odpowiedziałem ci podobną zniewagą. Przeszkadzasz mi, ja przeszkadzam tobie. Załatwmy to jak mężczyźni. Nie widzę innego rozwiązania. Po to tu przyszedłeś, prawda?

– Tak – powiedział Geralt trąc czoło. – Masz rację, Istredd. Po to tu przyszedłem. Niewątpliwie.

– Słusznie. To nie może trwać. Dopiero dzisiaj dowiedziałem się, że od paru lat Yenna krąży między nami jak szmaciana piłeczka. Raz jest ze mną, raz z tobą. Ucieka ode mnie, aby szukać ciebie, i na odwrót. Inni, z którymi jest w przerwach, nie liczą się. Liczymy się tylko my dwaj. Tak dalej być nie może. Jest nas dwóch, musi zostać jeden.

– Tak – powtórzył Geralt, nie odrywając ręki od czoła. – Tak... Masz rację.

– W naszym zadufaniu – ciągnął czarodziej – myśleliśmy, że Yenna bez wahania wybierze lepszego. Co do tego, kto jest tym lepszym, żaden z nas nie miał wątpliwości. Doszło do tego, że jak smarkacze zaczęliśmy licytować się jej względami i równie mało co niedorośli smarkacze pojmowaliśmy, czym były te względy i co oznaczały. Mniemam, że podobnie jak ja przemyślałeś to sobie i wiesz, jak bardzo myliliśmy się obaj. Yenna nie ma najmniejszego zamiaru wybierać między nami, nawet gdy przyjmiemy, że umiałaby wybrać. Cóż, będziemy musieli załatwić to za nią. Ja bowiem nie myślę dzielić się Yenną z nikim, a fakt, że tu przyszedłeś, świadczy podobnie o tobie. Znamy ją obaj aż za dobrze. Dopóki jest nas dwóch, żaden nie może być jej pewien. Musi zostać jeden. Zrozumiałeś to, prawda?

– Prawda – powiedział wiedźmin, z trudem poruszając martwiejącymi wargami. – Prawda jest okruchem lodu...

– Co?

– Nic.

– Co się z tobą dzieje? Jesteś chory czy pijany? Czy też może nafaszerowany wiedźmińskimi ziołami?

– Nic mi nie jest. Coś... coś wpadło mi do oka. Istredd, musi zostać jeden. Tak, po to tu przyszedłem. Niewątpliwie.

– Wiedziałem – powiedział czarodziej. – Wiedziałem, że przyjdziesz. Zresztą, będą z tobą szczery. Uprzedziłeś mnie w zamiarach.

– Piorun kulisty? – uśmiechnął się blado wiedźmin.

Istredd zmarszczył brwi.

– Może – powiedział. – Może i piorun kulisty. Ale na pewno nie zza węgła. Honorowo, twarzą w twarz. Jesteś wiedźminem, to wyrównuje szanse. No, decyduj, gdzie i kiedy.

Geralt zastanowił się. I zdecydował.

– Ten placyk... wskazał ręką. – Przechodziłem tamtędy...

– Wiem. Jest tam studnia, nazywa się Zielony Klucz.

– Przy studni zatem. Tak. Przy studni... Jutro, dwie godziny po wschodzie słońca.

– Dobrze. Będę tam o czasie.

Stali przez chwilę nieruchomo, nie patrząc na siebie. Wreszcie czarodziej mruknął coś pod nosem, kopnął bryłę gliny i rozbił ją uderzeniem obcasa.

– Geralt?

– Co?

– Nie czujesz się głupio?

– Czuję się głupio – przyznał niechętnie wiedźmin.

– Ulżyło mi – mruknął Istredd. – Bo ja czuję się jak ostatni kretyn. Nigdy nie przypuszczałem, że kiedyś będę musiał bić się z wiedźminem na śmierć i życie z powodu kobiety.

– Wiem, jak się czujesz, Istredd.

– Cóż... – czarodziej uśmiechnął się wymuszenie. – Fakt, że do tego doszło, że zdecydowałem się na coś tak dalece sprzecznego z moją naturą, świadczy o tym, że... Że tak trzeba.

– Wiem, Istredd.

– Oczywiście wiesz także, że ten z nas, który przeżyje, będzie musiał prędko uciekać i schować się przed Yenną na końcu świata?

– Wiem.

– I oczywiście liczysz na to, że gdy ochłonie z wściekłości, będzie można do niej wrócić?

– Oczywiście.

– No, to załatwione – czarodziej zrobił ruch, jakby chciał się odwrócić, po chwili wahania wyciągnął do niego dłoń. – Do jutra, Geralt.

– Do jutra – wiedźmin uścisnął podaną mu rękę. – Do jutra, Istredd.

VII

– Hej, wiedźminie!

Geralt uniósł głowę znad stołu, na którego blacie w zamyśleniu rozmazywał rozlane piwo w fantazyjne esy-floresy.

– Niełatwo było cię znaleźć – starosta Herbolth przysiadł się, odsunął dzbanki i kufle. – W oberży powiedzieli, żeś się wyniósł do stajen, w stajniach znalazłem tylko konia i tobołki. A ty tu... To chyba najparszywsza karczma w całym mieście. Tylko najgorsza hołota tu przychodzi. Co tu robisz?

– Piję.

– Widzę. Chciałem z tobą pogwarzyć. Trzeźwyś?

– Jak dziecko.

– Radem.

– O co wam chodzi, Herbolth? Jestem, jak widzicie, zajęty – Geralt uśmiechnął się do dziewki stawiającej na stole kolejny dzban.

– Rozeszła się plotka – zmarszczył się starosta – że ty i nasz czarodziej postanowiliście się pozabijać.

– To nasza sprawa. Jego i moja. Nie wtrącajcie się.

– Nie, to nie wasza sprawa – zaprzeczył Herbolth. –
Istredd jest nam potrzebny, nie stać nas na drugiego czarodzieja.

– Idźcie tedy do świątyni i pomódlcie się o jego zwycię-
stwo.

– Nie kpij, no – warknął starosta. – I nie wymądrzaj
się, przybłędo jeden. Na bogów, gdybym nie wiedział, że
czarownik mi tego nie wybaczy, to wtrąciłbym cię do lochu, na samo dno jamy, wywlókł za mury dwójką koni albo kazał Cykadzie zakłuć cię jak świnię. Ale, niestety,
Istredd ma bzika na punkcie honoru i nie darowałby mi
tego. Wiem, że by mi nie darował.

– Świetnie się składa – wiedźmin dopił kolejny kufel
i wypluł pod stół źdźbło słomy, które do niego wpadło. –
Upiekło mi się, nie ma co. To wszystko?

– Nie – powiedział Herbolth, wyciągając spod płaszcza
nabity mieszek. – Masz tu sto marek, wiedźminie, bierz
je i wynoś się z Aedd Gynvael. Wynoś się stąd, najlepiej
zaraz, w każdym razie przed wschodem słońca. Powiedziałem, że nie stać nas na drugiego czarodzieja, nie dopuszczę, by nasz ryzykował życiem w pojedynku z kimś
takim jak ty, z głupiego powodu, dla jakiejś...

Urwał, nie dokończył, chociaż wiedźmin nawet nie
drgnął.

– Zabierz zza tego stołu twoją paskudną mordę, Herbolth – powiedział Geralt. – A twoje sto marek wsadź sobie w rzyć. Odejdź, bo niedobrze mi się robi na twój widok, jeszcze chwila, a obrzygam cię od czapki po ciżmy.

Starosta schował mieszek, położył obie dłonie na stole.

– Nie, to nie – powiedział. – Chciałem po dobroci, ale
jeśli nie, to nie. Bijcie się, posieczcie, spalcie, porozrywaj-
cie na sztuki dla tej dziwki, rozkładającej nogi dla każdego, kto zechce. Myślę, że Istredd poradzi sobie z tobą, ty
płatny zbóju, tak, że tylko buty z ciebie zostaną, ale jeśli
nie, to ja cię dopadnę, zanim jeszcze jego trup ostygnie
i wszystkie gnaty połamię ci na torturach. Jednego całego
miejsca na tobie nie zostawię, ty...

Nie zdążył cofnąć rąk ze stołu, ruch wiedźmina był

zbyt szybki, wyskakujące spod blatu ramię zamazało się w oczach starosty, a sztylet z hukiem utkwił pomiędzy palcami jego dłoni.

– Może – szepnął wiedźmin, zaciskając pięść na rękojeści puginału, wpatrzony w twarz Herboltha, z której odpłynęła krew. – Może Istredd mnie zabije. Ale jeśli nie... Wtedy odejdę stąd, a ty, śmieciu plugawy, nie próbuj mnie zatrzymywać, jeśli nie chcesz, by uliczki waszego brudnego miasta spieniły się od posoki. Precz stąd.

– Panie starosto! Co się tu dzieje? Hej, ty...

– Spokojnie, Cykada – powiedział Herbolth, cofając powoli dłoń, wolno sunąc nią po stole, coraz dalej od ostrza sztyletu. – Nic się nie stało. Nic.

Cykada wsunął do pochwy na wpół dobyty miecz. Geralt nie patrzył na niego. Nie patrzył na starostę wychodzącego z karczmy, osłanianego przez Cykadę przed zataczającymi się flisakami i woźnicami. Patrzył na małego człowieczka o szczurzej twarzy i czarnych, przenikliwych oczach, siedzącego kilka stołów dalej.

Zdenerwowałem się, stwierdził ze zdumieniem. Ręce mi drżą. Naprawdę, drżą mi ręce. To nieprawdopodobne, to, co się ze mną dzieje. Czyżby to znaczyło, że...

Tak, pomyślał, patrząc na człowieczka o szczurzej twarzy. Chyba tak.

Tak trzeba, pomyślał.

Jakie zimno...

Wstał.

Patrząc na człowieczka, uśmiechnął się. Potem odchylił połę kurtki, wyciągnął z nabitej sakiewki dwie złote monety, rzucił je na stół. Monety zabrzęczały, jedna, tocząc się, uderzyła o ostrze sztyletu, wciąż tkwiącego w wygładzonym drewnie.

VIII

Uderzenie spadło niespodziewanie, pałka cicho świsnęła w ciemności, tak szybko, że niewiele brakowało, by wiedźmin nie zdążył zasłonić głowy uniesionym odruchowo ramieniem, by nie zdołał zamortyzować ciosu elastycznym ugięciem ciała. Odskoczył, upadając na kolano, przekoziołkował, stanął na nogi, wyczuł ruch powietrza, ustępującego pod nowym zamachem pałki, uniknął ciosu zwinnym piruetem, zawirował pomiędzy dwie otaczające go w ciemności sylwetki, sięgnął nad prawe ramię. Po miecz.

Nie miał miecza.

Nic nie wykorzeni ze mnie tych odruchów, pomyślał, odskakując miękko. Rutyna? Pamięć komórkowa? Jestem mutantem, reaguję jak mutant, pomyślał, padając znów na kolano, unikając uderzenia, sięgając po sztylet do cholewy. Nie miał sztyletu.

Uśmiechnął się krzywo i dostał pałką w głowę. Rozbłysło mu w oczach, ból zapromieniował aż do czubków palców. Upadł, odprężając się, nie przestając uśmiechać.

Ktoś zwalił się na niego, przyciskając do ziemi. Ktoś inny zerwał mu sakiewkę z pasa. Złowił okiem błysk noża. Klęczący na jego piersi rozerwał mu kubrak pod szyją, chwycił za łańcuszek, wyciągnął medalion. I natychmiast wypuścił go z ręki.

— Na Baal-Zebutha — usłyszał sapnięcie. — To wiedźmin... Charakternik...

Ten drugi zaklął dysząc.

— Nie miał miecza... Bogowie... Tfu, tfu, na urok, na Złe... Wiejmy stąd, Radgast! Nie dotykaj go, tfu, tfu!

Księżyc na moment prześwietlił rzadszą chmurę. Geralt zobaczył tuż nad sobą wychudłą, szczurzą twarz, małe, czarne, lśniące oczka. Usłyszał tupot nóg tego drugiego, oddalający się, niknący w zaułku, z którego śmierdziało kotami i przypalonym tłuszczem.

Człowieczek o twarzy szczura zdjął powoli kolano z jego piersi.

— Następnym razem... — Geralt usłyszał jego wyraźny szept. — Następnym razem, gdy będziesz chciał popełnić samobójstwo, wiedźminie, to nie wciągaj w to innych. Po prostu powieś się w stajni na lejcach.

IX

W nocy musiało padać.

Geralt wyszedł przed stajnię, przecierając oczy, wyczesując palcami słomę z włosów. Wschodzące słońce błyszczało na mokrych dachach, złotem lśniło w kałużach. Wiedźmin splunął, w ustach wciąż miał niesmak, guz na głowie rwał tępym bólem.

Na barierce przed stajnią siedział chudy, czarny kot, w skupieniu liżąc łapkę.

– Kici, kici, koteczku – powiedział wiedźmin.

Kot nieruchomiejąc spojrzał na niego złowrogo, położył uszy i zasyczał, obnażając kiełki.

– Wiem – Geralt kiwnął głową. – Ja ciebie też nie lubię. Żartowałem tylko.

Niespiesznymi ruchami mocno pościągał rozluźnione klamry i sprzączki kurtki, wyrównał na sobie fałdy odzieży, sprawdził, czy w żadnym miejscu nie ograniczają swobody ruchów. Przerzucił miecz przez plecy, poprawił położenie rękojeści nad prawym barkiem. Przepasał czoło skórzaną opaską, odgarniając włosy do tyłu, za uszy. Naciągnął długie, bojowe rękawice, najeżone krótkimi stożkami srebrnych kolców.

Jeszcze raz spojrzał na słońce, zwężając źrenice w pionowe szparki. Piękny dzień, pomyślał. Piękny dzień do walki.

Westchnął, splunął i powoli poszedł w dół uliczki, wzdłuż murów wydzielających ostrą, przenikliwą woń mokrego tynku, wapiennej zaprawy.

– Ej, cudaku!

Obejrzał się. Cykada w towarzystwie trzech podejrzanie wyglądających, uzbrojonych osobników siedział na stosie belek ułożonych wzdłuż wału. Wstał, przeciągnął się, wyszedł na środek uliczki, starannie omijając kałuże.

– Dokąd to? – spytał, opierając wąskie dłonie o obciążony bronią pas.

– Nie twój interes.

– Żeby wyjaśnić sprawę, guzik mnie obchodzą starosta, czarownik i całe to zasrane miasto – powiedział Cy kada, wolno akcentując słowa. – Idzie mi jednak o ciebie, wiedźminie. Nie dojdziesz do końca tej uliczki. Słyszysz? Chcę sprawdzić, jakiś to sprawny w walce. Nie daje mi to spokoju. Stój, powiadam.

– Zjeżdżaj mi z drogi.

– Stój! – wrzasnął Cykada, kładąc dłoń na rękojeści miecza. – Nie pojąłeś, co mówię? Będziemy się bić! Wyzywam cię! Zaraz się okaże, kto jest lepszy!

Geralt wzruszył ramionami, nie zwalniając kroku.

– Wyzywam cię do walki! Słyszysz, odmieńcze? – krzyknął Cykada, ponownie zastępując mu drogę. – Na co czekasz? Wyciągaj żelazo z jaszczura! Co to, strach cię obleciał? Czy też może stajesz tylko tym, którzy, jak Istredd, chędożyli tę twoją wiedźmę?

Geralt szedł dalej, zmuszając Cykadę do cofania się, do niezręcznego marszu tyłem. Towarzyszący Cykadzie osobnicy wstali z kupy bierwion, ruszyli za nimi, trzymając się jednak z tyłu, w oddaleniu. Geralt słyszał, jak błoto mlaska pod ich butami.

– Wyzywam cię! – powtórzył Cykada, blednąc i czerwieniejąc na przemian. – Słyszysz, wiedźmińska zarazo? Czego ci jeszcze trzeba? Mam napluć ci w gębę?

– Pluj sobie.

Cykada zatrzymał się i rzeczywiście nabrał tchu w piersi, składając usta do plunięcia. Patrzył w oczy wiedźmina, nie na jego ręce. I to był błąd. Geralt, wciąż nie zwalniając kroku, błyskawicznie uderzył go, bez zamachu, tylko z ugięcia kolan, pięścią w kolczastej rękawicy. Uderzył w same usta, prosto w wykrzywione wargi. Wargi Cykady pękły, eksplodowały jak miażdżone wiśnie. Wiedźmin zgarbił się i uderzył jeszcze raz, w to samo miejsce, tym razem biorąc krótki zamach, czując, jak wraz z siłą i impetem uderzenia uchodzi z niego wściekłość. Cykada, obracając się z jedną nogą w błocie, a drugą w górze, rzygnął krwią i plusnął w kałużę, na wznak. Wiedźmin, słysząc za sobą syknięcie klingi w pochwie, zatrzymał się i obrócił płynnie, z dłonią na rękojeści miecza.

– No – powiedział drżącym ze złości głosem. – No, proszę.

Ten, który dobył broni, patrzył mu w oczy. Przez chwilę. Potem odwrócił wzrok. Pozostali zaczęli się cofać. Powoli, coraz szybciej. Słysząc to, człowiek z mieczem cofnął się również, bezgłośnie poruszając ustami. Ten, który był najdalej, odwrócił się i pobiegł, rozpryskując błoto. Pozostali zamarli w miejscu, nie próbowali podchodzić.

Cykada obrócił się w błocie, uniósł się, wspinając na łokciach, zabełkotał, charknął, wypluł coś białego wraz ze sporą ilością czerwieni. Przechodząc obok Geralt od niechcenia kopnął go w policzek, druzgocąc kość jarzmową, ponownie wchlapując w kałużę.

Poszedł dalej, nie oglądając się.

Istredd już był przy studni, stał tam, oparty o cembrowinę, o drewnianą, zazielenioną mchem obudowę kołowrotu. U pasa miał miecz. Piękny, lekki, tergański miecz z półzamkniętą gardą, opierający się okutym końcem pochwy o lśniącą cholewę jeździeckiego buta. Na ramieniu czarodzieja siedział nastroszony czarny ptak.

Pustułka.

– Jesteś, wiedźminie – Istredd podstawił pustułce urękawiczoną rękę, delikatnie i ostrożnie posadził ptaka na daszku nad studnią.

– Jestem, Istredd.

– Nie sądziłem, że przyjdziesz. Myślałem, że wyjechałeś.

– Nie wyjechałem.

Czarodziej zaśmiał się swobodnie i głośno, odrzucając głowę do tyłu.

– Chciała nas... chciała nas ocalić – powiedział. – Obu. Nic z tego, Geralt. Skrzyżujmy ostrza. Musi zostać jeden.

– Zamierzasz walczyć mieczem?

– To cię dziwi? Przecież i ty zamierzasz walczyć mieczem. Dalej, stawaj.

– Dlaczego, Istredd? Dlaczego mieczem, a nie magią?

Czarodziej pobladł, usta drgnęły mu nerwowo.

– Stawaj, mówię! – krzyknął. – Nie czas na pytania, czas pytań minął! Teraz jest czas czynów!

– Chcę wiedzieć – powiedział powoli Geralt. – Chcę wiedzieć, dlaczego miecz. Chcę wiedzieć, skąd i dlaczego znalazła się u ciebie ta czarna pustułka. Mam prawo to wiedzieć. Mam prawo do prawdy, Istredd.

– Do prawdy? – powtórzył gorzko czarodziej. – Ano, może i masz. Tak, może i masz. Nasze prawa są równe.

Pustułka, pytasz? Przyleciała o świcie, mokra od deszczu. Przyniosła list. Króciutki, znam go na pamięć. „Żegnaj, Val. Wybacz mi. Są dary, których nie wolno przyjmować, a nie ma we mnie niczego, czym mogłabym ci się odwdzięczyć. I to jest prawda, Val. Prawda jest okruchem lodu." No, Geralt? Zadowoliłem cię? Skorzystałeś ze swojego prawa?

Wiedźmin powoli kiwnął głową.

– Dobrze – rzekł Istredd. – Teraz ja skorzystam z mojego. Bo ja nie przyjmuję tego listu do wiadomości. Ja nie mogę bez niej... Wolę już... Stawaj, do diabła!

Zgarbił się i wyciągnął miecz szybkim, zwinnym ruchem, świadczącym o wprawie. Pustułka zaskrzeczała.

Wiedźmin stał nieruchomo, z opuszczonymi wzdłuż boków rękami.

– Na co czekasz? – szczeknął czarodziej.

Geralt powoli uniósł głowę, popatrzył na niego przez chwilę, potem odwrócił się na pięcie.

– Nie, Istredd – powiedział cicho. – Żegnaj.

– Co to ma znaczyć, do cholery?

Geralt zatrzymał się.

– Istredd – rzucił przez ramię. – Nie wciągaj w to innych. Jeżeli musisz, to powieś się w stajni na lejcach.

– Geralt! – krzyknął czarodziej, a głos załamał mu się nagle, uderzył ucho fałszywą, złą nutą. – Ja nie zrezygnuję! Nie ucieknie przede mną! Pojadę za nią do Vengerbergu, pojadę za nią na koniec świata, odnajdę ją! Nie zrezygnuję z niej nigdy! Wiedz o tym!

– Żegnaj, Istredd.

Odszedł w zaułek, nie odwracając się już ani razu. Szedł, nie zwracając uwagi na ludzi, szybko schodzących mu z drogi, na zatrzaskiwane pospiesznie drzwi i okiennice. Nie zauważał nikogo i niczego.

Myślał o liście, który czeka na niego w oberży.

Przyspieszył kroku. Wiedział, że na wezgłowiu łóżka czeka na niego mokra od deszczu, czarna pustułka, trzymająca list w zakrzywionym dziobie. Chciał jak najprędzej przeczytać ten list.

Chociaż znał jego treść.

WIECZNY OGIEŃ

I

– Ty świnio! Ty zapowietrzony śpiewaku! Ty oszuście!

Geralt, zaciekawiony, pociągnął klacz za róg uliczki. Zanim jeszcze zlokalizował źródło wrzasków, dołączył się do nich głęboki, lepko szklany brzęk. Słój wiśniowych konfitur, pomyślał wiedźmin. Taki odgłos wydaje słój wiśniowych konfitur, gdy rzucić nim w kogoś z dużej wysokości lub z dużą siłą. Pamiętał to dobrze, Yennefer, gdy mieszkali razem, zdarzało się niekiedy w gniewie rzucać w niego słojami konfitur. Tymi, które dostawała od klientów. Yennefer pojęcia bowiem nie miała o wyrobie konfitur, a magia była pod tym względem zawodna.

Za rogiem uliczki, pod wąskim, pomalowanym na różowo domkiem zebrała się spora grupka gapiów. Na maleńkim, ukwieconym balkonie, tuż pod spadzistym okapem dachu, stała młoda, jasnowłosa kobieta w nocnej koszuli. Wyginając pulchniutkie i okrąglutkie ramię, widoczne spod falbanek, kobieta z rozmachem cisnęła w dół obtłuczoną doniczkę.

Szczupły mężczyzna w śliwkowym kapelusiku z białym piórkiem odskoczył jak oparzony, doniczka mlasnęła o ziemię tuż przed nim, rozpryskując się w kawały.

– Proszę cię, Vespula! – krzyknął mężczyzna w kapelusiku z piórkiem. – Nie dawaj wiary plotkom! Byłem ci wierny, niech skonam, jeśli to nieprawda!

– Łajdaku! Diabli synu! Przybłędo! – wrzasnęła pulchniutka blondynka i skryła się w głębi domu, niewątpliwie w poszukiwaniu dalszych pocisków.

– Hej, Jaskier – zawołał wiedźmin, ciągnąc na plac boju opierającą się i prychającą klacz. – Jak się masz? Co
się dzieje?

– Normalnie – rzekł trubadur, wyszczerzywszy zęby. –
Jak zwykle. Witaj, Geralt. Co tu porabiasz? Cholera,
uważaj!

Cynowy pucharek świsnął w powietrzu i z brzękiem
odbił się od bruku. Jaskier podniósł go, obejrzał i cisnął
do rynsztoka.

– Zabieraj te łachmany! – wrzasnęła jasnowłosa, wdzięcznie falując falbankami na pulchniutkich piersiach. –
I precz z moich oczu! Żeby noga twoja tu więcej nie po-
stała, ty grajku!

– To nie moje – zdziwił się Jaskier, podnosząc z ziemi
męskie spodnie o różnych kolorach nogawek. – W życiu
nie miałem takich spodni.

– Wynoś się! Nie chcę cię widzieć! Ty... ty... Wiesz, jaki
ty jesteś w łóżku? Do niczego! Do niczego, słyszysz? Słyszycie, ludzie?

Następna doniczka świsnęła, zafurkotała wyrastającym
z niej suchym badylem. Jaskier ledwo zdążył się uchylić.
Za doniczką, wirując, pofrunął w dół miedziany sagan
o pojemności minimum dwóch i pół galona. Tłum gapiów,
trzymający się poza zasięgiem ostrzału, zataczał się ze
śmiechu. Co więksi dowcipnisie bili brawo i niegodnie
podżegali blondynkę do czynu.

– Czy ona nie ma w domu kuszy? – zaniepokoił się
wiedźmin.

– Tego nie można wykluczyć – powiedział poeta, zadzierając głowę w stronę balkonu. – Ona ma w domu
straszną rupieciarnię. Widziałeś te spodnie?

– Może więc lepiej chodźmy stąd? Wrócisz, gdy się
uspokoi.

– Diabła tam – skrzywił się Jaskier. – Nie wrócę do
domu, z którego rzuca się na mnie kalumnie i miedziane
garnki. Nietrwały ów związek uważam za zerwany. Poczekajmy tylko, niech wyrzuci moją... O matko, nie! Vespula! Moja lutnia!

Rzucił się, wyciągając ręce, potknął, upadł, złapał instrument w ostatniej chwili, tuż nad brukiem. Lutnia przemówiła jękliwie i śpiewnie.

– Uff – westchnął bard, zrywając się z ziemi. – Mam ją. Dobra jest, Geralt, teraz już możemy iść. Mam u niej, co prawda, jeszcze płaszcz z kunim kołnierzem, ale trudno, niech będzie moja krzywda. Płaszczem, jak ją znam, nie rzuci.

– Ty kłamliwa łajzo! – rozdarła się blondynka i rozbryzgliwie splunęła z balkonu. – Ty włóczęgo! Ty zachrypnięty bażancie!

– Za co ona ciebie tak? Coś przeskrobał, Jaskier?

– Normalnie – wzruszył ramionami trubadur. – Wymaga monogamii, jedna z drugą, a sama rzuca w człowieka cudzymi spodniami. Słyszałeś, co o mnie wykrzykiwała? Na bogów, ja też znam takie, które ładniej odmawiają, niż ona daje, ale nie krzyczę o tym po ulicach. Idziemy stąd.

– Dokąd proponujesz?

– A jak myślisz? Do świątyni Wiecznego Ognia? Chodź, wpadniemy pod „Grot Włóczni". Muszę uspokoić nerwy.

Wiedźmin, nie protestując, pociągnął klacz za Jaskrem, raźno ruszającym w ciasny zaułek. Trubadur podkręcił w marszu kołki lutni, dla próby pobrzdąkał po strunach, wziął głęboki, rozwibrowany akord.

Zapachniało powiewem jesieni
Z wiatrem zimnym uleciał słów sens
Tak być musi, niczego nie mogą już zmienić
Brylanty na końcach twych rzęs...

Urwał, wesoło pomachał ręką dwóm smarkulom, przechodzącym obok z koszykami pełnymi warzyw. Smarkule zachichotały.

– Co cię sprowadza do Novigradu, Geralt?

– Zakupy. Uprząż, trochę ekwipunku. I nowa kurtka – wiedźmin obciągnął na sobie szeleszczącą, pachnącą nowością skórę. – Jak ci się widzi moja nowa kurtka, Jaskier?

– Nie nadążasz za modą – skrzywił się bard, strzepu-

jąc kurze piórko z rękawa swego połyskliwego, chabrowe-
go kaftana o bufiastych rękawach i kołnierzu powycina-
nym w ząbki. – Ach, cieszę się, że się spotkaliśmy. Tu,
w Novigradzie, stolicy świata, centrum i kolebce kultury.
Tutaj człowiek światły może odetchnąć pełną piersią!

– Przejdźmy może oddychać uliczkę dalej – zaproponował Geralt, patrząc na obdartusa, który kucnąwszy i wy-
bałuszywszy oczy wypróżniał się w bocznym zaułku.

– Denerwujący staje się ten twój wieczny sarkazm –
Jaskier skrzywił się znowu. – Novigrad, powiadam ci, to
stolica świata. Prawie trzydzieści tysięcy mieszkańców,
Geralt, nie licząc przyjezdnych, wyobrażasz sobie? Muro-
wane domy, główne ulice brukowane, morski port, składy,
cztery młyny wodne, rzeźnie, tartaki, wielka manufaktu-
ra produkująca ciżmy, do tego wszelkie wyobrażalne cechy i rzemiosła. Mennica, osiem banków i dziewiętnaście
lombardów. Zamek i kordegarda, że aż dech zapiera. I rozrywki: szafot, szubienica z zapadnią, trzydzieści pięć oberży, teatrum, zwierzyniec, bazar i dwanaście zamtuzów.
I świątynie, nie pamiętam ile. Dużo. No, i te kobiety, Geralt, umyte, utrefione i pachnące, te atłasy, aksamity i je-
dwabie, te fiszbiny i tasiemki... Och, Geralt! Wiersze same cisną się na usta:

> Tam, gdzie mieszkasz, już biało od śniegu
> Szklą się lodem jeziorka i błota
> Tak być musi, już zmienić nie zdoła niczego
> Zaczajona w twych oczach tęsknota...

– Nowa ballada?

– Aha. Nazwę ją: „Zima". Ale jeszcze niegotowa, nie
mogę skończyć, przez Vespulę cały jestem roztrzęsiony
i rymy mi się nie składają. Aha, Geralt, zapomniałem
spytać, jak tam z Yennefer?

– Nijak.

– Rozumiem.

– Gówno rozumiesz. No, gdzie ta karczma, daleko jeszcze?

– Za rogiem. O, już jesteśmy na miejscu. Widzisz
szyld?

– Widzę.

– Witam i pięknie się kłaniam! – Jaskier wyszczerzył zęby do panienki zamiatającej schody. – Czy ktoś już mówił waćpannie, że jest śliczna?

Panienka poczerwieniała i mocno ścisnęła miotłę w dłoniach. Geralt przez chwilę sądził, że przyłoży trubadurowi kijem. Mylił się. Panienka uśmiechnęła się mile i zatrzepotała rzęsami. Jaskier, jak zwykle, nie zwrócił na to żadnej uwagi.

– Witam i pozdrawiam! Dobry dzień! – zagrzmiał, wchodząc do oberży i ostro pociągając kciukiem po strunach lutni. – Mistrz Jaskier, najsławniejszy poeta w tym kraju, odwiedził twój niechlujny lokal, gospodarzu! Nabrał albowiem ochoty napić się piwa! Czy doceniasz zaszczyt, jaki ci robię, wydrwigroszu?

– Doceniam – rzekł ponuro karczmarz, wychylając się zza kontuaru. – Rad jestem was widzieć, panie śpiewak. Widzę, że w istocie wasze słowo nie dym. Obiecaliście wszak wpaść zaraz z rana i zapłacić za wczorajsze wyczyny. A ja, pomyśleć tylko, sądziłem, że łżecie, jak zwykle. Wstyd mi, jako żywo.

– Zupełnie niepotrzebnie się sromasz, dobry człowieku – powiedział niefrasobliwie trubadur. – Albowiem nie mam pieniędzy. Później o tym pogwarzymy.

– Nie – rzekł zimno karczmarz. – Zaraz o tym pogwarzymy. Kredyt się skończył, wielmożny panie poeto. Dwa razy pod rząd nikt mnie nie okpi.

Jaskier zawiesił lutnię na sterczącym ze ściany haku, usiadł za stołem, zdjął kapelusik i przygładził w zamyśleniu przypięte do niego piórko egreta.

– Masz pieniądze, Geralt? – spytał z nadzieją w głosie.

– Nie mam. Wszystko, co miałem, poszło na kurtkę.

– Niedobrze, niedobrze – westchnął Jaskier. – Cholera, ani żywej duszy, nikogo, kto mógłby postawić. Gospodarzu, co tak pusto dziś u ciebie?

– Za wcześnie na zwykłych gości. A czeladnicy murarscy, ci, co remontują świątynię, zdążyli już być i wrócili na budowę, zabrawszy majstra.

– I nikogo, nikogutko?

– Nikogo oprócz wielmożnego kupca Biberveldta, który śniada w dużym alkierzu.

– Dainty jest? – ucieszył się Jaskier. – Trzeba było tak od razu. Chodź do alkierza, Geralt. Znasz Dainty Biberveldta, niziołka?

– Nie.

– Nie szkodzi. Poznasz. Oho! – zawołał trubadur, zmierzając w stronę bocznej izby. – Czuję od zachodu powiew i tchnienie zupy cebulowej, miłe mym nozdrzom. A kuku! To my! Niespodzianka!

Przy centralnym stole alkierza, pod słupem, udekorowanym girlandami czosnku i pękami ziół, siedział pucołowaty, kędzierzawy niziołek w pistacjowozielonej kamizeli. W prawej dłoni dzierżył drewnianą łyżkę, lewą przytrzymywał glinianą miskę. Na widok Jaskra i Geralta niziołek zamarł w bezruchu, otworzywszy usta, a jego duże orzechowe oczy rozszerzyły się ze strachu.

– Cześć, Dainty – powiedział Jaskier, wesoło machając kapelusikiem. Niziołek wciąż nie zmieniał pozycji i nie zamykał ust. Ręka, jak zauważył Geralt, drżała mu lekko, a zwisające z łyżki długie pasemko gotowanej cebuli kołysało się jak wahadło.

– Wwwi... wwwitaj, Jaskier – wyjąkał i głośno przełknął ślinę.

– Masz czkawkę? Przestraszę cię, chcesz? Uważaj: na rogatkach widziano twoją żonę! Zaraz tu będzie! Gardenia Biberveldt we własnej osobie! Ha, ha, ha!

– Aleś ty głupi, Jaskier – rzekł z wyrzutem niziołek.

Jaskier znowu roześmiał się perliście, biorąc jednocześnie dwa skomplikowane akordy na strunach lutni.

– No, bo minę masz, bracie, wyjątkowo głupią, a wybałuszasz się na nas, jakbyśmy mieli rogi i ogony. A może wystraszyłeś się wiedźmina? Co? Może myślisz, że otwarto sezon polowania na niziołków? Może...

– Przestań – nie wytrzymał Geralt, podchodząc do stołu. – Wybacz, przyjacielu. Jaskier przeżył dziś ciężką tragedię osobistą, jeszcze mu nie przeszło. Usiłuje dowcipem zamaskować smutek, przygnębienie i wstyd.

– Nie mówcie mi – niziołek wysiorbał wreszcie zawartość łyżki. – Sam zgadnę. Vespula wyrzuciła cię wreszcie na zbity łeb? Co, Jaskier?

– Nie wdaję się w rozmowy na delikatne tematy z osobnikami, którzy sami żrą i piją, a przyjaciołom każą stać – powiedział trubadur, po czym, nie czekając, usiadł. Niziołek naczerpał łyżkę zupy i oblizał zwisające z niej nitki sera.

– Co prawda, to prawda – rzekł ponuro. – Zapraszam więc. Siadajcie, i czym chata bogata. Zjecie polewki cebulowej?

– W zasadzie nie jadam o tak wczesnych porach – zadarł nos Jaskier. – Ale niech będzie, zjem. Tyle że nie na pusty żołądek. Hola, gospodarzu! Piwa, jeśli łaska! A chyżo!

Dziewczę z imponującym, grubym warkoczem, sięgającym pośladków, przyniosło kubki i miski z zupą. Geralt, przyjrzawszy się jej okrągłej, pokrytej meszkiem buzi stwierdził, że miałaby ładne usta, gdyby pamiętała o ich domykaniu.

– Driado leśna! – krzyknął Jaskier, chwytając rękę dziewczęcia i całując ją we wnętrze dłoni. – Sylfido! Wróżko! Boska istoto o oczach jak bławe jeziora! Pięknaś jak poranek, a kształt ust twoich rozwartych podniecająco...

– Dajcie mu piwa, szybko – jęknął Dainty. – Bo będzie nieszczęście.

– Nie będzie, nie będzie – zapewnił bard. – Prawda, Geralt? Trudno o bardziej spokojnych ludzi niż my dwaj. Jam, panie kupcze, jest poeta i muzyk, a muzyka łagodzi obyczaje. A obecny tu wiedźmin groźny jest wyłącznie dla potworów. Przedstawiam ci: to Geralt z Rivii, postrach strzyg, wilkołaków i wszelkiego plugastwa. Słyszałeś chyba o Geralcie, Dainty?

– Słyszałem – niziołek łypnął na wiedźmina podejrzliwie. – Cóż to... Cóż to porabiacie w Novigradzie, panie Geralt? Czyżby pojawiły się tu jakieś straszne monstra? Jesteście... hem, hem... wynajęci?

– Nie – uśmiechnął się wiedźmin. – Jestem tu dla rozrywki.

– O – rzekł Dainty, nerwowo przebierając owłosionymi stopami wiszącymi pół łokcia nad podłogą. – To dobrze...

– Co dobrze? – Jaskier przełknął łyżkę zupy i popił piwem. – Zamierzasz może wesprzeć nas, Biberveldt? W rozrywkach, ma się rozumieć? To się świetnie składa. Tu, pod „Grotem Włóczni", zamierzamy się podchmielić. A potem planujemy skoczyć do „Passiflory", to bardzo drogi i dobry dom rozpusty, gdzie możemy sobie zafundować półelfkę, a kto wie, może i elfkę pełnej krwi. Potrzebujemy jednak sponsora.

– Kogo?

– Tego, kto będzie płacił.

– Tak sądziłem – mruknął Dainty. – Przykro mi. Po pierwsze, jestem umówiony na handlowe rozmowy. Po drugie, nie mam środków na fundowanie takich rozrywek. Po trzecie, do „Passiflory" wpuszczają wyłącznie ludzi.

– A my co jesteśmy, sowy pójdźki? Ach, rozumiem. Nie wpuszczają tam niziołków. To prawda. Masz rację, Dainty. Tu jest Novigrad. Stolica świata.

– Tak... – powiedział niziołek, wciąż patrząc na wiedźmina i dziwnie krzywiąc usta. – To ja już sobie pójdę. Jestem umówiony...

Drzwi alkierza otwarły się z hukiem i do środka wpadł... Dainty Biberveldt.

– Bogowie! – wrzasnął Jaskier.

Stojący w drzwiach niziołek niczym nie różnił się od niziołka, siedzącego za stołem, jeśli nie liczyć faktu, że ten za stołem był czysty, a ten w drzwiach brudny, potargany i wymięty.

– Mam cię, suczy chwoście! – ryknął brudny niziołek, rzucając się w kierunku stołu. – Ty złodzieju!

Jego czysty bliźniak zerwał się, obalając zydel i strącając naczynia. Geralt zareagował odruchowo i błyskawicznie – porwawszy z ławy miecz w pochwie, smagnął Biberveldta przez kark ciężkim pasem. Niziołek runął na podłogę, poturlał się, zanurkował pomiędzy nogi Jaskra i na czworakach popędził do wyjścia, a ręce i nogi wydłużyły mu się nagle jak łapy pająka. Na ten widok brudny Dainty Biberveldt zaklął, zawył i odskoczył, z hukiem waląc plecami w drewniane przepierzenie. Geralt odrzucił pochwę miecza i kopniakiem usunął z drogi krzesło, rzuca-

jąc się w pościg. Czysty Dainty Biberveldt, w niczym już,
poza kolorem kamizelki, niepodobny do Dainty Biberveldta, przesadził próg niczym pasikonik, wpadł do sali ogólnej, zderzając się z panienką o półotwartych ustach. Widząc jego długie łapy i rozlaną, karykaturalną fizjonomię,
panienka otwarła usta na pełną szerokość i wydała z siebie świdrujący uszy wrzask. Geralt, korzystając z utraty
tempa, jakie spowodowało zderzenie z dziewczyną, dopadł
stwora na środku izby i obalił na podłogę zręcznym kopniakiem w kolano.

– Ani drgnij, braciszku – syknął przez zaciśnięte zęby,
przykładając dziwadłu do karku sztych miecza. – Ani
drgnij.

– Co tu się dzieje? – zaryczał oberżysta, podbiegając z
trzonkiem od łopaty w garści. – Co to ma być? Straż! Deczka, leć po straż!

– Nieee! – zawył stwór, płaszcząc się do podłogi i jeszcze bardziej deformując. – Litości, nieeeee!

– Żadnej straży! – zawtórował mu brudny niziołek,
wypadając z alkierza. – Łap dziewczynę, Jaskier!

Trubadur chwycił wrzeszczącą Deczkę, pomimo pośpie-
chu starannie wybierając miejsca do chwytu. Deczka za-
piszczała i kucnęła na podłodze przy jego nogach.

– Spokojnie, gospodarzu – wydyszał Dainty Biberveldt. – To sprawa osobista, nie będziemy wzywać straży.
Zapłacę za wszystkie szkody.

– Nie ma żadnych szkód – rzekł trzeźwo karczmarz,
rozglądając się.

– Ale będą – zgrzytnął pękaty niziołek. – Bo zaraz go
będę lał. I to jeszcze jak. Będę go lał okrutnie, długo i za-
pamiętale, a on wtedy wszystko tu porozbija.

Rozpłaszczona na podłodze długołapa i rozlana karyka-
tura Dainty Biberveldta zachlipała żałośnie.

– Nic z tego – rzekł zimno oberżysta, mrużąc oczy i unosząc lekko trzonek łopaty. – Lejcie go sobie na ulicy albo
na podwórzu, panie niziołku. Nie tu. A ja wzywam straż.
Mus mi, głowa moja w tym. Toć to... to przecie potwór ja-
kowyś!

– Panie gospodarzu – rzekł spokojnie Geralt, nie

zmniejszając nacisku klingi na kark cudaka. – Zachowaj-
cie spokój. Nikt niczego nie porozbija, nie będzie żadnych
zniszczeń. Sytuacja jest opanowana. Jestem wiedźminem,
a potwora, jak widzicie, mam w garści. Ponieważ jednak
rzeczywiście wygląda to na sprawę osobistą, wyjaśnimy ją
spokojnie w alkierzu. Puść dziewczynę, Jaskier i chodź
tutaj. W torbie mam srebrny łańcuch. Wyjmij go i zwiąż
porządnie łapy tego tu jegomościa, w łokciach, za plecami. Nie ruszaj się, bratku.
    Stwór zaskomlił cichutko.
    – Dobra, Geralt – powiedział Jaskier. – Związałem go.
Chodźcie do alkierza. A wy, gospodarzu, co tak stoicie?
Zamawiałem piwo. A ja, jak zamawiam piwo, to macie je
podawać w kółko dopóty, dopóki nie zakrzyknę: „Wody".
    Geralt popchnął związanego stwora do alkierza i nie-
delikatnie posadził pod słupem. Dainty Biberveldt usiadł
także, spojrzał z niesmakiem. '
    – Okropność, jak toto wygląda – powiedział. – Iście
kupa kwaśniejącego ciasta. Patrz na jego nos, Jaskier, zaraz mu odpadnie, psia mać. A uszy ma jak moja teściowa
tuż przed pogrzebem. Brrr!
    – Zaraz, zaraz, – mruknął Jaskier. – Ty jesteś Biber-
veldt? No, tak, bez wątpienia. Ale to, co siedzi pod słupem, przed chwilą było tobą. Jeśli się nie mylę. Geralt!
Wszystkie oczy zwrócone są ku tobie. Jesteś wiedźminem.
Co tu się, do diabła, dzieje? Co to jest?
    – Mimik.
    – Sam jesteś mimik – powiedział gardłowo stwór, koły-
sząc nosem. – Nie jestem żaden mimik, tylko doppler,
a nazywam się Tellico Lunngrevink Letorte. W skrócie
Penstock. Przyjaciele mówią na mnie Dudu.
    – Ja ci zaraz dam Dudu, skurwysynu jeden! – wrzas-
nął Dainty, zamierzając się na niego kułakiem. – Gdzie
moje konie? Złodzieju!
    – Panowie – upominał oberżysta, wchodząc z dzban-
kiem i naręczem kufli. – Obiecywaliście, że będzie spokojnie.
    – Och, piwo – westchnął niziołek. – Alem jest sprag-
niony, cholera. I głodny!

– Też bym się napił – oświadczył bulgotliwie Tellico Lunngrevink Letorte. Został całkowicie zlekceważony.

– Co to jest? – zapytał karczmarz, spoglądając na stwora, który na widok piwa wysunął długi jęzor zza obwisłych, ciastowatych warg. – Co to takiego jest, panowie?

– Mimik – powtórzył wiedźmin, nie bacząc na grymasy potwora. – Ma zresztą wiele nazw. Mieniak, podwójniak, vexling, bedak. Lub doppler, jak sam siebie określił.

– Vexling! – wykrzyknął oberżysta. – Tu, w Novigradzie? W moim lokalu? Chyżo, trzeba wezwać straż! I kapłanów! Głowa moja w tym...

– Powoli, powoli – charknął Dainty Biberveldt, pospiesznie wyjadając zupę Jaskra z cudem ocalałej miski. – Zdążymy wezwać kogo trzeba. Ale później. Ten tu łajdak okradł mnie, nie mam zamiaru oddać go tutejszemu prawu przed odzyskaniem mojej własności. Znam ja was, novigradczyków, i waszych sędziów. Dostałbym może jedną dziesiątą, nie więcej.

– Miejcie litość – zajęczał rozdzierająco doppler. – Nie wydawajcie mnie ludziom! Czy wiecie, co oni robią z takimi, jak ja?

– Pewnie, że wiemy – kiwnął głową oberżysta. – Nad złapanym dopplerem kapłani odprawiają egzorcyzmy. Potem zaś wiąże się takiego w kij i oblepia grubo, w kulę, gliną zmieszaną z opiłkami i piecze w ogniu, dopóki glina nie stwardnieje na cegłę. Tak przynajmniej robiło się dawniej, gdy te potwory trafiały się częściej.

– Barbarzyński obyczaj, iście ludzki – skrzywił się Dainty, odsuwając pustą już miskę. – Ale może to i sprawiedliwa kara za bandytyzm i złodziejstwo. No, gadaj, łajdaku, gdzie moje konie? Prędko, bo przeciągnę ci ten twój nos między nogami i wtłoczę do rzyci! Gdzie moje konie, pytam?

– Sprze... sprzedałem – wyjąkał Tellico Lunngrevink Letorte, a obwisłe uszy skurczyły mu się nagle w kulki przypominające miniaturowe kalafiory.

– Sprzedał! Słyszeliście? – pienił się niziołek. – Sprzedał moje konie!

– Jasne – rzekł Jaskier. – Miał czas. Jest tu od trzech

dni. Od trzech dni widuję cię... to znaczy, jego... Cholera, Dainty, czy to znaczy...

– Pewnie, że to znaczy! – zaryczał kupiec, tupiąc włochatymi nogami. – On obrabował mnie w drodze, o dzień drogi od miasta! Przyjechał tu jako ja, rozumiecie? I sprzedał moje konie! Ja go zabiję! Uduszę tymi rękoma!

– Opowiedzcie nam, jak to się stało, panie Biberveldt.

– Geralt z Rivii, jeśli się nie mylę? Wiedźmin?

Geralt potwierdził skinieniem głowy.

– Bardzo dobrze się składa – powiedział niziołek. – Jestem Dainty Biberveldt z Rdestowej Łąki, farmer, hodowca i kupiec. Mów mi Dainty, Geralt.

– Opowiadaj, Dainty.

– Ano, to było tak. Ja i moje koniuchy wiedliśmy konie na sprzedaż, na targ do Diablego Brodu. O dzień drogi od miasta wypadł nam ostatni postój. Zanocowaliśmy, sprawiwszy się wcześniej z antałeczkiem przepalanki. W środku nocy budzę się, czuję, mało mi pęcherza nie rozsadzi, zlazłem więc z wozu, a przy okazji rzucę, myślę, okiem, co tam porabiają koniki na łące. Wychodzę, mgła jak zaraza, patrzę nagle, idzie ktoś. Kto tu, pytam. On nic. Podchodzę bliżej i widzę... siebie samego. Jak w zwierciadle. Myślę, nie trzeba było pić przepalanki, przeklętego trunku. A ten tu... bo przecież to był on, jak mnie nie walnie w łeb! Zobaczyłem gwiazdy i nakryłem się nogami. Rano budzę się w jakimś cholernym gąszczu, z guzem niczym ogórek na głowie, dookoła ani żywej duszy, po naszym obozie również ni śladu. Błąkałem się cały dzień, nimem wreszcie szlak odnalazł, dwa dni się wlokłem, żarłem korzonki i surowe grzyby. A on... ten zafajdany Dudulico, czy jak mu tam, pojechał tymczasem do Novigradu jako ja i opędzlował moje konie! Ja go zaraz... A tych moich koniuchów oćwiczę, po sto bizunów dam każdemu na gołą rzyć, ślepym komendom! Żeby własnego pryncypała nie poznać, żeby się tak dać okpić! Durnie, łby kapuściane, moczymordy...

– Nie miej im za złe, Dainty – powiedział Geralt. – Nie mieli szans. Mimik kopiuje tak dokładnie, że nie sposób odróżnić go od oryginału, czyli od ofiary, którą sobie upatrzy. Nigdy nie słyszałeś o mimikach?

- Słyszeć słyszałem. Ale sądziłem, że to wymysły.

- To nie wymysły. Dopplerowi wystarczy bliżej przyjrzeć się ofierze, by błyskawicznie i bezbłędnie zaadaptować się do potrzebnej struktury materii. Zwracam uwagę, że to nie iluzja, ale pełna, dokładna zmiana. W najmniejszych szczegółach. W jaki sposób mimiki to robią, nie wiadomo. Czarodzieje podejrzewają, że działa tu ten sam składnik krwi, co przy lykantropii, ale ja myślę, że to albo coś zupełnie innego, albo tysiąckrotnie silniejszego. W końcu wilkołak ma tylko dwie, góra trzy postacie, a doppler może się zmienić we wszystko, co zechce, byle tylko mniej więcej zgadzała się masa ciała.

- Masa ciała?

- No, w mastodonta to on się nie zamieni. Ani w mysz.

- Rozumiem. A łańcuch, którym go związałeś, po co?

- Srebro. Dla lykantropa zabójcze, dla mimika, jak widzisz, wyłącznie powstrzymujące przemiany. Dlatego siedzi tu we własnej postaci.

Doppler zacisnął rozklejające się usta i łypnął na wiedźmina złym spojrzeniem mętnych oczu, które już zatraciły orzechowy kolor tęczówek niziołka i zrobiły się żółte.

- I dobrze, że siedzi, bezczelny sukinsyn – warknął Dainty. – Pomyśleć tylko, zatrzymał się nawet tu, pod „Grotem", gdzie sam zwykłem na kwaterze stawać! Już mu się ubzdurało, że jest mną!

Jaskier pokręcił głową.

- Dainty – powiedział. – On był tobą. Ja się z nim tu spotykam od trzech dni. On wyglądał jak ty i mówił jak ty. On myślał jak ty. Gdy zaś przyszło do stawiania, był skąpy jak ty. A może jeszcze bardziej.

- To ostatnie mnie nie martwi – rzekł niziołek – bo może odzyskam część swoich pieniędzy. Brzydzę się go dotykać. Zabierz mu sakiewkę, Jaskier, i sprawdź, co jest w środku. Powinno tam być sporo, jeśli ten koniokrad rzeczywiście sprzedał moje koniki.

- Ile miałeś koni, Dainty?

- Dwanaście.

- Licząc według cen światowych – powiedział trubadur, zaglądając do trzosa – tego, co tu jest, starczy może na jednego, o ile trafi się stary i ochwacony. Licząc zaś według cen novigradzkich, jest tego na dwie, góra trzy kozy.

Kupiec nic nie powiedział, ale wyglądał, jakby się miał rozpłakać. Tellico Lunngrevink Letorte opuścił nos nisko, a dolną wargę jeszcze niżej, po czym cichutko zabulgotał.

– Jednym słowem – westchnął wreszcie niziołek – ograbiło mnie i zrujnowało stworzenie, istnienie którego wkładałem między bajki. To się nazywa mieć pecha.

– Nic dodać, nic ująć – rzekł wiedźmin, obrzucając spojrzeniem kurczącego się na zydlu dopplera. – Ja również byłem przekonany, że mimiki wytępiono już dawno temu. Dawniej, jak słyszałem, sporo ich żyło w tutejszych lasach i na płaskowyżu. Ale ich zdolności do mimikry bardzo niepokoiły pierwszych osadników i zaczęto na nie polować. Dość skutecznie. Rychło wytępiono prawie wszystkie.

– I szczęście to – powiedział oberżysta. – Tfu, tfu, klnę się na Wieczny Ogień, wolę już smoka albo diabła, któren zawżdy jest smokiem albo diabłem i wiadomo, czego się trzymać. Ale wilkołactwo, owe przemiany i odmiany, to ohydny, demoni proceder, oszukaństwo i podstęp zdradziecki, ludziom na szkodę i zgubę przez te paskudy wymyślony! Powiadam wam, wezwijmy straż i do ognia z tą wstręciizną!

– Geralt? – zaciekawił się Jaskier. – Radbym usłyszeć zdanie specjalisty. Rzeczywiście te mimiki są takie groźne i agresywne?

– Ich zdolności do kopiowania – rzekł wiedźmin – to właściwość służąca raczej obronie niż agresji. Nie słyszałem...

– Zaraza – przerwał gniewnie Dainty, grzmocąc pięścią w stół. – Jeśli walenie kogoś po łbie i grabież nie jest agresją, to nie wiem, co nią jest. Przestańcie się wymądrzać. Sprawa jest prosta: zostałem napadnięty i ograbiony, nie tylko ze zdobytego ciężką pracą majątku, ale i własnej postaci. Żądam zadośćuczynienia, nie spocznę...

– Straż, straż trzeba wezwać – powiedział oberżysta. – I kapłanów trzeba wezwać! I spalić to monstrum, tego nieludzia!

– Przestańcie, gospodarzu – poderwał głowę niziołek.
– Nudni się robicie z tą waszą strażą. Zwracam wam uwagę, że wam ów nieludź niczego nie zrobił, jeno mnie. A tak nawiasem mówiąc, to ja też jestem nieludź.

– Co też wy, panie Biberveldt – zaśmiał się nerwowo karczmarz. – Gdzie wy, a gdzie on. Wyście są bez mała człek, a ten to monstrum przecie. Dziwię się, panie wiedźmin, że tak spokojnie siedzicie. Od czego, z przeproszeniem, jesteście? Wasza rzecz zabijać potwory, czyż nie?

– Potwory – rzekł Gerald zimno. – Ale nie przedstawicieli rozumnych ras.

– No, panie – powiedział oberżysta. – Teraz toście przesadzili krzynę.

– Jako żywo – wtrącił Jaskier. – Przegiąłeś pałę, Geralt, z tą rozumną rasą. Spójrz tylko na niego.

Tellico Lunngrevink Letorte, w rzeczy samej, nie przypominał w tej chwili przedstawiciela myślącej rasy. Przypominał kukłę ulepioną z błota i mąki, patrzącą na wiedźmina błagalnym spojrzeniem mętnych, żółtych oczu. Również smarkliwe odgłosy, jakie wydawał sięgającym blatu stołu nosem, nie przystawały przedstawicielowi rasy rozumnej.

– Dość tego pustego pieprzenia! – ryknął nagle Dainty Biberveldt. – Nie ma o czym dyskutować! Jedno, co się liczy, to moje konie i moja strata! Słyszysz, maślaku cholerny? Komu sprzedałeś moje koniki? Coś zrobił z pieniędzmi? Mów zaraz, bo cię skopię, stłukę i obedrę ze skóry!

Deczka, uchylając drzwi, wetknęła do alkierza płową główkę.

– Goście są w karczmie, ojciec – szepnęła. – Mularczykowie z budowy i insi. Obsługuję ich, ale wy tu tak gromko nie krzykajcie, bo się zaczynają dziwować na alkierz.

– Na Wieczny Ogień! – wystraszył się oberżysta, patrząc na rozlanego dopplera. – Jeśli tu ktoś zajrzy i obaczy go... Oj, będzie licho. Jeśli mamy nie wołać straży, to... Panie wiedźmin! Jeśli to prawdziwie vexling, to rzeknijcie onemu, niechże zmieni się w coś przyzwoitego, dla niepoznaki niby. Na razie.

– Racja – rzekł Dainty. – Niech on się w coś zmieni, Geralt.

– W kogo? – zagulgotał nagle doppler. – Mogę przybrać postać, której się dokładnie przyjrzę. W którego z was mam się zatem zmienić?

– We mnie nie – powiedział prędko karczmarz.

– Ani we mnie – żachnął się Jaskier. – Zresztą, to byłby żaden kamuflaż. Wszyscy mnie znają, więc widok dwóch Jaskrów przy jednym stole wywołałby większą sensację niż ten tu we własnej postaci.

– Ze mną byłoby podobnie – uśmiechnął się Geralt. – Zostajesz ty, Dainty. I dobrze się składa. Nie obrażaj się, ale sam wiesz, że ludzie z trudem odróżniają jednego niziołka od drugiego.

Kupiec nie zastanawiał się długo.

– Dobra – powiedział. – Niech będzie. Zdejmij mu łańcuch, wiedźminie. No już, zmieniaj się we mnie, rozumna raso.

Doppler po zdjęciu łańcucha roztarł ciastowate łapy, pomacał nos i wytrzeszczył ślepia na niziołka. Obwisła skóra na twarzy ściągnęła się i nabrała kolorów. Nos skurczył się i wciągnął z głuchym mlaśnięciem, na łysym czerepie wyrosły kędzierzawe włosy. Dainty wybałuszył oczy, oberżysta otworzył gębę w niemym podziwie, Jaskier westchnął i jęknął.

Ostatnim, co się zmieniło, był kolor oczu.

Dainty Biberveldt Drugi odchrząknął, sięgnął przez stół, chwycił kufel Dainty Biberveldta Pierwszego i chciwie przywarł do niego ustami.

– Być nie może, być nie może – powiedział cicho Jaskier. – Spójrzcie tylko, skopiował wiernie. Nie do odróżnienia. Wszyściuteńko. Tym razem nawet bąble po komarach i plamy na portkach... Właśnie, na portkach! Geralt, tego nie potrafią nawet czarodzieje! Pomacaj, to prawdziwa wełna, to żadna iluzja! Niebywałe! Jak on to robi?

– Tego nie wie nikt – mruknął wiedźmin. – On też nie. Mówiłem, że ma pełną zdolność dowolnego zmieniania struktury materii, ale to zdolność organiczna, instynktowna...

– Ale portki... Z czego zrobił portki? I kamizelkę?

– To jego własna, zaadaptowana skóra. Nie sądzę, żeby on chętnie pozbył się tych spodni. Zresztą, natychmiast utraciłyby cechy wełny...

– Szkoda – wykazał bystrość Dainty. – Bo już zastanawiałem się, czy nie kazać mu zmienić wiaderka materii na wiaderko złota.

Doppler, obecnie wierna kopia niziołka, rozparł się wygodnie i uśmiechnął szeroko, rad widać z faktu, że jest centrum zainteresowania. Siedział w identycznej pozycji jak Dainty i tak samo majtał włochatymi stopami.

– Sporo wiesz o dopplerach, Geralt – rzekł, po czym pociągnął z kufla, zamlaskał i beknął. – Zaiste, sporo.

– Bogowie, głos i maniery też Biberveldta – powiedział Jaskier. – Nie ma któryś czerwonej kitajki? Trzeba go oznaczyć, psiakrew, bo może być bieda.

– Coś ty, Jaskier – obruszył się Dainty Biberveldt Pierwszy. – Chyba mnie z nim nie pomylisz? Na pierwszy...

– ...rzut oka widać różnice – dokończył Dainty Biberveldt Drugi i ponownie beknął z wdziękiem. – Zaprawdę, żeby się pomylić, trzeba by być głupszym niż kobyla rzyć.

– Nie mówiłem? – szepnął Jaskier w podziwie. – Myśli i gada jak Biberveldt. Nie do odróżnienia...

– Przesada – wydął wargi niziołek. – Gruba przesada.

– Nie – zaprzeczył Geralt. – To nie przesada. Wierz lub nie, ale on jest w tej chwili tobą, Dainty. Niewiadomym sposobem doppler precyzyjnie kopiuje również psychikę ofiary.

– Psy co?

– No, właściwości umysłu, charakter, uczucia, myśli. Duszę. Co potwierdzałoby to, czemu przeczy większość czarodziejów i wszyscy kapłani. To, że dusza to również materia.

– Bluźnierstwo... – sapnął oberżysta.

– I bzdura – rzekł twardo Dainty Biberveldt. – Nie opowiadaj bajek, wiedźminie. Właściwości umysłu, dobre sobie. Skopiować czyjś nos i portki to jedno, ale rozum to nie w kij pierdział. Zaraz ci to udowodnię. Gdyby ten wszawy doppler skopiował mój kupiecki rozum, to nie sprzedałby koni w Novigradzie, gdzie nie ma na nie zbytu, ale pojechał do Diablego Brodu, na koński targ, gdzie ceny są aukcyjne, kto da więcej. Tam się nie traci...

– Właśnie, że się traci – doppler sparodiował obrażoną minę niziołka i parsknął w charakterystyczny sposób. – Po pierwsze, cena na aukcji w Diablim Brodzie równa w dół, bo kupcy zmawiają się, jak licytować. Dodatkowo zaś trzeba zapłacić prowizję aukcjonerom.

– Nie ucz mnie handlu, dupku – oburzył się Biberveldt. – Ja w Diablim Brodzie wziąłbym dziewięćdziesiąt albo i sto za sztukę. A ty ile dostałeś od novigradzkich cwaniaków?

– Sto trzydzieści – powiedział doppler.

– Łżesz, wywłoko.

– Nie łżę. Pognałem konie prosto do portu, panie Dainty, i tam znalazłem zamorskiego handlarza futer. Kuśnierze nie używają wołów, formując karawany, bo woły są za wolne. Futra są lekkie, ale cenne, trzeba więc podróżować szybko. W Novigradzie nie ma zbytu na konie, więc koni też nie ma. Ja miałem jedyne dostępne, więc podyktowałem cenę. To proste...

– Nie ucz mnie, powiedziałem! – wrzasnął Dainty, czerwieniejąc. – No, dobra, zarobiłeś więc. A pieniądze gdzie?

– Obróciłem – rzekł dumnie Tellico, naśladując typowe dla niziołka przeczesywanie palcami gęstej czupryny. – Pieniądz, panie Dainty, musi krążyć, a interes musi się kręcić.

– Uważaj, żebym ja ci łba nie ukręcił! Gadaj, co zrobiłeś z forsą za konie?

– Mówiłem. Nakupowałem towarów.

– Jakich? Coś kupił, pokrako?

– Ko... koszenilę – zająknął się doppler, a potem wyrecytował szybko. – Pięćset korcy koszenili, sześćdziesiąt dwa cetnary kory mimozowej, pięćdziesiąt pięć garncy olejku różanego, dwadzieścia trzy baryłki tranu, sześćset glinianych misek i osiemdziesiąt funtów wosku pszczelego. Tran, nawiasem mówiąc, kupiłem bardzo tanio, bo był cokolwiek zjełczały. Aha, byłbym zapomniał. Kupiłem jeszcze sto łokci bawełnianego sznura.

Zapadło długie, bardzo długie milczenie.

– Zjełczały tran – rzekł wreszcie Dainty, bardzo wolno wypowiadając poszczególne słowa. – Bawełniany sznurek. Różany olejek. Ja chyba śnię. Tak, to koszmar. W Novigradzie można kupić wszystko, wszelkie cenne i pożyteczne rzeczy, a ten tu kretyn wydaje moje pieniądze na jakieś gówno. Pod moją postacią. Jestem skończony, przepadły moje pieniądze, przepadła moja kupiecka reputacja. Nie, mam tego dość. Pożycz mi miecza, Geralt. Zarąbię go na miejscu.

Drzwi alkierza otwarły się, skrzypiąc.

– Kupiec Biberveldt! – zapiał wchodzący osobnik w purpurowej todze, wiszącej na chudej postaci jak na kiju. Na głowie miał aksamitną czapkę w kształcie odwróconego nocnika. – Czy jest tu kupiec Biberveldt?

– Tak – odrzekli jednocześnie obaj niziołkowie.

W następnej chwili jeden z Dainty Biberveldtów chlusnął zawartością kufla w twarz wiedźmina, zręcznie wykopał zydel spod Jaskra i przemknął pod stołem w stronę drzwi, obalając po drodze osobnika w śmiesznej czapce.

– Pożar! Ratunku! – zawył, wypadając do ogólnej izby.
– Mordują! Pali się!

Geralt, otrząsając się z piany, rzucił się za nim, ale drugi z Biberveldtów, również pędzący ku drzwiom, poślizgnął się na trocinach i upadł mu pod nogi. Obaj wywalili się w samym progu. Jaskier, gramoląc się spod stołu, klął ohydnie.

– Napaaaad! – zawrzeszczał z podłogi chudy osobnik, zaplątany w purpurową togę. – Naaapaaaaad!!! Bandyciii!

Geralt przeturlał się po niziołku, wpadł do karczmy, zobaczył, jak doppler, roztrącając gości, wypada na ulicę. Rzucił się za nim, po to tylko, by utknąć na elastycznym, lecz twardym murze ludzi zagradzających mu drogę. Jednego, umorusanego gliną i śmierdzącego piwem, udało mu się przewrócić, ale pozostali unieruchomili go w żelaznym uścisku krzepkich ramion. Szarpnął się wściekle, czemu zawtórował suchy trzask pękających nici i dartej skóry, a pod prawą pachą zrobiło się luźno. Wiedźmin zaklął, przestając się wyrywać.

– Mamy go! – wrzasnęli mularze. – Mamy zbója! Co robić, panie majster?

– Wapno! – zawył majster, podrywając głowę z blatu stołu i wodząc dookoła niewidzącymi oczyma.

– Straaaż! – ryczał purpurowy, na czworakach karabkając się z alkierza. – Napad na urzędnika! Straż! Pójdziesz za to na szubienicę, złoczyńco!

– Mamy go! – krzyknęli mularze. – Mamy go, panie!

– To nie ten! – zawył osobnik w todze – Łapać łotra! Gońcie go!

– Kogo?

– Biberveldta, niziołka! Gonić go, gonić! Do lochu z nim!

– Zaraz, zaraz – rzekł Dainty, wyłaniając się z alkierza. – Coście to, panie Schwann? Nie wycierajcie sobie gęby moim nazwiskiem. I nie wszczynajcie alarmu, nie ma potrzeby.

Schwann zamilkł, patrząc na niziołka ze zdumieniem. Z alkierza wyłonił się Jaskier, w kapelusiku na bakier, oglądając swoją lutnię. Mularze, poszeptawszy między sobą, puścili wreszcie Geralta. Wiedźmin, choć bardzo zły, ograniczył się do soczystego splunięcia na podłogę.

– Kupcze Biberveldt! – zapiał Schwann, mrużąc krótkowzroczne oczy. – Co to ma znaczyć? Napaść na urzędnika miejskiego może was drogo... Kto to był? Ten niziołek, który umknął?

– Kuzyn – rzekł szybko Dainty. – Mój daleki kuzyn...

– Tak, tak – poparł go szybko Jaskier, czując swój żywioł. – Daleki kuzyn Biberveldta. Znany jako Czubek-Biberveldt. Czarna owca w rodzinie. Dzieckiem będąc, wpadł do studni. Wyschniętej. Ale nieszczęściem ceber spadł mu prosto na głowę. Zwykle jest spokojny, tylko widok purpury go rozwściecza. Ale nie ma co się martwić, bo uspokaja się na widok rudych włosków na damskim łonie. Dlatego popędził prosto do „Passiflory". Mówię wam, panie Schwann...

– Dosyć, Jaskier – zasyczał wiedźmin. – Zamknij się, do licha.

Schwann obciągnął na sobie togę, otrzepał ją z trocin i wyprostował się, przybierając wyniosłą minę.

– Taak – powiedział. – Baczcie uważniej na krewnych,

kupcze Biberveldt, bo sami wszak wiecie, jesteście odpowiedzialni. Gdybym wniósł skargę... Ale czasu mi nie staje. Ja tu, Biberveldt, po sprawach służby. W imieniu władz miejskich wzywam was do zapłaty podatku.

– Hę?

– Podatku – powtórzył urzędnik i wydął wargi w grymasie podpatrzonym zapewne u kogoś znacznie znaczniejszego. – Cóżeście to? Udzieliło się wam od kuzyna? Jeśli robi się interesy, trzeba płacić podatki. Albo do ciemnicy się idzie siedzieć.

– Ja!? – ryknął Dainty. – Ja, interesy? Ja same straty mam, kurwa mać! Ja...

– Uważaj, Biberveldt – syknął wiedźmin, a Jaskier ukradkiem kopnął niziołka w owłosioną kostkę. Niziołek kaszlnął.

– Jasna rzecz – powiedział, z wysiłkiem przywołując uśmiech na pucołowatą twarz. – Jasna rzecz, panie Schwann. Jeśli robi się interesy, trzeba płacić podatki. Dobre interesy, duże podatki. I odwrotnie, jak mniemam.

– Nie mnie oceniać wasze interesy, panie kupcze – urzędnik zrobił kwaśną minę, usiadł za stołem, z przepastnych zakamarków togi dobył liczydła i zwój pergaminów, które rozłożył na blacie, przetarłszy go wprzód rękawem. – Mnie aby liczyć i inkasować. Taak... Uczyńmy tedy rachubę... To będzie... hmmm... Spuszczam dwa, jeden mam w rozumie... Taak... Tysiąc pięćset pięćdziesiąt trzy korony i dwadzieścia kopperów.

Z gardła Dainty Biberveldta wyrwało się głuche rzężenie. Mularze zamruczeli w podziwie. Oberżysta upuścił miskę. Jaskier westchnął.

– No, to do widzenia, chłopcy – rzekł niziołek gorzko. – Gdyby ktoś o mnie pytał, to jestem w ciemnicy.

II

– Do jutra, do południa – jęczał Dainty. – A to sukinsyn, ten Schwann, żeby go pokręciło, wstrętnego dziada, mógł mi bardziej sprolongować. Ponad półtora tysiąca koron, skąd ja wytrzasnę do jutra tyle forsy? Jestem skończony, zrujnowany, zgniję w kryminale! Nie siedźmy tu, cholera, mówię wam, łapmy tego drania dopplera! Musimy go złapać!

Siedzieli wszyscy trzej na marmurowej cembrowinie basenu nieczynnej fontanny, zajmującego środek niedużego placyku wśród okazałych, ale wyjątkowo niegustownych kupieckich kamieniczek. Woda w basenie była zielona i potwornie brudna, pływające wśród odpadków złote orfy ciężko pracowały skrzelami i otwartymi pyszczkami łapały powietrze z powierzchni. Jaskier i niziołek żuli racuchy, które trubadur przed chwilą gwizdnął z mijanego straganu.

– Na twoim miejscu – powiedział bard – zaniechałbym pościgu, a zaczął się rozglądać za kimś, kto pożyczy ci pieniędzy. Co ci da złapanie dopplera? Myślisz może, że Schwann przyjmie go jako ekwiwalent?

– Głupiś, Jaskier. Schwytawszy dopplera, odbiorę mu moje pieniądze.

– Jakie pieniądze? To, co miał w sakiewce, poszło na pokrycie szkód i łapówkę dla Schwanna. Więcej nie miał.

– Jaskier – skrzywił się niziołek. – Na poezji to ty się może i znasz, ale w sprawach handlowych, wybacz, to ty jesteś kompletny bałwan. Słyszałeś, ile podatku wyliczył mi Schwann? A od czego płaci się podatki? Hę? Od czego?

– Od wszystkiego – stwierdził poeta. – Ja nawet od śpiewania płacę. I guzik ich obchodzą moje tłumaczenia, że śpiewałem z wewnętrznej potrzeby.

– Głupiś, mówiłem. Podatki w interesach płaci się od zysku. Od zysku. Jaskier! Pojmujesz? Ten łobuz doppler podszył się pod moją osobę i wdał w jakieś interesy, niechybnie oszukańcze. I zarobił na nich! Miał zysk! A ja będę musiał zapłacić podatek, a do tego zapewne kryć długi tego łachmyty, jeżeli narobił długów! A jeśli nie zapłacę, to pójdę do lochu, napiętnują mnie publicznie żelazem, ześlą do kopalni! Zaraza!

– Ha – rzekł wesoło Jaskier. – Nie masz więc wyjścia, Dainty. Musisz potajemnie uciekać z miasta. Wiesz, co? Mam pomysł. Okręcimy cię całego w baranią skórę. Przekroczysz bramę, wołając: „Owieczka jestem, bee, bee". Nikt cię nie rozpozna.

– Jaskier – powiedział ponuro niziołek. – Zamknij się, bo cię kopnę. Geralt?

– Co, Dainty?

– Pomożesz mi schwytać dopplera?

– Posłuchaj – rzekł wiedźmin, wciąż bezskutecznie usiłując zafastrygować rozerwany rękaw kurtki. – Tu jest Novigrad. Trzydzieści tysięcy mieszkańców, ludzi, krasnoludów, półelfów, niziołków i gnomów, zapewne drugie tyle przyjezdnych. Jak chcesz odnaleźć kogoś w takiej ćmie narodu?

Dainty połknął racuch, oblizał palce.

– A magia, Geralt? Te wasze wiedźmińskie czary, o których krąży tyle opowieści?

– Doppler jest wykrywalny magicznie tylko we własnej postaci, a we własnej to on nie chodzi po ulicach. A nawet gdyby, magia byłaby na nic, bo dookoła pełno jest słabych, czarodziejskich sygnałów. Co drugi dom ma magiczny zamek przy drzwiach, a trzy czwarte ludzi nosi amulety, najrozmaitsze, przeciw złodziejom, pchłom, zatruciom pokarmowym, zliczyć nie sposób.

Jaskier przesunął palcami po gryfie lutni, brzdąknął po strunach.

– Wróci wiosna, deszczem ciepłym pachnąca! – zaśpiewał. – Nie, niedobrze. Wróci wiosna, słońcem... Nie, psiakrew. Nie idzie mi. Ani w ząb...

– Przestań skrzeczeć – warknął niziołek. – Działasz mi na nerwy.

Jaskier rzucił orfom resztkę racucha i splunął do basenu.

– Patrzcie – powiedział. – Złote rybki. Podobno takie rybki spełniają życzenia.

– Te są czerwone – zauważył Dainty.

– Co tam, drobiazg. Cholera, jest nas trzech, a one spełniają trzy życzenia. Wychodzi po jednym na każdego. Co, Dainty? Nie życzyłbyś sobie, żeby rybka zapłaciła za ciebie podatek?

– Owszem. Oprócz tego, żeby coś spadło z nieba i walnęło dopplera w łeb. I jeszcze...

– Stój, stój. My też mamy życzenia. Ja chciałbym, żeby rybka podpowiedziała mi zakończenie ballady. A ty, Geralt?

– Odczep się, Jaskier.

– Nie psuj zabawy, wiedźminie. Powiedz, czego byś sobie życzył?

Wiedźmin wstał.

– Życzyłbym sobie – mruknął – żeby to, że nas właśnie próbują otoczyć, okazało się nieporozumieniem.

Z zaułka na wprost fontanny wyszło czterech czarno odzianych osobników w okrągłych, skórzanych czapkach, wolno kierując się w stronę basenu. Dainty zaklął z cicha, oglądając się.

Z uliczki za ich plecami wyszło następnych czterech. Ci nie podchodzili bliżej, rozstawiwszy się, zablokowali zaułek. W rękach trzymali dziwnie wyglądające krążki, jak gdyby kawałki zwiniętych lin. Wiedźmin rozejrzał się, poruszył barkami, poprawiając przewieszony przez plecy miecz. Jaskier jęknął.

Zza pleców czarnych osobników wyłonił się niewysoki mężczyzna w białym kaftanie i krótkim, szarym płaszczu. Złoty łańcuch na jego szyi połyskiwał w rytm kroków, śląc żółte refleksy.

– Chappelle... – stęknął Jaskier. – To jest Chappelle...

Czarni osobnicy za ich plecami wolno ruszyli w stronę fontanny. Wiedźmin sięgnął po miecz.

– Nie, Geralt – szepnął Jaskier, przysuwając się do niego. – Na bogów, nie wyciągaj broni. To straż świątynna. Jeśli stawimy im opór, nie wyjdziemy żywi z Novigradu. Nie dotykaj miecza.

Człowiek w białym kaftanie szedł w ich stronę szparkim krokiem. Czarni osobnicy szli za nim, w marszu otaczając basen, zajmując strategiczne, precyzyjnie dobrane pozycje. Geralt obserwował ich czujnie, zgarbiwszy się lekko. Dziwne krążki, które trzymali w rękach, nie były, jak sądził początkowo, zwykłymi batami. To były lamie.

Człowiek w białym kaftanie zbliżył się.

– Geralt – szeptał bard. – Na wszystkich bogów, zachowaj spokój...

– Nie dam się dotknąć – mruknął wiedźmin. – Nie dam się dotknąć, kimkolwiek by byli. Uważaj, Jaskier... Jak się zacznie, wiejcie, ile sił w nogach. Ja ich zajmę... na jakiś czas...

Jaskier nie odpowiedział. Zarzuciwszy lutnię na ramię, skłonił się głęboko przed człowiekiem w białym kaftanie bogato haftowanym złotymi i srebrnymi nićmi w drobny, mozaikowy wzór.

– Czcigodny Chappelle...

Człowiek zwany Chappelle zatrzymał się, powiódł po nich wzrokiem. Jego oczy, jak zauważył Geralt, były paskudnie zimne i miały kolor stali. Czoło miał blade, chorobliwie spocone, na policzkach czerwone, nieregularne plamy rumieńców.

– Pan Dainty Biberveldt, kupiec – powiedział. – Utalentowany pan Jaskier. I Geralt z Rivii, przedstawiciel jakże rzadkiego, wiedźmińskiego fachu. Spotkanie starych znajomych? U nas, w Novigradzie?

Nikt nie odpowiedział.

– Za wielce niefortunny – ciągnął Chappelle – uważam fakt, że złożono na was doniesienie.

Jaskier pobladł lekko, a niziołek zaszczękał zębami. Wiedźmin nie patrzył na Chappelle. Nie odrywał oczu od broni otaczających fontannę czarnych osobników w skórzanych czapkach. W większości znanych Geraltowi krajów wyrób i posiadanie kolczastej lamii, zwanej mayheńskim batogiem, było surowo zakazane. Novigrad nie był wyjątkiem. Geralt widział ludzi, których uderzono lamią w twarz. Twarzy tych nie sposób było zapomnieć.

– Właściciel zajazdu pod „Grotem Włóczni" – kontynuował Chappelle – miał czelność zarzucić waszmościom konszachty z demonem, potworem, którego zwie się mieniakiem lub vexlingiem.

Nikt nie odpowiedział. Chappelle splótł ręce na piersi i spojrzał na nich zimnym wzrokiem.

– Czułem się obowiązany uprzedzić was o tym doniesieniu. Informuję też, że pomieniony oberżysta został zamknięty w lochu. Zachodzi podejrzenie, że bredził, będąc pod wpływem piwska lub gorzały. Zaiste, czegóż to ludzie nie wymyślą. Po pierwsze, vexlingów nie ma. To wymysł zabobonnych kmiotków.

Nikt nie skomentował.

– Po drugie, jakiż vexling ośmieliłby się zbliżyć do

wiedźmina – uśmiechnął się Chappelle – i nie został natychmiast zabity? Prawda? Oskarżenie karczmarza byłoby więc śmiechu warte, gdyby nie pewien istotny szczegół.
Chappelle pokiwał głową, robiąc efektowną pauzę.
Wiedźmin usłyszał, jak Dainty powoli wypuszcza powietrze wciągnięte do płuc w głębokim wdechu.

– Tak, pewien istotny szczegół – powtórzył Chappelle.
– Mianowicie, mamy do czynienia z herezją i świętokrad-
czym bluźnierstwem. Wiadomo bowiem, że żaden, absolutnie żaden vexling, jak też żaden inny potwór nie mógłby nawet zbliżyć się do murów Novigradu, bo tu w dzie-
więtnastu świątyniach płonie Wieczny Ogień, którego
święta moc chroni miasto. Kto twierdzi, że widział vexlinga pod „Grotem Włóczni", o rzut kamieniem od głównego
ołtarza Wiecznego Ognia, ten jest bluźnierczym herety-
kiem i swoje twierdzenie będzie musiał odwołać. Gdyby
zaś odwołać nie chciał, to mu się w tym dopomoże w miarę sił i środków, które, wierzcie mi, mam w lochach pod
ręką. Jak zatem widzicie, nie ma się czym przejmować.

Wyraz twarzy Jaskra i niziołka świadczył dobitnie, że
obaj są innego zdania.

– Absolutnie nie ma się czym frasować – powtórzył
Chappelle. – Mogą panowie opuścić Novigrad bez przeszkód. Nie będę was zatrzymywał. Muszę jednak nalegać,
aby o pożałowania godnych wymysłach oberżysty nie roz-
powiadali waszmościowie, nie komentowali głośno tego
wydarzenia. Wypowiedzi podważające boską moc Wiecznego Ognia, niezależnie od intencji, my, skromni słudzy
kościoła, musielibyśmy traktować jako herezję, ze wszy-
stkimi konsekwencjami. Własne przekonania religijne
waszmościów, jakie by one nie były, a jakie szanuję, nie
mają znaczenia. Wierzcie sobie, w co chcecie. Ja jestem
tolerancyjny dopóty, dopóki ktoś czci Wieczny Ogień i nie
bluźni przeciw niemu. A jak będzie bluźnił, to go każę
spalić i tyle. Wszyscy w Novigradzie są równi wobec prawa. I prawo jest równe dla wszystkich – każdy, kto bluźni
przeciw Wiecznemu Ogniowi, idzie na stos, a jego majątek się konfiskuje. Ale dość o tym. Powtarzam, możecie
bez przeszkód przekroczyć bramy Novigradu. Najlepiej...

Chappelle uśmiechnął się lekko, wessał policzek w chytrym grymasie, powiódł wzrokiem po placyku. Nieliczni przechodnie, obserwujący zajście, przyspieszali kroku, szybko odwracali głowy.

– ...najlepiej – dokończył Chappelle – najlepiej natychmiast. Niezwłocznie. Oczywista rzecz, że w odniesieniu do szanownego kupca Biberveldta owo „niezwłocznie" oznacza „niezwłocznie po uregulowaniu spraw podatkowych". Dziękuję panom za poświęcony mi czas.

Dainty, odwróciwszy się, bezgłośnie poruszył ustami. Wiedźmin nie miał wątpliwości, że owym bezgłośnym słowem było „skurwiel". Jaskier opuścił głowę, uśmiechając się głupkowato.

– Panie wiedźminie – rzekł nagle Chappelle. – Jeśli łaska, słówko na osobności.

Geralt zbliżył się, Chappelle lekko wyciągnął rękę. Jeśli dotknie mojego łokcia, walnę go, pomyślał wiedźmin. Walnę go, choćby nie wiem co.

Chappelle nie dotknął łokcia Geralta.

– Panie wiedźminie – powiedział cicho, odwracając się plecami do innych. – Wiadomo mi, że niektóre miasta, w przeciwieństwie do Novigradu, pozbawione są boskiej opieki Wiecznego Ognia. Załóżmy więc, że stwór podobny vexlingowi grasuje po jednym z takich miast. Ciekawość, za ile podjęlibyście się wówczas schwytania vexlinga żywcem?

– Nie najmuję się do polowań na potwory w ludnych miastach – wzruszył ramionami wiedźmin. – Mógłby bowiem ucierpieć ktoś postronny.

– Aż tak obchodzi cię los postronnych?

– Aż tak. Bo to z reguły mnie obciąża się odpowiedzialnością za ich los. I grozi konsekwencjami.

– Rozumiem. A nie byłażby troska o los postronnych odwrotnie proporcjonalna do wysokości zapłaty?

– Nie byłażby.

– Twój ton, wiedźminie, niezbyt mi się podoba. Ale mniejsza z tym, rozumiem, co sugerujesz tym tonem. Sugerujesz, że nie chcesz zrobić tego... o co mógłbym cię poprosić, przy czym wysokość zapłaty nie ma znaczenia. A rodzaj zapłaty?

– Nie rozumiem.

– Nie sądzę.

– Jednak.

– Czysto teoretycznie – powiedział Chappelle, cicho, spokojnie, bez złości czy groźby w głosie – byłoby możliwym, że zapłatą za twoją usługę byłaby gwarancja, że ty i twoi przyjaciele wyjdziecie żywi z... z teoretycznego miasta. Co wtedy?

– Na to pytanie – uśmiechnął się paskudnie wiedźmin – nie da się odpowiedzieć teoretycznie. Sytuację, o której mówicie, czcigodny Chappelle, należałoby przerobić w praktyce. Nie pilno mi do tego wcale, ale jeśli będzie trzeba... Jeśli nie będzie innego wyjścia... Gotów jestem to przećwiczyć.

– Ha, może i masz rację – odpowiedział beznamiętnie Chappelle. – Za dużo teoretyzujemy. Zaś co do praktyki, to widzę, że współdziałania nie będzie. Może to i dobrze? W każdym razie żywię nadzieję, że nie będzie to powodem do konfliktu między nami.

– I ja – rzekł Geralt – żywię taką nadzieję.

– Niech więc pali się w nas ta nadzieja, Geralcie z Rivii. Czy wiesz, czym jest Wieczny Ogień? Nie gasnący płomień, symbol przetrwania, droga wskazana w mroku, zapowiedź postępu, lepszego jutra? Wieczny Ogień, Geralcie, jest nadzieją. Dla wszystkich, dla wszystkich bez wyjątku. Bo jeżeli jest coś, co jest wspólne... Dla ciebie, dla mnie... dla innych... to tym czymś jest właśnie nadzieja. Pamiętaj o tym. Miło było cię poznać, wiedźminie.

Geralt skłonił się sztywno, milcząc. Chappelle patrzył na niego przez chwilę, potem energicznie odwrócił się i pomaszerował przez placyk, nie oglądając się na swoją eskortę. Ludzie uzbrojeni w lamie ruszyli za nim, formując porządny szyk.

– O, mamuniu moja – zakwilił Jaskier, oglądając się płochliwie za odchodzącymi. – Ale mieliśmy szczęście. O ile to koniec. O ile nas zaraz nie capną...

– Uspokój się – rzekł wiedźmin – i przestań jęczeć. Przecież nic się nie stało.

– Wiesz, kto to był, Geralt?

- Nie.
- To był Chappelle, namiestnik do spraw bezpieczeństwa. Tajna służba Novigradu podlega kościołowi. Chappelle nie jest kapłanem, ale to szara eminencja hierarchy, najpotężniejszy i najniebezpieczniejszy człowiek w mieście. Wszyscy, nawet Rada i cechy, trzęsą przed nim portkami, bo to pierwszej wody łajdak, Geralt, opity władzą, jak pająk muszą krwią. Chociaż po cichu, ale mówi się w mieście, co on potrafi. Ludzie przepadający bez śladu. Fałszywe oskarżenia, tortury, skrytobójstwa, terror, szantaż i zwykła grabież. Wymuszenia, szwindle i afery. Na bogów, w ładną historię wpędziłeś nas, Biberveldt.
- Daj pokój, Jaskier - prychnął Dainty. - Akurat ty masz się czego bać. Nikt nie ruszy trubadura. Z niewiadomych mi powodów jesteście nietykalni.
- Nietykalny poeta - jęczał Jaskier, wciąż blady - też może w Novigradzie wpaść pod rozpędzony wóz, śmiertelnie zatruć się rybą albo nieszczęśliwie utopić w fosie. Chappelle jest specjalistą od takich wypadków. To, że z nami w ogóle rozmawiał, uważam za niebywałe. Jedno jest pewne, bez powodu tego nie zrobił. Coś knuje. Zobaczycie, zaraz w coś nas wplączą, zakują i powloką na tortury w majestacie prawa. Tak się tu robi!
- W tym, co on mówi - rzekł niziołek do Geralta - jest sporo prawdy. Musimy uważać. Że też tego łotra Chappelle jeszcze ziemia nosi. Od lat gadają o nim, że chory, że mu krew uderza i wszyscy czekają, kiedy wykituje...
- Zamilcz, Biberveldt - syknął bojaźliwie trubadur, rozglądając się - bo gotów ktoś usłyszeć. Patrzcie, jak wszyscy gapią się na nas. Wynośmy się stąd, mówię wam. I radzę, poważnie potraktujmy to, co powiedział nam Chappelle o dopplerze. Ja, dla przykładu, w życiu nie widziałem żadnego dopplera, jeśli będzie trzeba, zaprzysięgnę to przed Wiecznym Ogniem.
- Patrzcie - rzekł nagle niziołek. - Ktoś biegnie ku nam.
- Uciekajmy! - zawył Jaskier.
- Spokojnie, spokojnie - uśmiechnął się szeroko Dainty i przeczesał czuprynę palcami. - Znam go. To Piżmak,

tutejszy kupiec, skarbnik Cechu. Robiliśmy razem interesy. Hej, spójrżcie, jaką ma minę! Jakby zerżnął się w portki. Hej, Piżmak, mnie szukasz?

– Na Wieczny Ogień klnę się – wysapał Piżmak, odsuwając na tył głowy lisią czapę i wycierając czoło rękawem. – Byłem pewien, że zawloką cię do barbakanu. Iście, cud to. Dziwię się...

– Miło z twojej strony – przerwał niziołek z przekąsem – że się dziwisz. Uraduj nas jeszcze bardziej, mówiąc dlaczego.

– Nie udawaj głupiego, Biberveldt – zmarszczył się Piżmak. – Całe miasto już wie, jakiś to interes zrobił na koszenili. Wszyscy już o tym gadają, to i widno do hierarchy doszło, i do Chappelle, jakiś to sprytny, jakeś to chytrze wygrał na tym, co stało się w Poviss.

– O czym ty bredzisz, Piżmaku?

– O, bogowie, przestałbyś, Dainty, zamiatać ogonem niby liszka. Kupiłeś koszenilę? Za pół darmo, po pięć dwadzieścia za korzec? Kupiłeś. Korzystając z chudego popytu zapłaciłeś awalizowanym wekslem, ni grosza gotówki nie wyłożyłeś. I co? W ciągu jednego dnia opyliłeś cały ładunek po czterokroć wyższej cenie, za gotowiznę na stół. Będziesz miał może czelność twierdzić, że to przypadek, że to szczęście niby? Że kupując koszenilę niceś nie wiedział o przewrocie w Poviss?

– Że co? O czym ty gadasz?

– Przewrót był w Poviss! – ryknął Piżmak. – I ta, jak jej tam, no... leworucja! Obalono króla Rhyda, nynie rządzi tam klan Thyssenidów! Dwór, szlachta i wojsko Rhyda nosiło się na niebiesko, to i tamtejsze tkalnie jeno indygo kupowały. A barwa Thyssenidów to szkarłat, tedy indygo staniało, a koszenila poszła w górę, a tedy na jaw wyszło, że to ty, Biberveldt, trzymasz łapę na jedynym dostępnym właśnie ładunku! Ha!

Dainty milczał, zasępiwszy się.

– Chytrze, Biberveldt, nie ma co – ciągnął Piżmak. – I nikomu ani słowa, nawet przyjaciołom. Gdybyś mi co rzekł, możeby wszyscy zarobili, nawet faktorię można by założyć wspólną. Ale ty wolałeś sam, cichcem-chyłkiem.

Twoja wola, ale i na mnie zasię też już nie licz. Na Wieczny Ogień, prawda to, że każdy niziołek to samolubny drań i pies posraniec. Mnie to Vimme Vivaldi nigdy awalu na wekslu nie daje, a tobie? Od ręki. Boście jedna banda są, wy nieludzie przeklęte, wy zapowietrzone niziołki i krasnoludy. Niech was cholera!

Piżmak splunął, odwrócił się na pięcie i odszedł. Dainty, zamyślony, drapał się w głowę, aż chrzęściła czupryna.

– Coś mi świta, chłopcy – rzekł wreszcie. – Już wiem, co nam trzeba uczynić. Idziemy do banku. Jeżeli ktoś może połapać się w tym wszystkim, to tym ktosiem jest właśnie mój znajomy bankier, Vimme Vivaldi.

III

– Inaczej wyobrażałem sobie bank – szepnął Jaskier, rozglądając się po pomieszczeniu. – Gdzie oni tu trzymają pieniądze, Geralt?

– Diabli wiedzą – odrzekł cicho wiedźmin, zasłaniając rozerwany rękaw kurtki. – Może w piwnicy?

– Gówno. Rozejrzałem się. Tu nie ma piwnicy.

– To pewnie na strychu.

– Pozwólcie do kantorka, panowie – powiedział Vimme Vivaldi.

Siedzący przy długich stołach młodzi ludzie i krasnoludy niewiadomego wieku zajęci byli pokrywaniem arkuszy pergaminu rzędami cyferek i literek. Wszyscy bez wyjątku garbili się i mieli lekko wysunięte języki. Praca, jak ocenił wiedźmin, była diablo monotonna, ale zdawała się pochłaniać pracujących bez reszty. W kącie, na niskim zydlu, siedział dziadunio o wyglądzie żebraka zajęty ostrzeniem piór. Szło mu niesporo.

Bankier zamknął starannie drzwi kantorka, przygładził długą, białą, wypielęgnowaną brodę, tu i ówdzie poplamioną inkaustem, poprawił bordowy, aksamitny kubrak, z trudem dopinający się na wydatnym brzuchu.

– Wiecie, panie Jaskier – powiedział, siadając za ogromnym, mahoniowym stołem, zawalonym pergaminami. – Zupełnie inaczej was sobie wyobrażałem. A znam wasze piosenki, znam, słyszałem. O królewnie Vandzie, która utopiła się w rzece Duppie, bo nikt jej nie chciał. I o zimorodku, co wpadł do wychodku...

– To nie moje – Jaskier poczerwieniał ze wściekłości. – Nigdy nie napisałem czegoś podobnego!

– A. A to przepraszam.

– Możebyśmy tak przeszli do rzeczy? – wtrącił Dainty. – Czas nagli, a wy o głupstwach. Jestem w poważnych tarapatach, Vimme.

– Obawiałem się tego – pokiwał głową krasnolud. – Jak pamiętasz, ostrzegałem cię, Biberveldt. Mówiłem ci trzy dni temu, nie angażuj pieniędzy w ten zjełczały tran. Co z tego, że tani, cena nominalna nie jest ważna, ważna jest stopa zysku na odsprzedaży. Tak samo ten olejek różany i ten wosk, i te gliniane miski. Co ci odbiło, Dainty, żeby kupować to gówno, i to w dodatku za żywą gotówkę, zamiast rozumnie płacić akredytywą lub wekslem? Mówiłem ci, koszty składowania są w Novigradzie diabelnie wysokie, w ciągu dwóch tygodni trzykrotnie przekroczą wartość tego towaru. A ty...

– No – jęknął z cicha niziołek. – Mów, Vivaldi. Co ja?

– A ty na to, że nie ma strachu, że sprzedasz wszystko w ciągu dwudziestu czterech godzin. I teraz przychodzisz i oświadczasz, że jesteś w tarapatach, uśmiechając się przy tym głupio i rozbrajająco. Nie idzie, prawda? A koszty rosną, co? Ha, niedobrze, niedobrze. Jak mam cię z tego wyciągnąć, Dainty? Gdybyś chociaż ubezpieczył ten chłam, posłałbym zaraz kogoś z kancelistów, żeby cichcem podpalił skład. Nie, kochany, jedno, co można zrobić, to podejść do rzeczy filozoficznie, czyli powiedzieć sobie: „Srał to pies". To jest handel, raz się zyska, raz się straci. Co to zresztą za pieniądze, ten tran, wosk i olejek. Śmiechu warte. Mówmy o poważniejszych interesach. Powiedz mi, czy mam już sprzedawać korę mimozową, bo oferty zaczęły się stabilizować na pięć i pięć szóstych.

– Hę?

– Głuchy jesteś? – zmarszczył się bankier. – Ostatnia oferta to równo pięć i pięć szóstych. Wróciłeś, mam nadzieję, żeby przybić? Siedmiu i tak nie dostaniesz, Dainty.

- Wróciłem?

Vivaldi pogładził brodę i wyskubał z niej okruszki strucli.

- Byłeś tu przed godziną - rzekł spokojnie - z poleceniem, aby trzymać do siedmiu. Siedmiokrotne przebicie przy cenie, jaką zapłaciłeś, to dwie korony czterdzieści pięć kopperów za funt. To zbyt wysoko, Dainty, nawet jak na tak doskonale trafiony rynek. Garbarnie już musiały się dogadać i będą solidarnie trzymać cenę. Głowę daję...

Drzwi otworzyły się i do kantorka wpadło coś w zielonej, filcowej czapce i futerku z łaciatych królików, przepasanym konopnym powrósłem.

- Kupiec Sulimir daje dwie korony piętnaście! - zakwiczało.

- Sześć i jedna szósta - obliczył szybko Vivaldi. - Co robić, Dainty?

- Sprzedawać! - krzyknął niziołek. - Sześciokrotne przebicie, a ty się jeszcze zastanawiasz, cholera?

Do kantorka wpadło drugie coś, w żółtej czapce i opończy przypominającej stary worek. Jak i pierwsze coś, miało około dwóch łokci wzrostu.

- Kupiec Biberveldt poleca nie sprzedawać poniżej siedmiu! - wrzasnęło, wytarło nos rękawem i wybiegło.

- Aha - powiedział krasnolud po długiej chwili ciszy. - Jeden Biberveldt każe sprzedawać, drugi Biberveldt każe czekać. Ciekawa sytuacja. Co robimy, Dainty? Od razu przystąpisz do wyjaśnień, czy też zaczekamy, aż jakiś trzeci Biberveldt poleci ładować korę na galery i wywieźć do Krainy Psiogłowców? Hę?

- Co to jest? - wyjąkał Jaskier, wskazując na coś w zielonej czapce, wciąż stojące przy drzwiach. - Co to jest, do cholery?

- Młody gnom - powiedział Geralt.

- Niewątpliwie - potwierdził sucho Vivaldi. - Nie jest to stary troll. Nieważne zresztą, co to jest. No, Dainty, słucham.

- Vimme - rzekł niziołek. - Bardzo cię proszę. Nie zadawaj pytań. Stało się coś strasznego. Załóż i przyjmij, że ja, Dainty Biberveldt z Rdestowej Łąki, uczciwy kupiec, nie mam pojęcia, co tu się dzieje. Opowiedz mi wszystko, ze szczegółami. Wydarzenia ostatnich trzech dni. Proszę, Vimme.

– Ciekawe – powiedział krasnolud. – No, ale za prowizję, jaką biorę, muszę spełniać życzenia pryncypała, jakie by one nie były. Słuchaj tedy. Wpadłeś tu trzy dni temu, zdyszany, dałeś mi w depozyt tysiąc koron i zażądałeś awalu na wekslu opiewającym na dwa tysiące pięćset dwadzieścia, na okaziciela. Dałem ci ten awal.

– Bez gwarancji?

– Bez. Lubię cię, Dainty.

– Mów dalej, Vimme.

– Na drugi dzień z rana wpadłeś z rumorem i tupotem, żądając, bym otworzył akredytywę na bank w Wyzimie. Na niebagatelną sumę trzech tysięcy pięciuset koron. Beneficjentem miał być, o ile pamiętam, niejaki Ther Lukokian, alias Trufel. No, to i otworzyłem taką akredytywę.

– Bez gwarancji – rzekł niziołek z nadzieją w głosie.

– Moja sympatia do ciebie, Biberveldt – westchnął bankier – kończy się około trzech tysięcy koron. Tym razem wziąłem od ciebie pisemne zobowiązanie, że w razie niewypłacalności młyn jest mój.

– Jaki młyn?

– Młyn twojego teścia, Arno Hardbottoma, w Rdestowej Łące.

– Nie wracam do domu – oświadczył Dainty ponuro, lecz zdecydowanie. – Zaciągnę się na jakiś okręt i zostanę piratem.

Vimme Vivaldi podrapał się w ucho i spojrzał na niego podejrzliwie.

– Eee – powiedział. – Już dawno przecież odebrałeś i podarłeś to zobowiązanie. Jesteś wypłacalny. Nie dziwota, przy takich zyskach...

– Zyskach?

– Prawda, zapomniałem – mruknął krasnolud. – Miałem się niczemu nie dziwić. Zrobiłeś dobry interes na koszenili, Biberveldt. Bo widzisz, w Poviss doszło do przewrotu...

– Wiem już – przerwał niziołek. – Indygo staniało, a koszenila zdrożała. A ja zarobiłem. To prawda, Vimme?

– Prawda. Masz u mnie w depozycie sześć tysięcy trzysta czterdzieści sześć koron i osiemdziesiąt kopperów. Netto, po odliczeniu mojej prowizji i podatku.

– Zapłaciłeś za mnie podatek?

– A jakżeby inaczej – zdziwił się Vivaldi. – Przecież godzinę temu byłeś tu i kazałeś zapłacić. Kancelista już zaniósł całą sumę do ratusza. Coś około półtora tysiąca, bo sprzedaż koni była tu, rzecz jasna, wliczona.

Drzwi otworzyły się z hukiem i do kantorka wpadło coś w bardzo brudnej czapce.

– Dwie korony trzydzieści! – wrzasnęło. – Kupiec Hazelquist!

– Nie sprzedawać! – zawołał Dainty. – Czekamy na lepszą cenę! Jazda, obaj z powrotem na giełdę!

Oba gnomy chwyciły rzucone im przez krasnoluda miedziaki i znikły.

– Taak... Na czym to ja stanąłem? – zastanowił się Vivaldi, bawiąc się ogromnym, dziwacznie uformowanym kryształem ametystu, służącym jako przycisk do papierów. – Aha, na koszenili kupionej za weksel. A list kredytowy, o którym napomykałem, potrzebny był ci na zakup wielkiego ładunku kory mimozowej. Kupiłeś tego sporo, ale dość tanio, po trzydzieści pięć kopperów za funt, od zangwebarskiego faktora, owego Trufla czy Smardza. Galera wpłynęła do portu wczoraj. I wówczas się zaczęło.

– Wyobrażam sobie – jęknął Dainty.

– Do czego jest komuś potrzebna kora mimozowa? – nie wytrzymał Jaskier.

– Do niczego – mruknął ponuro niziołek. – Niestety.

– Kora z mimozy, panie poeto – wyjaśnił krasnolud – to garbnik używany do garbowania skór.

– Jeśli ktoś byłby na tyle głupi – wtrącił Dainty – by kupować korę mimozową zza mórz, jeśli w Temerii można kupić dębową za bezcen.

– I tu właśnie leży wampir pogrzebany – rzekł Vivaldi. – Bo w Temerii druidzi właśnie ogłosili, że jeżeli natychmiast nie zaprzestanie się niszczenia dębów, ześlą na kraj plagę szarańczy i szczurów. Druidów poparły driady, a tamtejszy król ma słabość do driad. Krótko: od wczoraj jest pełne embargo na temerską dębinę, dlatego mimoza idzie w górę. Miałeś dobre informacje, Dainty.

Z kancelarii dobiegł tupot, po czym do kantorka wdarło się zdyszane coś w zielonej czapce.

– Wielmożny kupiec Sulimir... – wydyszał gnom – kazał powtórzyć, że kupiec Biberveldt, niziołek, jest wieprzem dzikim i szczeciniastym, spekulantem i wydrwigroszem, i że on, Sulimir, życzy Biberveldtowi, aby oparszywiał. Daje dwie korony czterdzieści pięć i to jest ostatnie słowo.

– Sprzedawać – wypalił niziołek. – Dalej, mały, pędź i potwierdź. Licz, Vimme.

Vivaldi sięgnął pod zwoje pergaminu i wydobył krasnoludzkie liczydełko, istne cacko. W odróżnieniu od liczydeł stosowanych przez ludzi, krasnoludzkie liczydełka miały kształt ażurowej piramidki. Liczydełko Vivaldiego wykonane było jednak ze złotych drutów, po których przesuwały się graniasto oszlifowane, pasujące do siebie bryłki rubinów, szmaragdów, onyksów i czarnych agatów. Krasnolud szybkimi, zwinnymi ruchami grubego palucha przesuwał przez chwilę klejnoty, w górę, w dół, na boki.

– To będzie... hmm, hmm... Minus koszty i moja prowizja... Minus podatek... Taak. Piętnaście tysięcy sześćset dwadzieścia dwie korony i dwadzieścia pięć kopperów. Nieźle.

– Jeżeli dobrze liczę – rzekł powoli Dainty Biberveldt – to łącznie, netto, powinienem mieć u ciebie...

– Dokładnie dwadzieścia jeden tysięcy dziewięćset sześćdziesiąt dziewięć koron i pięć kopperów. Nieźle.

– Nieźle? – wrzasnął Jaskier. – Nieźle? Za tyle można kupić dużą wieś albo mały zamek! Ja w życiu nie widziałem naraz tylu pieniędzy!

– Ja też nie – powiedział niziołek. – Ale bez ferworu, Jaskier. Tak się składa, że tych pieniędzy jeszcze nikt nie widział i nie wiadomo, czy zobaczy.

– Ejże, Biberveldt – żachnął się krasnolud. – Skąd takie ponure myśli? Sulimir zapłaci gotówką lub wekslem, a weksle Sulimira są pewne. O co więc chodzi? Boisz się straty na śmierdzącym tranie i wosku? Przy takich zyskach śpiewająco pokryjesz straty...

– Nie w tym rzecz.

– W czymże więc?

Dainty chrząknął, opuścił kędzierzawą głowę.

– Vimme – powiedział, patrząc w podłogę. – Chappelle węszy za nami.

Bankier zacmokał.

– Kiepsko – wycedził. – Należało się jednak tego spodziewać. Widzisz, Biberveldt, informacje, którymi się posłużyłeś przy transakcjach, mają nie tylko znaczenie handlowe, ale i polityczne. O tym, co się kroi w Poviss i w Temerii, nie wiedział nikt, Chappelle też nie, a Chappelle lubi wiedzieć pierwszy. Teraz więc, jak sobie wyobrażasz, głowi się nad tym, skąd wiedziałeś. I myślę, że się już domyślił. Bo i ja się domyślam.

– Ciekawe.

Vivaldi powiódł wzrokiem po Jaskrze i Geralcie, zmarszczył perkaty nos.

– Ciekawe? Ciekawa to jest ta twoja spółka, Dainty – powiedział. – Trubadur, wiedźmin i kupiec. Gratuluję. Pan Jaskier bywa tu i ówdzie, nawet na królewskich dworach, i pewnie nieźle nadstawia ucha. A wiedźmin? Straż osobista? Straszak na dłużników?.

– Pospieszne wnioski, panie Vivaldi – rzekł zimno Geralt. – Nie jesteśmy w spółce.

– A ja – poczerwieniał Jaskier – nie nadstawiam nigdzie ucha. Jestem poetą, nie szpiegiem!

– Różnie mówią – wykrzywił się krasnolud. – Bardzo różnie, panie Jaskier.

– Kłamstwo! – wrzasnął trubadur. – Gówno prawda!

– Dobrze już, wierzę, wierzę. Tylko nie wiem, czy Chappelle uwierzy. Ale, kto wie, może to wszystko rozejdzie się po kościach. Powiem ci, Biberveldt, że po ostatnim ataku apopleksji Chappelle bardzo się zmienił. Może to strach przed śmiercią zajrzał mu do rzyci i zmusił do zastanowienia? Słowem, to już nie ten sam Chappelle. Zrobił się jakiś grzeczny, rozumny, spokojny i... i uczciwy, jakby.

– Eeee – powiedział niziołek. – Chappelle, uczciwy? Grzeczny? To niemożliwe.

– Mówię, jak jest – odparł Vivaldi. – A jest, jak mówię. Dodatkowo, teraz kościół ma na głowie inny problem, któremu na imię Wieczny Ogień.

– Jak niby?

– Wszędzie ma płonąć Wieczny Ogień, jak się mówi. Wszędzie, w całej okolicy, mają być stawiane ołtarze temu ogniowi poświęcone. Mnóstwo ołtarzy. Nie pytaj mnie o szczegóły, Dainty, nie bardzo orientuję się w ludzkich zabobonach. Ale wiem, że wszyscy kapłani, a także Chappelle, nie zajmują się praktycznie niczym, jak tylko tymi ołtarzami i tym ogniem. Robi się wielkie przygotowania. Podatki pójdą w górę, to pewne.

– No – rzekł Dainty. – Marna pociecha, ale...

Drzwi kantorka otwarły się znowu i do środka wpadło znane już wiedźminowi coś w zielonej czapce i króliczym futerku.

– Kupiec Biberveldt – oświadczyło – przykazuje dokupić garnków, gdyby zabrakło. Cena nie gra roli.

– Świetnie – uśmiechnął się niziołek, a uśmiech ten przywołał na myśl skrzywiony pyszczek wściekłego żbika. – Kupimy mnóstwo garnków, wola pana Biberveldta jest dla nas rozkazem. Czego jeszcze mamy dokupić? Kapusty? Dziegciu? Grabi żelaznych?

– Ponadto – wychrypiało coś w futerku – kupiec Biberveldt prosi o trzydzieści koron gotówką, bo musi dać łapówkę, zjeść coś i napić się piwa, a pod „Grotem Włóczni" jacyś trzej obwiesie ukradli mu sakiewkę.

– Ach. Trzej obwiesie – rzekł Dainty przeciągle. – Tak, to miasto pełne zdaje się być obwiesiów. A gdzież to, jeśli wolno spytać, jest teraz wielmożny kupiec Biberveldt?

– A gdzieżby – powiedziało coś, pociągając nosem – jak nie na Zachodnim Bazarze.

– Vimme – rzekł Dainty złowrogo. – Nie zadawaj pytań, ale znajdź mi tu gdzieś solidną, grubą lagę. Wybieram się na Zachodni Bazar, ale bez lagi pójść tam nie mogę. Zbyt wielu tam obwiesiów i złodziei.

– Lagę, powiadasz? Znajdzie się. Ale, Dainty, jedno chciałbym wiedzieć, bo mnie to gnębi. Miałem nie zadawać pytań, nie zapytam więc, ale zgadnę, a ty potwierdzisz albo zaprzeczysz. Dobra?

– Zgaduj.

– Ten zjełczały tran, ten olejek, wosk i miski, ten cholerny powróz, to była zagrywka taktyczna, prawda? Chciałeś odwrócić uwagę konkurencji od koszenili i mimozy? Wywołać zamieszanie na rynku? Hę, Dainty?

Drzwi otwarły się gwałtownie i do kantorka wbiegło coś bez czapki.

– Szczawiór melduje, że wszystko gotowe! – wrzasnęło cienko. – Pyta, czy nalewać?

– Nalewać! – zagrzmiał niziołek. – Natychmiast nalewać!

– Na ryżą brodę starego Rhundurina! – zawył Vimme Vivaldi, gdy tylko za gnomem zamknęły się drzwi. – Nic nie rozumiem! Co tu się dzieje? Co nalewać? W co nalewać?

– Pojęcia nie mam – wyznał Dainty. – Ale interes, Vimme, musi się kręcić.

IV

Przepychając się z trudem przez ciżbę, Geralt wyszedł prosto na stragan, obwieszony miedzianymi rondlami, kociołkami i patelniami, skrzącymi się czerwono w promieniach przedwieczornego słońca. Za straganem stał rudobrody krasnolud w oliwkowym kapturze i ciężkich butach z foczej skóry. Na twarzy krasnoluda malowało się widoczne zniechęcenie – mówiąc zwięźle, wyglądał, jakby za chwilę zamierzał opluć przebierającą w towarze klientkę. Klientka falowała biustem, potrząsała złotymi kędziorkami i raziła krasnoluda bezustannym potokiem wymowy, pozbawionej ładu i składu.

Klientką, ni mniej, ni więcej, była Vespula, znana Geraltowi jako miotaczka pocisków. Nie czekając, aż go rozpozna, szybko wtopił się w tłum.

Zachodni Bazar tętnił życiem, droga przez zbiegowisko przypominała przeprawę przez krzaki głogu. Co i rusz coś czepiało się rękawów i nogawek – już to dzieci, które zgubiły się mamom, gdy te odciągały ojców od namiotu z wyszynkiem, już to szpicle z kordegardy, już to pokątni oferenci czapek niewidek, afrodyzjaków i świńskich scen rzeźbionych w cedrowym drewnie. Geralt przestał się uśmiechać i zaczął kląć, robiąc stosowny użytek z łokci.

Usłyszał dźwięki lutni i znany mu, perlisty śmiech. Dźwięki dobiegały od strony bajecznie kolorowego straganu, ozdobionego napisem: „Tutaj cuda, amulety i przynęty na ryby".

– Czy ktoś już mówił pani, że jest pani śliczna? – wrzeszczał Jaskier, siedząc na straganie i wesoło machając nogami. – Nie? Nie może to być! To miasto ślepców, nic, tylko miasto ślepców. Dalejże, dobrzy ludzie! Kto chce usłyszeć balladę o miłości? Kto chce się wzruszyć i wzbogacić duchowo, niechaj wrzuci monetę do kapelusza. Z czym, z czym tu się pchasz, zasrańcze? Miedź zachowaj dla żebraków, nie obrażaj mi tu miedzią artysty. Ja ci to może wybaczę, ale sztuka nigdy!

– Jaskier – rzekł Geralt, podchodząc. – Zdaje się, że rozdzieliliśmy się, aby szukać dopplera. A ty urządzasz koncerty. Nie wstyd ci śpiewać po jarmarkach jak proszalny dziad?

– Wstyd? – zdziwił się bard. – Ważne jest, co i jak się śpiewa, a nie gdzie się śpiewa. Poza tym, głodny jestem, a właściciel straganu obiecał mi obiad. Co się zaś tyczy dopplera, to szukajcie go sobie sami. Ja nie nadaję się do pościgów, bijatyk i samosądów. Jestem poetą.

– Lepiej byś zrobił, unikając rozgłosu, poeto. Jest tu twoja narzeczona, mogą być kłopoty.

– Narzeczona? – Jaskier zamrugał nerwowo. – O kogo chodzi? Mam ich kilka.

Vespula, dzierżąc w dłoni miedzianą patelnię, przedarła się przez tłum słuchaczy z impetem szarżującego tura. Jaskier zerwał się ze straganu i rzucił do ucieczki, zwinnie przeskakując nad koszami z marchwią. Vespula odwróciła się w stronę wiedźmina, rozdymając chrapki. Geralt cofnął się, napotykając plecami na twardy opór ściany straganu.

– Geralt! – krzyknął Dainty Biberveldt, wyskakując z tłumu i potrącając Vespulę. – Prędko, prędko! Widziałem go! O, o tam, ucieka!

- Jeszcze was dopadnę, rozpustnicy! - wrzasnęła Vespula, łapiąc równowagę. - Jeszcze porachuję się z całą waszą świńską bandą! Ładna kompania! Bażant, oberwaniec i karzełek o włochatych piętach! Popamiętacie mnie!

- Tędy, Geralt! - ryknął Dainty, w biegu roztrącając grupkę żaków zajętych grą w „trzy muszelki". - Tam, tam, zwiał między wozy! Zajdź go od lewej! Prędko!

Rzucili się w pościg, sami ścigani przekleństwami poszturchiwanych przekupniów i kupujących. Geralt cudem tylko uniknął potknięcia się o zaplątanego pod nogi usmarkanego berbecia. Przeskoczył nad nim, ale wywrócił dwie beczułki śledzi, za co rozwścieczony rybak chlasnął go po plecach żywym węgorzem, którego właśnie demonstrował klientom.

Dostrzegli dopplera, usiłującego zemknąć wzdłuż zagrody dla owiec.

- Z drugiej strony! - wrzasnął Dainty. - Zajdź go z drugiej strony, Geralt!

Doppler przemknął jak strzała wzdłuż płotu, migając zieloną kamizelką. Robiło się oczywiste, dlaczego nie zmieniał się w kogoś innego. Nikt nie mógł zwinnością dorównać niziołkowi. Nikt. Oprócz drugiego niziołka. I wiedźmina.

Geralt zobaczył, jak doppler zmienia raptownie kierunek, wzbijając chmurę kurzu, jak zręcznie nurkuje w dziurę w parkanie ogradzającym wielki namiot służący jako rzeźnia i jatka. Dainty też to zobaczył. Przeskoczył przez żerdzie i zaczął przebijać się przez stłoczone w zagrodzie stado beczących baranów. Widać było, że nie zdąży. Geralt skręcił i rzucił się w ślad za dopplerem pomiędzy deski parkanu. Poczuł nagłe szarpnięcie, usłyszał trzask rwącej się skóry, a kurtka również pod drugą pachą zrobiła się nagle bardzo luźna.

Wiedźmin zatrzymał się. Zaklął. Splunął. I jeszcze raz zaklął.

Dainty wbiegł do namiotu za dopplerem. Ze środka dobiegały wrzaski, odgłosy razów, klątwy i okropny rumor.

Wiedźmin zaklął po raz trzeci, wyjątkowo plugawie, po czym zgrzytnął zębami, uniósł prawą rękę, złożył palce w Znak Aard, kierując go prosto na namiot. Namiot wydął się jak żagiel podczas huraganu, a z wewnątrz rozległo się potępieńcze wycie, łoskot i ryki wołów. Namiot oklapł.

Doppler, pełzając na brzuchu, wysmyknął spod płachty i rzucił w kierunku drugiego, mniejszego namiotu, prawdopodobnie chłodni. Geralt bez namysłu skierował ku niemu dłoń i dziabnął go w plecy Znakiem. Doppler zwalił się na ziemię jak rażony gromem, przekoziołkował, ale natychmiast zerwał się i wpadł do namiotu. Wiedźmin deptał mu po piętach.

W namiocie śmierdziało mięsem. I było ciemno.

Tellico Lunngrevink Letorte stał tam, dysząc ciężko, oburącz obejmując wiszącą na żerdzi świńską półtuszę. Z namiotu nie było drugiego wyjścia, a płachta była solidnie i gęsto przykołkowana do ziemi.

– Czysta przyjemność znowu cię spotkać, mimiku – powiedział Geralt zimno.

Doppler dyszał ciężko i chrapliwie.

– Zostaw mnie w spokoju – stęknął wreszcie. – Dlaczego mnie prześladujesz, wiedźminie?

– Tellico – powiedział Geralt – Zadajesz głupie pytania. Aby wejść w posiadanie koni i postaci Biberveldta, rozbiłeś mu głowę i porzuciłeś na pustkowiu. Nadal korzystasz z jego osobowości i drwisz sobie z kłopotów, jakie mu tym sprawiasz. Diabli wiedzą, co jeszcze planujesz, ale przeszkodzę ci w tych planach, tak czy inaczej. Nie chcę cię ani zabijać, ani wydawać władzom, ale z miasta musisz się wynieść. Dopilnuję, byś się wyniósł.

– A jeżeli nie zechcę?

– To wywiozę cię na taczkach, w worku.

Doppler rozdął się raptownie, potem nagle wyszczuplał i zaczął rosnąć, jego kędzierzawe, kasztanowate włosy zbielały i wyprostowały się, sięgając ramion. Zielona kamizelka niziołka oleiście zabłysła, stając się czarną skórą, na ramionach i mankietach zaskrzyły się srebrne ćwieki. Pucołowata, rumiana twarz wydłużyła się i pobladła.

Sponad prawego ramienia wysunęła się rękojeść miecza.

– Nie podchodź – rzekł chrapliwie drugi wiedźmin i uśmiechnął się. – Nie zbliżaj się, Geralt. Nie pozwolę się dotknąć.

Ależ ja mam paskudny uśmiech, pomyślał Geralt, sięgając po miecz. Ależ ja mam paskudną gębę. Ależ ja paskudnie mrużę oczy. Więc tak wyglądam? Zaraza.

Ręka dopplera i ręka wiedźmina jednocześnie dotknęły rękojeści, oba miecze jednocześnie wyskoczyły z pochew. Obaj wiedźmini jednocześnie wykonali dwa szybkie, miękkie kroki – jeden do przodu, drugi w bok. Obaj jednocześnie unieśli miecze i wywinęli nimi krótkiego, syczącego młyńca.

Obaj jednocześnie znieruchomieli, zamarli w pozycji.

– Nie możesz mnie pokonać – warknął doppler. – Bo jestem tobą, Geralt.

– Mylisz się, Tellico – powiedział cicho wiedźmin. – Rzuć miecz i wracaj do postaci Biberveldta. Inaczej pożałujesz, uprzedzam.

– Jestem tobą – powtórzył doppler. – Nie uzyskasz nade mną przewagi. Nie możesz mnie pokonać, bo jestem tobą!

– Nie masz nawet pojęcia, co to znaczy być mną, mimiku.

Tellico opuścił rękę zaciśniętą na mieczu.

– Jestem tobą – powtórzył.

– Nie – zaprzeczył wiedźmin. – Nie jesteś. A wiesz, dlaczego? Bo jesteś małym, biednym, dobrotliwym dopplerem. Dopplerem, który wszakże mógł zabić Biberveldta i zakopać jego ciało w zaroślach, zdobywając przez to absolutne bezpieczeństwo i absolutną pewność, że nie zostanie zdemaskowany, nigdy, przez nikogo, wliczając w to małżonkę niziołka, słynną Gardenię Biberveldt. Ale nie zabiłeś go, Tellico, bo nie było cię na to stać. Bo jesteś małym, biednym, dobrotliwym dopplerem, którego przyjaciele nazywają Dudu. I w kogokolwiek byś się nie zmienił, zawsze jesteś taki sam. Umiesz skopiować tylko to, co w nas dobre, bo tego, co w nas złe, nie rozumiesz. Taki właśnie jesteś, dopplerze.

Tellico cofnął się, wpierając plecami w płachtę namiotu.

– Dlatego – ciągnął Geralt – zamienisz się teraz w Biberveldta i grzecznie podasz mi łapy do związania. Nie jesteś w stanie stawić mi oporu, bo ja jestem tym, czego skopiować nie potrafisz. Wiesz o tym bardzo dobrze, Dudu. Bo przecież na chwilę przejąłeś moje myśli.

Tellico wyprostował się raptownie, rysy jego twarzy, będącej twarzą wiedźmina, rozmazały się i rozlały, białe włosy zafalowały i zaczęły ciemnieć.

– Masz rację, Geralt – powiedział niewyraźnie, bo jego wargi zmieniały kształt. – Przejąłem twoje myśli. Na krótko, ale wystarczyło. Czy wiesz, co teraz zrobię?

Skórzana wiedźmińska kurtka nabrała połyskliwej, chabrowej barwy. Doppler uśmiechnął się, poprawił śliwkowy kapelusik z piórkiem egreta, podciągnął pasek lutni zarzuconej na ramię. Lutni, która przed chwilą była mieczem.

– Powiem ci, co zrobię, wiedźminie – zaśmiał się dźwięcznym i perlistym śmiechem Jaskra. – Pójdę sobie, wcisnę się w tłum i zmienię cichcem w byle kogo, choćby w żebraka. Bo wolę być żebrakiem w Novigradzie niż dopplerem na pustkowiu. Novigrad jest mi coś winien, Geralt. To powstanie miasta skaziło środowisko, w którym moglibyśmy żyć, żyć w naszych naturalnych postaciach. Wyniszczono nas, polując na nas jak na wściekłe psy. Jestem jednym z niewielu, którzy przeżyli. Chcę przeżyć i przeżyję. Dawniej, gdy ścigały mnie w zimie wilki, zamieniałem się w wilka i biegałem ze stadem po kilka tygodni. I przeżyłem. Teraz też tak zrobię, bo nie chcę już tłuc się po uroczyskach i zimować po wykrotach, nie chcę być wiecznie głodny, nie chcę być bez przerwy celem strzał. Tu, w Novigradzie, jest ciepło, jest żarcie, można zarobić i bardzo rzadko strzelają tu do siebie nawzajem z łuków. Novigrad to stado wilków. Przyłączę się do tego stada i przeżyję. Rozumiesz?

Geralt z ociąganiem kiwnął głową.

– Daliście – ciągnął doppler, krzywiąc wargi w bezczelnym, Jaskrowym uśmiechu – skromną możliwość asymilacji krasnoludom, niziołkom, gnomom, elfom nawet. Dlaczego ja mam być gorszy? Dlaczego odmawia mi się tego prawa? Co mam zrobić, żeby móc żyć w tym mieście? Zamienić się w elfkę o sarnich oczach, jedwabistych włosach i długich nogach? Co? W czym jest elfka lepsza ode mnie? W tym, że na widok elfki przebieracie nogami, a na mój widok chce się wam rzygać? Wypchać się każcie takim argumentem. Ja i tak przeżyję. Wiem jak. Jako wilk biegałem, wyłem i gryzłem się z innymi o samicę. Jako mieszkaniec Novigradu będę handlował, plótł koszyki z wikliny, żebrał lub kradł, jako jeden z was będę robił to, co zwykle robi jeden z was. Kto wie, może się nawet ożenię?

Wiedźmin milczał.

– Tak, jak powiedziałem – kontynuował spokojnie Tellico. – Wychodzę. A ty, Geralt, nie będziesz próbował mnie zatrzymać, nie ruszysz się nawet. Bo ja, Geralt, przez chwilę znałem twoje myśli. W tym także te, do których nie chcesz się przyznać, które ukrywasz nawet przed sobą. Bo żeby mnie zatrzymać, musiałbyś mnie zabić. A ciebie przecież myśl o zabiciu mnie z zimną krwią napawa wstrętem. Prawda?

Wiedźmin milczał.

Tellico ponownie poprawił rzemień lutni, odwrócił się i ruszył ku wyjściu. Szedł śmiało, ale Geralt widział, że kurczy kark i garbi ramiona w oczekiwaniu na świst klingi. Wsunął miecz do pochwy. Doppler zatrzymał się w pół kroku, obejrzał.

– Bywaj, Geralt – powiedział. – Dziękuję ci.

– Bywaj, Dudu – odpowiedział wiedźmin. – Powodzenia.

Doppler odwrócił się i ruszył w stronę ludnego bazaru, raźnym, wesołym, rozkołysanym krokiem Jaskra. Tak jak Jaskier wymachiwał ostro lewą ręką i tak jak Jaskier szczerzył zęby do mijanych dziewek. Geralt powoli ruszył za nim. Powoli.

Tellico w marszu chwycił lutnię, zwolniwszy kroku wziął dwa akordy, po czym zręcznie wybrzęczał na strunach znaną Geraltowi melodię. Odwróciwszy się lekko, zaśpiewał.

Zupełnie jak Jaskier.

Wróci wiosna, deszcz spłynie na drogi
Ciepłem słońca serca się ogrzeją
Tak być musi, bo ciągle tli się w nas ten ogień
Wieczny ogień, który jest nadzieją

– Powtórz to Jaskrowi, jeśli zapamiętasz – zawołał. – I powiedz mu, że „Zima" to kiepski tytuł. Ta ballada powinna się nazywać „Wieczny Ogień". Bywaj, wiedźminie!

– Hej! – rozległo się nagle. – Bażancie!

Tellico odwrócił się zaskoczony. Zza straganu wyłoniła się Vespula, gwałtownie falując biustem, mierząc go złowróżbnym spojrzeniem.

– Za dziewkami się oglądasz, oszuście? – zasyczała, falując coraz bardziej podniecająco. – Pioseneczki śpiewasz, łajdaku?

Tellico zdjął kapelusik i ukłonił się, uśmiechając szeroko charakterystycznym Jaskrowym uśmiechem.

– Vespula, moja droga – powiedział przymilnie. – Jakem rad, że cię widzę. Wybacz mi, moja słodka. Winien ci jestem...

– A jesteś, jesteś – przerwała Vespula głośno. – A to, co jesteś mi winien, teraz zapłacisz! Masz!

Ogromna miedziana patelnia rozbłysła w słońcu i z głębokim, donośnym brzękiem wyrżnęła w głowę dopplera. Tellico z nieopisanie głupim grymasem, zastygłym na twarzy, zachwiał się i padł, rozkrzyżowawszy ręce, a jego fizjonomia zaczęła się nagle zmieniać, rozpływać i tracić podobieństwo do czegokolwiek. Widząc to, wiedźmin skoczył ku niemu, w biegu zrywając ze straganu wielki kilim. Rozścielając kilim na ziemi, dwoma kopniakami wturlał nań dopplera i szybko, acz ciasno zrolował.

Usiadłszy na pakunku, wytarł czoło rękawem. Vespula, ściskając patelnię, patrzyła na niego złowrogo, a tłum gęstniał dookoła.

– Jest chory – rzekł wiedźmin i uśmiechnął się wymuszenie. – To dla jego dobra. Nie róbcie ścisku, dobrzy ludzie, biedakowi trzeba powietrza.

– Słyszeliście? – spytał spokojnie, ale dźwięcznie Chappelle, przepychając się nagle przez tłum. – Proszę nie robić tu zbiegowiska! Proszę się rozejść! Zbiegowiska są zabronione. Karane grzywną!

Tłum w mgnieniu oka rozpierzchnął się na boki, po to tylko, by ujawnić Jaskra, nadchodzącego szparkim krokiem, przy dźwiękach lutni. Na jego widok Vespula wrzasnęła przeraźliwie, rzuciła patelnię i biegiem puściła się przez plac.

– Co się jej stało? – spytał Jaskier. – Zobaczyła diabła? Geralt wstał z pakunku, który zaczął się słabo ruszać. Chappelle zbliżył się powoli. Był sam, jego straży osobistej nigdzie nie było widać.

– Nie podchodziłbym – rzekł cicho Geralt. – Jeśli byłbym wami, panie Chappelle, to nie podchodziłbym.

– Powiadasz? – Chappelle zacisnął wąskie wargi, patrząc na niego zimno.

– Gdybym był wami, panie Chappelle, udałbym, że niczego nie widziałem.

– Tak, to pewne – rzekł Chappelle. – Ale ty nie jesteś mną.

Zza namiotu nadbiegł Dainty Biberveldt, zdyszany i spocony. Na widok Chappelle zatrzymał się, pogwizdując, założył ręce za plecy i udał, że podziwia dach spichlerza.

Chappelle podszedł do Geralta, bardzo blisko. Wiedźmin nie poruszył się, zmrużył tylko oczy. Przez chwilę patrzyli na siebie, potem Chappelle pochylił się nad pakunkiem.

– Dudu – powiedział do sterczących ze zrolowanego kilimu kurdybanowych, dziwacznie zdeformowanych butów Jaskra. – Kopiuj Biberveldta, szybko.

– Że co? – krzyknął Dainty, przestając gapić się na spichlerz. – Że jak?

– Ciszej – rzekł Chappelle. – No, Dudu, jak tam?

– Już – rozległo się z kilimu stłumione stęknięcie. – Już... Zaraz...

Sterczące z rolki kurdybanowe buty rozlały się, rozmazały i zmieniły w owłosione, bose stopy niziołka.

– Wyłaź, Dudu – powiedział Chappelle. – A ty, Dainty, bądź cicho. Dla ludzi każdy niziołek wygląda tak samo. Prawda?

Dainty mruknął coś niewyraźnie. Geralt, wciąż mrużąc oczy, patrzył na Chappelle podejrzliwie. Namiestnik zaś wyprostował się i rozejrzał dookoła, a wówczas po gapiach, którzy jeszcze wytrwali w najbliższej okolicy, ostał się jeno cichnący w oddali stukot drewnianych chodaków.

Dainty Biberveldt Drugi wygramolił się i wyturlał z pakunku, kichnął, usiadł, przetarł oczy i nos. Jaskier przysiadł na leżącej obok skrzyni, brzdąkał na lutni z wyrazem umiarkowanego zaciekawienia na twarzy.

– Kto to jest, jak myślisz, Dainty? – spytał łagodnie Chappelle. – Bardzo podobny do ciebie, nie uważasz?

– To mój kuzyn – wypalił niziołek i wyszczerzył zęby. – Bardzo bliska rodzina. Dudu Biberveldt z Rdestowej Łąki, wielka głowa do interesów. Postanowiłem właśnie...

– Tak, Dainty?

– Postanowiłem mianować go moim faktorem w Novigradzie. Co ty na to, kuzynie?

– Och, dziękuję, kuzynie – uśmiechnęła się szeroko bardzo bliska rodzina, chluba klanu Biberveldtów, wielka głowa do interesów. Chappelle też się uśmiechnął.

– Spełniło się marzenie? – mruknął Geralt. – O życiu w mieście? Co też wy widzicie w tym mieście, Dudu... i ty, Chappelle?

– Pomieszkałbyś na wrzosowiskach – odmruknął Chappelle – pojadłbyś korzonków, zmoknął i zmarznął, to byś wiedział. Nam też się coś należy od życia, Geralt. Nie jesteśmy gorsi od was.

– Fakt – kiwnął głową Geralt. – Nie jesteście. Bywa nawet, że jesteście lepsi. Co z prawdziwym Chappelle?

– Szlag go trafił – szepnął Chappelle Drugi. – Będzie ze dwa miesiące temu. Apopleksja. Niech mu ziemia lekką będzie, a Ogień Wieczny niech mu świeci. Akurat byłem w pobliżu... Nikt nie zauważył... Geralt? Nie będziesz chyba...

– Czego nikt nie zauważył? – spytał wiedźmin z nieruchomą twarzą.

– Dziękuję – mruknął Chappelle.

– Jest was tu więcej?

– Czy to ważne?

– Nie – zgodził się wiedźmin. – Nieważne.

Zza furgonów i straganów wypadła i podbiegła truchtem wysoka na dwa łokcie figurka w zielonej czapce i futerku z łaciatych królików.

– Panie Biberveldt – sapnął gnom i zająknął się, rozglądając, wodząc oczami od jednego niziołka do drugiego.

– Sądzę, mały – powiedział Dainty – że masz sprawę do mego kuzyna, Dudu Biberveldta. Mów. Mów. Oto on.

– Szczawiór donosi, że poszło wszystko – powiedział gnom i uśmiechnął się szeroko, ukazując szpiczaste ząbki.

– Po cztery korony sztuka.

– Zdaje się, że wiem, o co idzie – rzekł Dainty. – Szkoda, że nie ma tu Vivaldiego, ten migiem obliczyłby zysk.

– Pozwolisz, kuzynie – odezwał się Tellico Lunngrevink Letorte, w skrócie Penstock, dla przyjaciół Dudu, a dla całego Novigradu członek licznej rodziny Biberveldtów. – Pozwolisz, że ja policzę. Mam niezawodną pamięć do cyfr. Jak i do innych rzeczy.

– Proszę – ukłonił się Dainty. – Proszę, kuzynie.

– Koszta – zmarszczył czoło doppler – były niewysokie. Osiemnaście za olejek, osiem pięćdziesiąt za tran, hmm... Wszystko razem, wliczając sznurek, czterdzieści pięć koron. Utarg: sześćset po cztery korony, czyli dwa tysiące czterysta. Prowizji żadnej, bo bez pośredników...

– Proszę nie zapominać o podatku – upomniał Chappelle Drugi. – Proszę nie zapominać, że stoi przed wami przedstawiciel władz miasta i kościoła, który poważnie i sumiennie traktuje swoje obowiązki.

– Zwolnione od podatku – oświadczył Dudu Biberveldt. – Bo to sprzedaż na święty cel.

– Hę?

– Zmieszany w odpowiednich proporcjach tran, wosk, olejek zabarwiony odrobiną koszenili – wyjaśnił doppler – wystarczyło nalać do glinianych misek i zatopić w każdej kawał sznurka. Zapalony sznurek daje piękny, czerwony płomień, który pali się długo i mało śmierdzi. Wieczny Ogień. Kapłani potrzebowali zniczy na ołtarze Wiecznego Ognia. Już nie potrzebują.

– Cholera... – mruknął Chappelle. – Racja... Potrzebne były znicze... Dudu, jesteś genialny.

– Po matce – rzekł skromnie Tellico.

– A jakże, wykapana matka – potwierdził Dainty. – Spójrzcie tylko w te mądre oczy. Wykapana Begonia Biberveldt, moja ukochana ciocia.

– Geralt – jęknął Jaskier. – On w ciągu trzech dni zarobił więcej niż ja śpiewaniem przez całe życie!

– Na twoim miejscu – rzekł wiedźmin poważnie – rzuciłbym śpiewanie i zająłbym się handlem. Poproś go, może weźmie cię do terminu.

– Wiedźminie – Tellico pociągnął go za rękaw. – Powiedz, jak mógłbym ci się... odwdzięczyć...

– Dwadzieścia dwie korony.

– Co?

– Na nową kurtkę. Zobacz, co zostało z mojej.

– Wiecie, co? – wrzasnął nagle Jaskier. – Chodźmy wszyscy do domu rozpusty! Do „Passiflory"! Biberveldtowie stawiają!

– A wpuszczą niziołków? – zatroskał się Dainty.

– Niech spróbują nie wpuścić – Chappelle przybrał groźną minę. – Niech tylko spróbują, a oskarżę cały ten ich bordel o herezję.

– No – zawołał Jaskier. – To w porządku. Geralt? Idziesz?

Wiedźmin zaśmiał się cicho.

– A wiesz, Jaskier – powiedział – że z przyjemnością.

TROCHĘ POŚWIĘCENIA

I

Syrenka wynurzyła się z wody do połowy ciała i gwałtownie, ostro zachlapała dłońmi po powierzchni. Geralt stwierdził, że ma piękne, wręcz doskonałe piersi. Efekt psuł jedynie kolor – brodawki były ciemnozielone, a aureole wokół nich tylko nieco jaśniejsze. Zwinnie dopasowując się do nadbiegającej fali, syrenka wygięła się wdzięcznie, strzepnęła mokrymi, seledynowymi włosami i zaśpiewała melodyjnie.

– Co? – książę przechylił się przez burtę kogi. – Co ona mówi?

– Odmawia – powiedział Geralt. – Mówi, że nie chce.

– Tłumaczyłeś, że ją kocham? Że życia sobie bez niej nie wyobrażam? Że chcę się z nią ożenić? Że tylko ona, żadna inna?

– Tłumaczyłem.

– I co?

– I nic.

– To powtórz.

Wiedźmin dotknął warg palcami i wydobył z siebie rozedrgany trel. Z wysiłkiem dobierając słowa i melodykę, zaczął przekładać wyznania księcia.

Syrenka, kładąc się na wznak na wodzie, przerwała mu.

– Nie tłumacz, nie męcz się – zaśpiewała. – Zrozumiałam. Gdy mówi, że mnie kocha, zawsze ma taką głupią minę. Powiedział coś konkretnego?

– Nie bardzo.

– Szkoda – syrenka zatrzepotała w wodzie i dała nurka, wyginając silnie ogon, pieniąc morze wciętą płetwą przypominającą płetwę barweny.

– Co? Co ona powiedziała? – spytał książę.

– Że szkoda.

– Czego szkoda? Co to ma znaczyć, szkoda?

– Wydaje mi się, że to była odmowa.

– Mnie się nie odmawia! – wrzasnął książę, przecząc oczywistym faktom.

– Panie – mruknął kapitan kogi, podchodząc do nich. – Sieci mamy gotowe, wystarczy zarzucić i będzie wasza...

– Nie radziłbym – rzekł Geralt cicho. – Ona nie jest sama. Pod wodą jest ich więcej, a w głębi pod nami może być kraken.

Kapitan zatrząsł się, poblad i chwycił oburącz za tyłek, bezsensownym gestem.

– Kra... kraken?

– Kraken – potwierdził wiedźmin. – Nie radzę próbować żartów z sieciami. Wystarczy, że ona krzyknie, a z tej krypy zostaną pływające deski, a nas potopią jak kocięta. A zresztą, Agloval, zdecyduj się, chcesz się z nią żenić czy złapać w sieć i trzymać w beczce?

– Kocham ją – rzekł twardo Agloval. – Chcę ją za żonę. Ale do tego ona musi mieć nogi, a nie łuskowaty ogon. I to się da zrobić, bo za dwa funty pięknych pereł kupiłem magiczny eliksir, z pełną gwarancją. Wypije i wyrosną jej nóżki. Tylko trochę pocierpi, trzy dni, nie dłużej. Wołaj ją, wiedźminie, powiedz jej to jeszcze raz.

– Mówiłem już dwa razy. Powiedziała, że absolutnie nie, nie zgadza się. Ale dodała, że zna morską czarownicę, morszczynkę, która zaklęciem gotowa jest zmienić tobie nogi w elegancki ogon. Bezboleśnie.

– Zwariowała chyba! Ja mam mieć rybi ogon? Nigdy w życiu! Wołaj ją, Geralt!

Wiedźmin przechylił się mocno przez burtę. Woda w jej cieniu była zielona i wydawała się gęsta, jak galareta. Nie musiał wołać. Syrenka wyprysnęła nagle nad powierzchnię w fontannie wody. Przez moment wręcz stała na ogonie, potem spłynęła w fale, obróciła się na wznak, prezentując w całej okazałości to, co miała piękne. Geralt przełknął ślinę.

– Hej, wy! – zaśpiewała. – Długo jeszcze? Skóra mi pierzchnie od słońca! Białowłosy, zapytaj go, czy się zgadza.

– Nie zgadza się – odśpiewał wiedźmin. – Sh'eenaz, zrozum, on nie może mieć ogona, on nie może żyć pod wodą. Ty możesz oddychać powietrzem, on pod wodą absolutnie nie!

– Wiedziałam! – wrzasnęła cienko syrenka. – Wiedziałam! Wykręty, głupie, naiwne wykręty, ani za grosz poświęcenia! Kto kocha, ten się poświęca! Ja się dla niego poświęcałam, co dzień wyłaziłam dla niego na skały, łuskę sobie wytarłam na tyłku, płetwę postrzępiłam, przeziębiłam się dla niego! A on nie chce dla mnie poświęcić tych dwóch paskudnych kulasów? Miłość to nie tylko znaczy brać, trzeba też umieć rezygnować, poświęcać się! Powtórz mu to!

– Sh'eenaz! – zawołał Geralt. – Nie rozumiesz? On nie może żyć w wodzie!

– Nie akceptuję głupich wymówek! Ja też... Ja też go lubię i chcę mieć z nim narybek, ale jak, gdy on nie chce zostać mleczakiem? Gdzie ja mu ikrę mam złożyć, co? Do czapki?

– Co ona mówi? – krzyknął książę. – Geralt! Nie przywiozłem cię tutaj, byś z nią konwersował, ale...

– Upiera się przy swoim. Jest zła.

– Dawajcie te sieci! – ryknął Agloval. – Potrzymam ją z miesiąc w basenie, to...

– A takiego! – odkrzyknął kapitan, demonstrując na łokciu, jakiego. – Pod nami może być kraken! Widzieliście kiedy krakena, panie? Skaczcie se do wody, jeśli wasza wola, łapcie ją rękami! Ja się mieszał nie będę. Ja z tej kogi żyję!

– Żyjesz z mojej łaski, łajdaku! Sieci dawaj, bo każę cię powiesić!

– Całujcie psa w rzyć! Na tej kodze moja wola nad waszą!

– Bądźcie cicho, obaj! – krzyknął gniewnie Geralt. – Ona coś mówi, to trudny dialekt, muszę się skupić!

– Mam dość! – wrzasnęła śpiewnie Sh'eenaz. – Głodna jestem! No, białowłosy, niech on decyduje, niech decyduje natychmiast. Jedno mu powtórz: nie będę więcej narażać się na kpiny i zadawać się z nim, jeśli będzie wyglądał jak czterołapa rozgwiazda. Powtórz mu, że do igraszek, które on mi proponuje na skałach, to ja mam przyjaciółki, które robią to znacznie lepiej! Ale ja to uważam za niedojrzałą zabawę, dobrą dla dzieci przed zmianą łusek. Ja jestem normalną, zdrową syreną...

– Sh'eenaz...

– Nie przerywaj mi! Jeszcze nie skończyłam! Jestem zdrowa, normalna i dojrzała do tarła, a on, jeśli naprawdę mnie pragnie, ma mieć ogon, płetwę i wszystko jak normalny tryton. Inaczej nie chcę go znać!

Geralt tłumaczył szybko, starając się nie być wulgarny. Nie bardzo wyszło. Książę poczerwieniał, zaklął brzydko.

– Bezwstydna dziwka! – wrzasnął. – Zimna makrela! Niech sobie znajdzie dorsza!

– Co on powiedział? – zaciekawiła się Sh'eenaz, podpływając.

– Że nie chce mieć ogona!

– To powiedz mu... Powiedz mu, żeby się wysuszył!

– Co ona powiedziała?

– Powiedziała – przetłumaczył wiedźmin. – Żebyś się utopił.

II

– Ech, żal – powiedział Jaskier – że nie mogłem z wami popłynąć, ale co zrobić, na morzu rzygam tak, że szkoda gadać. A wiesz, w życiu nie rozmawiałem z syreną. Szkoda, psia mać.

– Jak cię znam – rzekł Geralt, trocząc juki – balladę napiszesz i tak.

– A pewnie. Już mam pierwsze zwrotki. W mojej balladzie syrenka poświęci się dla księcia, zmieni rybi ogon w piękne nóżki, ale okupi to utratą głosu. Książę zdradzi ją, porzuci, a wówczas ona zginie z żalu, zamieni się w morską pianę, gdy pierwsze promienie słońca...

– Kto uwierzy w takie bzdury?

– Nieważne – parsknął Jaskier. – Ballad nie pisze się

po to, by w nie wierzono. Pisze się je, aby się nimi wzruszano. Ale co ja będę z tobą gadał, guzik się na tym znasz. Powiedz lepiej, ile zapłacił ci Agloval?

– Nic mi nie zapłacił. Stwierdził, że nie wywiązałem się z zadania. Że oczekiwał czegoś innego, a on płaci za efekt, nie za dobre chęci.

Jaskier pokiwał głową, zdjął kapelusik i spojrzał na wiedźmina z żałosnym grymasem na ustach.

– Czy to znaczy, że nadal nie mamy pieniędzy?

– Na to wygląda.

Jaskier zrobił jeszcze żałośniejszą minę.

– To wszystko moja wina – jęknął. – To wszystko przeze mnie. Geralt, jesteś na mnie zły?

Nie, wiedźmin nie był zły na Jaskra. Wcale nie.

To, co ich spotkało, stało się z winy Jaskra, nie było żadnych wątpliwości. Nie kto inny, a Jaskier nalegał, by wybrali się na festyn do Czterech Klonów. Urządzanie festynów, wywodził poeta, zaspokajało głębokie i naturalne potrzeby ludzi. Od czasu do czasu, twierdził bard, człowiek musi spotkać się z innymi ludźmi w miejscu, gdzie można się pośmiać i pośpiewać, nażreć do woli szaszłyków i pierożków, napić piwa, posłuchać muzyki i pościskać w tańcu spocone wypukłości dziewcząt. Gdyby każdy człowiek chciał zaspokajać te potrzeby detalicznie, wywodził Jaskier, dorywczo i w sposób nie zorganizowany, powstałby nieopisany bałagan. Dlatego wymyślono święta i festyny. A skoro są święta i festyny, to należy bywać na nich.

Geralt nie spierał się, chociaż na liście jego własnych głębokich i naturalnych potrzeb uczestniczenie w festynach zajmowało bardzo dalekie miejsce. Zgodził się jednak towarzyszyć Jaskrowi, liczył bowiem, że w zgromadzeniu ludzi zdobędzie informacje o ewentualnym zadaniu lub zajęciu – od dawna nikt go nie wynajął i jego zapas gotówki skurczył się niebezpiecznie.

Wiedźmin nie miał do Jaskra żalu o zaczepienie Leśniczych. Sam również nie był bez winy – mógł wszakże interweniować i powstrzymać barda. Nie zrobił tego, sam nie cierpiał osławionych Strażników Puszczy, zwanych

Leśniczymi, ochotniczej formacji, zajmującej się zwalczaniem nieludzi. Sam zżymał się, słuchając ich przechwałek o naszpikowanych strzałami, zarżniętych lub powieszonych elfach, borowikach i dziwożonach. Jaskier zaś, który wędrując w towarzystwie wiedźmina nabrał przekonania o bezkarności, przeszedł samego siebie. Strażnicy początkowo nie reagowali na jego drwiny, zaczepki i plugawe sugestie, budzące huraganowy śmiech obserwujących zajście wieśniaków. Gdy jednak Jaskier odśpiewał ułożony naprędce świński i obelżywy kuplet, kończący się słowami: „Chcesz być niczym, bądź Leśniczym", doszło do awantury i srogiej, ogólnej bijatyki. Szopa, służąca za tancbudę, poszła z dymem. Interweniowała drużyna komesa Budiboga, zwanego Łyskiem, na którego włościach leżały Cztery Klony. Leśniczych, Jaskra i Geralta uznano za solidarnie winnych wszystkich szkód i przestępstw, wliczając w to również uwiedzenie pewnej rudej i małoletniej niemowy, którą po całym zajściu znaleziono w krzakach za gumnem rumianą i głupawo uśmiechniętą, z giezłem zadartym aż po pachy. Szczęściem, komes Łysek znał Jaskra, skończyło się więc na zapłaceniu grzywny, która jednak pochłonęła wszystkie pieniądze, jakie mieli. Musieli też uciekać z Czterech Klonów co sił w koniach, bo wypędzani ze wsi Leśniczy odgrażali się zemstą, a w okolicznych lasach cały ich oddział, liczący z górą czterdziestu chłopa, polował na rusałki. Geralt nie miał najmniejszej ochoty oberwać strzałą Leśniczych – strzały Leśniczych miały groty zębate jak harpuny i paskudnie kaleczyły.

Musieli tedy porzucić pierwotny plan, zakładający objazd przypuszczańskich wsi, gdzie wiedźmin miał jakie takie widoki na pracę. Zamiast tego pojechali nad morze, do Bremervoord. Niestety, oprócz rokującej mało szans na powodzenie afery miłosnej księcia Aglovala i syrenki Sh'eenaz, wiedźmin nie znalazł zajęcia. Przejedli już złoty sygnet Geralta i broszę z aleksandrytem, którą trubadur dostał kiedyś na pamiątkę od jednej ze swych licznych narzeczonych. Było chudo. Ale nie, wiedźmin nie był zły na Jaskra.

– Nie, Jaskier – powiedział. – Nie jestem na ciebie zły. Jaskier nie uwierzył, co jasno wynikało z faktu, że milczał. Jaskier rzadko milczał. Poklepał konia po szyi, po raz nie wiadomo który poszperał w jukach. Geralt wiedział, że nie znajdzie tam niczego, co można by spieniężyć. Zapach jadła, niesiony bryzą od pobliskiej gospody, stawał się nie do wytrzymania.

– Mistrzu? – krzyknął ktoś. – Hej, mistrzu!

– Słucham – Geralt odwrócił się. Z zatrzymanej obok dwukółki, zaprzężonej w parę onagrów, wygramolił się brzuchaty, postawny mężczyzna w filcowych butach i ciężkiej szubie z wilczych skór.

– Eee... tego – zakłopotał się brzuchaty, podchodząc. – Nie o was, panie, mi szło... Jeno o mistrza Jaskra...

– Jam jest – wyprostował się dumnie poeta, poprawiając kapelusik z czaplim piórkiem. – Czegóż to wam trzeba, dobry człowieku?

– Z całym szacunkiem – rzekł brzuchacz. – Jestem Teleri Drouhard, kupiec korzenny, starszy tutejszej Gildii. Syn mój, Gaspard, właśnie się był zaręczył z Dalią, córką Mestvina, kapitana kogi.

– Ha – powiedział Jaskier, zachowując wyniosłą powagę. – Gratuluję i winszuję szczęścia młodej parze. W czym jednak mogę być pomocny? Czyżby szło o prawo pierwszej nocy? Tego nigdy nie odmawiam.

– Hę? Nie... tego.. Znaczy się, uczta i biesiada zaręczynowa dziś wieczór będzie. Żona moja, jak się rozeszło, żeście wy, mistrzu, do Bremervoord zawitali, dziurę mi w brzuchu wiercić jęła... Jak to baba. Słysz, rzecze, Teleri, pokażem wszystkim, żeśmy nie chamy, jako oni, że za kulturą i sztuką stoimy. Że u nas jak uczta, to duchowa, a nie aby jeno ochlać się i porzygać. Ja jej, babie głupiej, mówię, wszakże już wynajęlim jednego barda, nie wystarczy? A ona, że jeden to mało, że ho-ho, mistrz Jaskier, to dopiero, sława taka, to ci będzie sąsiadom szpila w zadek. Mistrzu? Zróbcież nam ten zaszczyt... Dwadzieścia pięć talarów gotówem, jako symbol, ma się rozumieć... Jeno, by sztukę wspomóc...

– Czy mnie słuch myli? – spytał Jaskier przeciągle. –

Ja, ja mam być drugim bardem? Dodatkiem dla jakiegoś innego muzykanta? Ja? Jeszcze tak nisko nie upadłem, mości panie, żeby komuś akompaniować!

Drouhard poczerwieniał.

– Wybaczcie, mistrzu – wybełkotał. – Nie takem myślał... Jeno żona... Wybaczcie... Zróbcie zaszczyt...

– Jaskier – syknął z cicha Geralt. – Nie zadzieraj nosa. Potrzebne nam te parę groszy.

– Nie pouczaj mnie! – rozdarł się poeta. – Ja zadzieram nos? Ja? Patrzcie go! A co powiedzieć o tobie, który co drugi dzień odrzucasz intratne propozycje? Hirikki nie zabijesz, bo na wymarciu, wojsiłka nie, bo nieszkodliwy, nocnicy nie, bo milutka, smoka nie, bo kodeks zabrania. Ja, wystaw sobie, też się szanuję! Też mam swój kodeks!

– Jaskier, proszę cię, zrób to dla mnie. Trochę poświęcenia, chłopie, nic więcej. Obiecuję, że i ja nie będę wybrzydzał przy następnym zadaniu, jakie się trafi. No, Jaskier...

Trubadur patrzył w ziemię, podrapał się w podbródek pokryty jasnym, miękkim zarostem. Drouhard, rozdziawiwszy gębę, przysunął się bliżej.

– Mistrzu... Uczyńcie nam ten zaszczyt. Żona mi nie daruje, żem was nie uprosił. No... Niech będzie trzydzieści.

– Trzydzieści pięć – rzekł twardo Jaskier.

Geralt uśmiechnął się, z nadzieją wciągnął nosem zapach jadła niosący się od gospody.

– Zgoda, mistrzu, zgoda – rzekł szybko Teleri Drouhard, tak szybko, że oczywistym było, że dałby czterdzieści, gdyby było trzeba. – A nynie... Dom mój, jeśli wola wam ochędożyć się i odpocząć, waszym domem. I wy, panie... Jak wasze miano?

– Geralt z Rivii.

– I was, panie, ma się rozumieć, też zapraszam. Zjeść coś, wypić...

– I owszem, z przyjemnością – powiedział Jaskier. – Wskażcie drogę, miły panie Drouhard. A tak między nami, ten drugi bard, to kto?

– Szlachetna panna Essi Daven.

III

Geralt jeszcze raz przetarł rękawem srebrne ćwieki kurtki i klamrę pasa, przyczesał palcami spięte czystą opaską włosy i oczyścił buty, pocierając jedną cholewkę o drugą.

– Jaskier?

– Aha? – bard wygładził przypięte do kapelusika pióro egreta, poprawił i obciągnął na sobie kubrak. Obaj strawili pół dnia na oczyszczenie odzieży i doprowadzenie jej do jakiego takiego porządku. – Co, Geralt?

– Postaraj się zachowywać tak, aby wyrzucono nas po wieczerzy, a nie przed.

– Chyba żartujesz – żachnął się poeta. – Sam uważaj na maniery. Wchodzimy?

– Wchodzimy. Słyszysz? Ktoś śpiewa. Kobieta.

– Dopiero teraz usłyszałeś? To Essi Daven, zwana Oczko. Co, nigdy nie spotkałeś kobiety trubadura? Prawda, zapomniałem, ty omijasz miejsca, gdzie kwitnie sztuka. Oczko to zdolna poetka i śpiewaczka, cóż, nie pozbawiona wad, wśród których bezczelność, jak słyszę, nie jest najmniejszą. To, co właśnie śpiewa, to moja własna ballada. Usłyszy za to zaraz kilka słów, i to takich, że się jej oczko załzawi.

– Jaskier, zlituj się. Wyrzucą nas.

– Nie wtrącaj się. To sprawy zawodowe. Wchodzimy.

– Jaskier?

– Hę?

– Dlaczego Oczko?

– Zobaczysz.

Biesiada odbywała się w wielkim składzie, opróżnionym z beczek śledzi i tranu. Zapach – nie ze wszystkim – zabito, wieszając gdzie popadło pęki jemioły i wrzosu udekorowane kolorowymi wstążkami. Tu i ówdzie, jak kazał zwyczaj, wisiały też warkocze czosnku mające odstraszyć wampiry. Stoły i ławy, poprzysuwane do ścian, nakryto białym płótnem, w kącie zaimprowizowano wielkie palenisko i rożen. Było tłoczno, ale nie gwarno. Ponad pół setki ludzi najrozmaitszych stanów i profesji, a także pryszczaty narzeczony i zapatrzona w niego zadartonosa narzeczona, w skupieniu i ciszy przysłuchiwało się dźwięcznej i melodyjnej balladzie śpiewanej przez dziewczynę w skromnej niebieskiej sukience, siedzącą na podwyższeniu z lutnią opartą o kolano. Dziewczyna nie mogła mieć więcej niż osiemnaście lat i była bardzo szczupła. Jej włosy, długie i puszyste, miały kolor ciemnego złota. W momencie, gdy weszli, dziewczyna skończyła pieśń, podziękowała za gromki aplauz skinieniem głowy, potrząsnęła włosami.

– Witajcie, mistrzu, witajcie. – Drouhard, świątecznie odziany, podskoczył do nich żywo, pociągnął ku środkowi składu. – Witajcie i wy, panie Gerard... Zaszczyconym... Tak... Pozwólcie... Cne panie, cni panowie! Oto gość nasz zaszczytny, co zaszczyt nam zrobił i zaszczycił nas... Mistrz Jaskier, słynny śpiewak i wierszokle... poeta, znaczy, wielkim zaszczytem nas zaszczycił... Zaszczyceniśmy tedy...

Rozległy się okrzyki i oklaski, w samą porę, bo wyglądało, że Drouhard zaszczyci się i zająka na śmierć. Jaskier, pokraśniawszy z dumy, przybrał wyniosłą minę i ukłonił się niedbale, potem zaś pomachał ręką dziewczętom siedzącym na długiej ławie niczym kury na grzędzie, pod eskortą starszych matron. Dziewczęta siedziały sztywno, sprawiając wrażenie przyklejónych do ławy klejem stolarskim lub innym skutecznym lepiszczem. Wszystkie bez wyjątku trzymały ręce na kurczowo zwartych kolanach i miały półotwarte usta.

– A nynie – zawołał Drouhard – nuże, do piwa, kumotrzy, a do jadła! Prosim, prosim! Czym chata...

Dziewczyna w niebieskiej sukience przepchnęła się przez tłum, który jak morska fala runął na zastawione jadłem stoły.

– Witaj, Jaskier – powiedziała.

Określenie „oczy jak gwiazdy" Geralt uważał za banalne i ograne, zwłaszcza od czasu, gdy zaczął podróżować z Jaskrem, trubadur bowiem zwykł był ciskać tym komplementem na prawo i lewo, zwykle zresztą niezasłużenie. Jednak w odniesieniu do Essi Daven nawet ktoś równie mało podatny na poezję jak wiedźmin, musiał uznać trafność jej przydomka. W milutkiej i sympatycznej, ale niczym szczególnym nie wyróżniającej się twarzyczce płonęło bowiem ogromne, piękne, błyszczące, ciemnoniebieskie oko, od którego nie sposób było oderwać spojrzenia. Drugie oko Essi Daven było większą część czasu nakryte i zasłonięte złocistym lokiem, opadającym na policzek. Lok ów Essi co pewien czas odrzucała szarpnięciem głowy lub dmuchnięciem, a wówczas okazywało się, że drugie oczko Oczka w niczym nie ustępuje pierwszemu.

– Witaj, Oczko – powiedział Jaskier, wykrzywiając się.

– Ładną balladę śpiewałaś przed chwilą. Znacznie poprawiłaś repertuar. Zawsze twierdziłem, że jeśli się nie umie pisać wierszy, trzeba pożyczać cudze. Dużo ich pożyczyłaś?

– Kilka – odpaliła natychmiast Essi Daven i uśmiechnęła się, demonstrując białe ząbki. – Dwa lub trzy. Chciałam więcej, ale się nie dało. Okropny bełkot, a melodie, choć miłe i bezpretensjonalne w swej prostocie, żeby nie powiedzieć prymitywizmie, to nie to, czego oczekują moi słuchacze. Napisałeś może coś nowego, Jaskier? Jakoś nie słyszałam.

– Nie dziwota – westchnął bard. – Moje ballady śpiewam w miejscach, dokąd zaprasza się wyłącznie zdolnych i sławnych, a ty tam przecież nie bywasz.

Essi poczerwieniała lekko i odrzuciła lok dmuchnięciem.

– Fakt – powiedziała. – Nie bywam w zamtuzach, ich atmosfera działa na mnie przygnębiająco. Współczuję ci, że musisz śpiewać w takich miejscach. Ale cóż, tak to już jest. Jeśli się nie ma talentu, nie przebiera się w publiczności.

Teraz Jaskier zauważalnie poczerwieniał. Oczko natomiast zaśmiała się radośnie, zarzuciła mu nagle ręce na szyję i głośno pocałowała w policzek. Wiedźmin zdumiał się, ale nie bardzo. Koleżanka po fachu Jaskra nie mogła wszak wiele się od niego różnić pod względem obliczalności.

– Jaskier, ty stary dzwońcu – powiedziała Essi, wciąż obejmując barda za szyję. – Cieszę się, że cię znowu widzę, w dobrym zdrowiu i w pełni sił umysłowych.

– Ech, Pacynko – Jaskier chwycił dziewczynę w pasie,

uniósł i zakręcił dookoła siebie, aż zafurkotała sukienka.
– Byłaś wspaniała, na bogów, dawno już nie słyszałem
tak pięknych złośliwości. Kłócisz się jeszcze śliczniej niż
śpiewasz! A wyglądasz po prostu cudownie!

– Tyle razy cię prosiłam – Essi dmuchnęła w lok i rzuciła oczkiem na Geralta – żebyś nie nazywał mnie Pacynką, Jaskier. Poza tym, chyba najwyższy czas, byś przedstawił mi twego towarzysza. Jak widzę, nie należy do naszego bractwa.

– Uchowajcie, bogowie – zaśmiał się trubadur. – On,
Pacynko, nie ma ani głosu, ani słuchu, a zrymować potrafi wyłącznie „rzyć" i „pić". To przedstawiciel cechu wiedźminów, Geralt z Rivii. Zbliż się, Geralt, pocałuj Oczko
w rączkę.

Wiedźmin zbliżył się, nie bardzo wiedząc, co począć.
W rękę, względnie w pierścień, zwykło się całować wyłącznie damy od diuszesy wzwyż i należało wówczas przy-
klękać. W stosunku do niżej postawionych niewiast gest
taki uważany był tu, na Południu, za erotycznie niedwu-
znaczny i jako taki zarezerwowany raczej tylko dla bli-
skich sobie par.

Oczko rozwiała jednak jego wątpliwości, ochoczo i wysoko wyciągając dłoń z palcami skierowanymi w dół. Ujął
ją niezgrabnie i zamarkował pocałunek. Essi, wciąż wy-
trzeszczając na niego swoje piękne oko, zarumieniła się.

– Geralt z Rivii – powiedziała. – W nie byle jakim towarzystwie obracasz się, Jaskier.

– Zaszczyt dla mnie – zamamrotał wiedźmin świadom,
że dorównuje elokwencją Drouhardowi. – Pani...

– Do diabła – parsknął Jaskier. – Nie pesz Oczka tym
jąkaniem i tytułowaniem. Ona ma na imię Essi, jemu na
imię Geralt. Koniec prezentacji. Przejdźmy do rzeczy, Pacynko.

– Jeśli jeszcze raz nazwiesz mnie Pacynką, dostaniesz
w ucho. Co to za rzecz, do której mamy przejść?

– Trzeba ustalić, jak śpiewamy. Ja proponuję kolejno,
po kilka ballad. Dla efektu. Oczywiście, każde śpiewa
własne ballady.

– Może być.

– Ile płaci ci Drouhard?

– Nie twój interes. Kto zaczyna?

– Ty.

– Zgoda. Ech, spójrzcie no tam, kto do nas zawitał. Jego wysokość książę Agloval. Właśnie wchodzi, zobaczcie.

– He, he – ucieszył się Jaskier. – Publiczność zyskuje na jakości. Chociaż, z drugiej strony, nie ma co na niego liczyć. To skąpiec. Geralt może potwierdzić. Tutejszy książę cholernie nie lubi płacić. Wynajmuje, i owszem. Gorzej z płaceniem.

– Słyszałam to i owo. – Essi, patrząc na Geralta, odrzuciła lok z policzka. – Mówiono o tym w porcie i na przystani. Słynna Sh'eenaz, prawda?

Agloval krótkim skinieniem głowy odpowiedział na głębokie ukłony szpaleru przy drzwiach, prawie natychmiast podszedł do Drouharda i odciągnął go w kąt, dając znak, że nie oczekuje atencji i honorów w centrum sali. Geralt obserwował ich kątem oka. Rozmowa była cicha, ale widać było, że obaj są podnieceni. Drouhard co i rusz wycierał czoło rękawem, kręcił głową, drapał się w szyję. Zadawał pytania, na które książę, chmurny i ponury, odpowiadał wzruszeniem ramion.

– Książę pan – rzekła cicho Essi, przysuwając się do Geralta – wygląda na zaaferowanego. Czyżby znowu sprawy sercowe? Rozpoczęte dziś rano nieporozumienie ze słynną syrenką? Co, wiedźminie?

– Możliwe – Geralt spojrzał na poetkę z ukosa, zaskoczony jej pytaniem i dziwnie nim rozzłoszczony. – Cóż, każdy ma jakieś osobiste problemy. Nie wszyscy lubią jednak, by o tych problemach śpiewano na jarmarkach.

Oczko pobladła lekko, dmuchnęła w lok i spojrzała na niego wyzywająco.

– Mówiąc to, zamierzałeś mnie obrazić, czy tylko urazić?

– Ani jedno, ani drugie. Chciałem jedynie uprzedzić następne pytania odnośnie problemów Aglovala i syrenki. Pytania, do odpowiedzi na które nie czuję się upoważniony.

– Rozumiem – piękne oko Essi Daven zwęziło się lekko. – Nie postawię cię już przed podobnym dylematem. Nie zadam już żadnych pytań, które zamierzałam zadać, a które, jeśli mam być szczera, traktowałam wyłącznie jako wstęp i zaproszenie do miłej rozmowy. Cóż, nie będzie zatem tej rozmowy i nie musisz się bać, że jej treść będzie wyśpiewana na jakimś jarmarku. Było mi miło.

Odwróciła się szybko i odeszła w stronę stołów, gdzie natychmiast powitano ją z szacunkiem. Jaskier przestąpił z nogi na nogę i chrząknął znacząco.

– Nie powiem, żebyś był dla niej wyszukanie uprzejmy, Geralt.

– Głupio wyszło – zgodził się wiedźmin. – Rzeczywiście, uraziłem ją, całkiem bez powodu. Może pójść za nią i przeprosić?

– Daj pokój – rzekł bard i dodał sentencjonalnie. – Nigdy nie ma się drugiej okazji, żeby zrobić pierwsze wrażenie. Chodź, napijemy się lepiej piwa.

Nie zdążyli napić się piwa. Przez rozgadaną grupę mieszczan przepchnął się Drouhard.

– Panie Gerard – powiedział. – Pozwólcie. Jego wysokość chce z wami mówić.

– Już idę.

– Geralt – Jaskier chwycił go za rękaw. – Nie zapomnij.

– O czym?

– Obiecałeś przyjąć każde zadanie, bez wybrzydzania. Trzymam cię za słowo. Jak to ty powiedziałeś? Trochę poświęcenia?

– Dobra, Jaskier. Ale skąd wiesz, czy Agloval...

– Czuję pismo nosem. Pamiętaj, Geralt.

– Dobra, Jaskier.

Odeszli z Drouhardem w kąt sali, dalej od gości. Agloval siedział za niskim stołem. Towarzyszył mu kolorowo odziany, ogorzały mężczyzna z krótką, czarną brodą, którego Geralt wcześniej nie zauważył.

– Znowu się widzimy, wiedźminie – zaczął książę. – Chociaż jeszcze dzisiaj rano kląłem się, że nie chcę cię więcej oglądać. Ale drugiego wiedźmina nie mam pod ręką, ty musisz mi wystarczyć. Poznaj Zelesta, mojego komornika i włodarza od połowu pereł. Mów, Zelest.

– Dzisiaj rano – rzekł cicho ogorzały osobnik – umyślilim rozciągnąć połów poza zwykły teren. Jedna łódź poszła dalej ku zachodowi, za przylądek, w stronę Smoczych Kłów.

– Smocze Kły – wtrącił Agloval – to dwie duże wulkaniczne rafy na krańcu przylądka. Widać je z naszego wybrzeża.

– Ano – potwierdził Zelest. – Zwykle to nie żeglowało się tamój, bo to wiry tam, kamienie, nurkować niebezpiecznie. Ale na wybrzeżu pereł coraz to mniej. Tak, poszła tam jedna łódź. Siedem dusz załogi, dwóch żeglarzy i pięciu nurków, w tym jedna niewiasta. Kiedy nie powrócili o porze wieczornej, zaczęliśmy się niepokoić, chociaż morze było spokojne, jakby oliwą zlane. Wysłalim kilka bystrych skifów i wnet wykryliśmy łódź, dryfującą w morze. W łodzi nie było nikogo, ni żywej duszy. Kamień w wodę. Nie wiadomo, co się wydarzyło. Ale bitka tam musiała być, istna rzeź. Ślady były...

– Jakie? – wiedźmin zmrużył oczy.

– Ano, calutki pokład był zabryzgany krwią.

Drouhard syknął i obejrzał się niespokojnie. Zelest ściszył głos.

– Było, jak mówię – powtórzył, zaciskając szczęki. – Łódź była zabryzgana posoką wzdłuż i wszerz. Nie inaczej, jeno na pokładzie doszło do istnych jatek. Coś ubiło tych ludzi. Mówią, potwór morski. Ani chybi, potwór morski.

– Nie piraci? – spytał cicho Geralt. – Nie konkurencja perłowa? Wykluczacie możliwość zwykłej nożowej rozprawy?

– Wykluczamy – powiedział książę. – Nie ma tu żadnych piratów ani konkurencji. A nożowe rozprawy nie kończą się zniknięciem wszystkich, co do jednego. Nie, Geralt. Zelest ma rację. To morski potwór, nic innego. Słuchaj, nikt nie odważa się wypłynąć w morze, nawet na bliskie i spenetrowane łowiska. Na ludzi padł blady strach i port jest sparaliżowany. Nawet kogi i galery nie ruszają z przystani. Pojmujesz, wiedźminie?

– Pojmuję – kiwnął głową Geralt. – Kto mi pokaże to miejsce?

– Ha – Agloval położył dłoń na stole i zabębnił palcami. – To mi się podoba. To jest prawdziwie po wiedźmińsku. Od razu do rzeczy, bez zbędnego gadania. Tak, to lubię. Widzisz, Drouhard, mówiłem ci, dobry wiedźmin to głodny wiedźmin. Co, Geralt? Przecież gdyby nie twój muzykalny przyjaciel, to dzisiaj znowu poszedłbyś spać bez wieczerzy. Dobre mam informacje, prawda?

Drouhard opuścił głowę. Zelest gapił się tępo przed siebie.

– Kto mi pokaże to miejsce? – powtórzył Geralt, patrząc na Aglovala zimno.

– Zelest – rzekł książę, przestając się uśmiechać. – Zelest pokaże ci Smocze Kły i drogę do nich. Kiedy chcesz zabrać się do roboty?

– Pierwsza rzecz z rana. Bądźcie na przystani, panie Zelest.

– Dobrze, panie wiedźmin.

– Świetnie – książę zatarł ręce, znowu uśmiechnął się kpiąco. – Geralt, liczę, że pójdzie ci z tym potworem lepiej niż ze sprawą Sh'eenaz. Naprawdę na to liczę. Aha, jeszcze jedno. Zabraniam plotkować o tym wydarzeniu, nie życzę sobie większej paniki niż ta, którą już mam na karku. Pojmujesz, Drouhard? Język karzę wydrzeć, jeśli puścisz parę z gęby.

– Pojmuję, książę.

– Dobrze – Agloval wstał. – Idę tedy, nie przeszkadzam w zabawie, nie prowokuję plotek. Bywaj, Drouhard, życz narzeczonym szczęścia w moim imieniu.

– Dzięki, książę.

Essi Daven, siedząca na zydelku, otoczona gęstym wianuszkiem słuchaczy, śpiewała melodyjną i tęskną balladę, traktującą o pożałowania godnym losie zdradzonej kochanki. Jaskier, oparty o słup, mamrotał coś pod nosem, liczył na palcach takty i sylaby.

– No i jak? – spytał. – Masz robotę?

– Mam – wiedźmin nie wdał się w szczegóły, które zresztą nie obchodziły barda.

– Mówiłem ci, czuję nosem pismo i pieniądze. Dobrze, bardzo dobrze. Ja zarobię, ty zarobisz, będzie za co pohulać. Pojedziemy do Cidaris, zdążymy na święto winobrania. A teraz przepraszam cię na moment. Tam, na ławie, wypatrzyłem coś interesującego.

Geralt podążył za wzrokiem poety, ale oprócz kilkunastu dziewcząt o półotwartych ustach nie dostrzegł niczego interesującego. Jaskier obciągnął kubrak, przekrzywił kapelusik w kierunku prawego ucha i w lansadach posunął ku ławie. Wyminąwszy zręcznym flankowym manewrem strzegące panien matrony, rozpoczął swój zwykły rytuał szczerzenia zębów.

Essi Daven dokończyła balladę, dostała brawa, małą sakiewkę i duży bukiet ładnych, choć nieco przywiędłych chryzantem.

Wiedźmin krążył wśród gości, wypatrując okazji, by wreszcie zająć miejsce przy stole zastawionym jadłem. Tęsknie spoglądał na znikające w szybkim tempie marynowane śledzie, gołąbki z kapusty, gotowane łby dorszy i baranie kotlety, na rwane na sztuki pęta kiełbasy i kapłony, sieczone nożami wędzone łososie i wieprzowe szynki. Problem polegał na tym, że na ławach przy stole nie było wolnego miejsca.

Panienki i matrony, rozruszane nieco, obległy Jaskra, piskliwie domagając się występu. Jaskier uśmiechał się nieszczerze i wymawiał, nieudolnie udając skromność.

Geralt, pokonując zażenowanie, przemocą nieledwie dopchnął się do stołu. Podstarzały jegomość, ostro pachnący octem, usunął się zaskakująco uprzejmie i ochoczo, o mało nie zwalając z ławy kilku sąsiadów. Geralt bez zwłoki wziął się za jedzenie i w mig ogołocił jedyny półmisek, do którego mógł dosięgnąć. Pachnący octem jegomość podsunął mu następny. Wiedźmin z wdzięczności wysłuchał w skupieniu długiej tyrady jegomościa tyczącej się dzisiejszych czasów i dzisiejszej młodzieży. Jegomość z uporem określał swobodę obyczajową jako „rozwolnienie", Geralt miał więc niejakie trudności z zachowaniem powagi.

Essi stała pod ścianą, pod pękami jemioły, sama, strojąc lutnię. Wiedźmin widział, jak zbliża się do niej młodzieniec w brokatowym, wciętym kaftanie, jak mówi coś do poetki, uśmiechając się blado. Essi spojrzała na młodzieńca, lekko krzywiąc ładne usta, powiedziała szybko kilka słów. Młodzieniec skurczył się i odszedł spiesznie, a jego uszy, czerwone jak rubiny, gorzały w półmroku jeszcze długo.

– ... obrzydliwość, hańba i srom – ciągnął jegomość pachnący octem. – Jedno wielkie rozwolnienie, panie.

– Prawda – przytaknął niepewnie Geralt, wycierając talerz chlebem.

– Uprasza się ciszy, cne panie, cni waszmościowie – zawołał Drouhard, wychodząc na środek sali. – Słynny mistrz Jaskier, mimo iż nieco chory na ciele i znużony, zaśpiewa dla nas nynie słynną balladę o królowej Marienn i Czarnym Kruku! Uczyni to zaś na gorącą prośbę panny młynarzówny Veverki, której, jako rzekł, nie może odmówić.

Panna Veverka, jedna z mniej urodziwych dziewcząt na ławie, wypiękniała w mgnieniu oka. Wybuchła wrzawa i oklaski, zagłuszające kolejne rozwolnienie jegomościa pachnącego octem. Jaskier odczekał na zupełną ciszę, odegrał na lutni efektowny wstęp, po czym zaczął śpiewać, nie odrywając oczu od panny Veverki, która piękniała ze zwrotki na zwrotkę. Zaiste, pomyślał Geralt, ten sukinsyn działa skuteczniej niż czarodziejskie olejki i kremy, które sprzedaje Yennefer w swoim sklepiku w Vengerbergu.

Zobaczył, jak Essi przemyka za plecami stłoczonych w półkole słuchaczy Jaskra, jak ostrożnie znika w wyjściu na taras. Powodowany dziwnym impulsem wymknął się zręcznie zza stołu i wyszedł za nią.

Stała, pochylona, oparta łokciami o poręcz pomostu, wciągnęła głowę w drobne, uniesione ramiona. Patrzyła na zmarszczone morze, połyskujące od światła księżyca i płonących w porcie ogni. Pod stopą Geralta skrzypnęła deska. Essi wyprostowała się.

– Przepraszam, nie chciałem przeszkadzać – powiedział drętwo, szukając na jej ustach owego nagłego skrzywienia, którym przed chwilą poczęstowała brokatowego młodzieńca.

– Nie przeszkadzasz mi – odrzekła, uśmiechnęła się, odrzuciła lok. – Nie szukam tu samotności, lecz świeżego powietrza. Tobie też dokuczył dym i zaduch?

– Trochę. Ale bardziej dokucza mi świadomość, że cię uraziłem. Przyszedłem cię przeprosić, Essi, spróbować odzyskać szanse na miłą rozmowę.

– To tobie należą się przeprosiny – powiedziała, wpierając dłonie w balustradę. – Zareagowałam za ostro. Zawsze reaguję za ostro, nie umiem się opanować. Wybacz i daj mi drugą szansę. Na rozmowę.

Zbliżył się, oparł o poręcz tuż obok niej. Czuł bijące od niej ciepło, lekki zapach werbeny. Lubił zapach werbeny, chociaż zapach werbeny nie był zapachem bzu i agrestu.

– Z czym kojarzy ci się morze, Geralt? – spytała nagle.

– Z niepokojem – odpowiedział, prawie bez namysłu.

– Interesujące. A wydajesz się taki spokojny i opanowany.

– Nie powiedziałem, że odczuwam niepokój. Pytałaś o skojarzenia.

– Skojarzenia są obrazem duszy. Wiem coś o tym, jestem poetką.

– A tobie, Essi, z czym się kojarzy morze? – spytał szybko, by położyć kres dywagacjom o niepokoju, który odczuwał.

– Z wiecznym ruchem – odpowiedziała nie od razu. – Z odmianą. I z zagadką, z tajemnicą, z czymś, czego nie ogarniam, co mogłabym opisać na tysiąc sposobów, w tysiącu wierszy, nie docierając jednak do sedna, do istoty rzeczy. Tak, chyba z tym.

– A zatem – powiedział, czując, że werbena coraz mocniej działa na niego. – To, co odczuwasz, również jest niepokojem. A wydajesz się taka spokojna i opanowana.

Odwróciła się ku niemu, odrzuciła złoty lok, utkwiła w nim swoje piękne oczy.

– Nie jestem ani spokojna, ani opanowana.

To stało się nagle, zupełnie nieoczekiwanie. Gest, który wykonał, a który miał być jedynie dotknięciem, lekkim dotknięciem jej ramion, przerodził się w mocny uścisk obu dłoni na jej cieniutkiej talii, w szybkie, choć nie gwałtowne przyciąganie jej bliżej, aż do raptownego, burzącego krew zetknięcia się ciał. Essi stężała nagle, wyprężyła się, wygięła silnie korpus do tyłu, wparła dłonie w jego dłonie, mocno, jak gdyby chciała zerwać, zepchnąć jego ręce z talii, ale zamiast tego chwyciła je tylko silnie, przechyliła głowę do przodu, rozchyliła usta, zawahała się.

– Po co... Po co to? – szepnęła. Jej oko było szeroko rozwarte, złoty lok spłynął na policzek.

Spokojnie i powoli przechylił głowę, zbliżył twarz i nagle szybko zwarli usta w pocałunku. Essi jednak nawet wtedy nie puściła jego dłoni obejmujących jej talię i nadal mocno wyginała plecy, unikając kontaktu ciał. Trwając tak, obracali się powoli, jak w tańcu. Całowała go chętnie, z wprawą. I długo.

Potem zręcznie i bez wysiłku oswobodziła się od jego rąk, odwróciła, znowu oparła o balustradę, wciągnęła głowę w ramiona. Geralt poczuł się nagle przeraźliwie, nieopisanie głupio. Uczucie to powstrzymało go przed zbliżeniem się do niej, przed objęciem jej zgarbionych pleców.

– Dlaczego? – spytała chłodno, nie odwracając się. – Dlaczego to zrobiłeś?

Spojrzała na niego kątem oka i wiedźmin zrozumiał nagle, że się pomylił. Nagle wiedział, że fałsz, kłamstwo, udawanie i brawura powiodą go prosto na trzęsawisko, na którym między nim a otchłanią będą już tylko sprężynujące, zbite w cienki kożuch trawy i mchy, gotowe w każdej chwili ustąpić, pęknąć, zerwać się.

– Dlaczego? – powtórzyła.

Nie odpowiedział.

– Szukasz kobiety na tę noc?

Nie odpowiedział. Essi odwróciła się powoli, dotknęła jego ramienia.

– Wróćmy na salę – powiedziała swobodnie, ale nie zwiodła go ta swoboda, wyczuwał, jak bardzo jest spięta. – Nie rób takiej miny. Nic się nie stało. A to, że ja nie szukam mężczyzny na tę noc, to przecież nie twoja wina. Prawda?

– Essi...

– Wracajmy, Geralt. Jaskier bisował już trzy razy. Kolej na mnie. Chodź, zaśpiewam...

Spojrzała na niego dziwnie i dmuchnięciem odrzuciła lok z oka.

– Zaśpiewam dla ciebie.

IV

– Oho – wiedźmin udał zdziwienie. – Jesteś jednak? Myślałem, że nie wrócisz na noc.

Jaskier zamknął drzwi na skobel, powiesił na kołku lutnię i kapelusik z piórkiem egreta, zdjął kubrak, otrzepał go i ułożył na workach, leżących w kącie izdebki. Poza tymi workami, cebrem i ogromnym, wypchanym grochowinami siennikiem, w izdebce na stryszku nie było mebli – nawet świeca stała na podłodze, w zakrzepniętej kałużce wosku. Drouhard podziwiał Jaskra, ale widać nie na tyle, by oddać mu do dyspozycji komorę lub alkierz.

– A dlaczegóż to – spytał Jaskier, zdejmując buty – myślałeś, że nie wrócę na noc?

– Myślałem – wiedźmin uniósł się na łokciu, chrzęszcząc grochowinami – że pójdziesz śpiewać serenady pod oknem panny Veverki, w stronę której cały wieczór wywieszałeś ozór jak wyżeł na widok wyżlicy.

– Ha, ha – zaśmiał się bard. – Aleś ty prymitywnie głupi. Nic nie pojąłeś. Veverka? Za nic sobie mam Veverkę. Chciałem jeno wywołać ukłucie zazdrości u panny Akeretty, do której uderzę jutro. Posuń się.

Jaskier zwalił się na siennik i ściągnął z Geralta derkę. Geralt, czując dziwną złość, odwrócił głowę w stronę maleńkiego okienka, przez które, gdyby nie pracowite pająki, byłoby widać rozgwieżdżone niebo.

– Czegoś się tak nabzdyczył? – spytał poeta. – Przeszkadza ci, że się zalecam do dziewczyn? Od kiedy? Zostałeś może druidem i ślubowałeś czystość? A może...

– Przestań tokować. Jestem zmęczony. Nie zauważyłeś, że po raz pierwszy od dwóch tygodni mamy siennik i dach nad głową? Nie cieszy cię myśl, że nad ranem nie napada nam na nosy?

– Dla mnie – rozmarzył się Jaskier – siennik bez dziewczęcia nie jest siennikiem. Jest niepełnym szczęściem, a czymże jest niepełne szczęście?

Geralt jęknął głucho, jak zawsze, gdy Jaskra opadała nocna gadatliwość.

– Niepełne szczęście – ciągnął bard, zasłuchany we

własny głos – to jak... Jak przerwany pocałunek... Dlaczego zgrzytasz zębami, można wiedzieć?

– Jesteś potwornie nudny, Jaskier. Nic, tylko sienniki, dziewczyny, tyłki, cycki, niepełne szczęście i pocałunki, przerwane przez psy, którymi szczują cię rodzice narzeczonych. Cóż, widocznie inaczej nie możesz. Widocznie tylko swobodna frywolność, żeby nie powiedzieć bezkrytyczne porubstwo, pozwala wam układać ballady, pisać wiersze i śpiewać. To widocznie, zapisz to, ciemna strona talentu.

Powiedział za dużo i nie wyziębił dostatecznie głosu. A Jaskier rozszyfrował go z łatwością i bezbłędnie.

– Aha – rzekł spokojnie. – Essi Daven, zwana Oczko. Śliczne oczko Oczka zatrzymało się na wiedźminie i narobiło w wiedźminie zamieszania. Wiedźmin zachował się wobec Oczka jak żaczek wobec królewny. I zamiast winić siebie, wini ją i szuka w niej ciemnych stron.

– Bredzisz, Jaskier.

– Nie, mój drogi. Essi zrobiła na tobie wrażenie, nie ukryjesz tego. Nie widzę w tym zresztą niczego zdrożnego. Ale uważaj, nie popełnij błędu. Ona nie jest taka, jak myślisz. Jeżeli jej talent ma ciemne strony, to na pewno nie takie, jak sobie wyobrażasz.

– Domniemywam – rzekł wiedźmin, panując nad głosem – że znasz ją bardzo dobrze.

– Dosyć dobrze. Ale nie tak, jak myślisz. Nie tak.

– Dość oryginalne, jak na ciebie, przyznasz.

– Głupi jesteś – bard przeciągnął się, podłożył obie dłonie pod kark. – Znam Pacynkę prawie od dziecka. Jest dla mnie... no... Jak młodsza siostra. Powtarzam, nie popełnij wobec niej głupiego błędu. Wyrządziłbyś jej tym wielką przykrość, bo i ty zrobiłeś na niej wrażenie. Przyznaj się, masz na nią ochotę?

– Nawet gdyby, to w przeciwieństwie do ciebie nie zwykłem o tym dyskutować – rzekł Geralt ostro. – Ani układać o tym piosenek. Dziękuję ci za to, co o niej powiedziałeś, bo być może faktycznie uchroniłeś mnie przed głupim błędem. Ale na tym koniec. Temat uważam za wyczerpany.

Jaskier leżał przez chwilę nieruchomo i milczał, ale Geralt znał go zbyt dobrze.

– Wiem – powiedział wreszcie poeta. – Już wszystko wiem.

– Gówno wiesz, Jaskier.

– Wiesz, na czym polega twój problem? Tobie wydaje się, że jesteś inny. Ty obnosisz się z innością, z tym, co uważasz za nienormalność. Ty się z tą nienormalnością nachalnie narzucasz, nie rozumiejąc, że dla większości ludzi, którzy myślą trzeźwo, jesteś najnormalniejszy pod słońcem i oby wszyscy byli tacy normalni. Co z tego, że masz szybszą reakcję, pionowe źrenice w słońcu? Że widzisz po ciemku jak kot? Że rozumiesz się na czarach? Wielka mi rzecz. Ja, mój drogi, znałem kiedyś oberżystę, który potrafił przez dziesięć minut bez przerwy puszczać bąki, i to tak, że układały się w melodię psalmu „Witaj nam, witaj, poranna jutrzenko". Nie bacząc na niecodzienny bądź co bądź talent, był ów oberżysta najnormalniejszy wśród normalnych, miał żonę, dzieci i babkę dotkniętą paraliżem...

– Co to ma wspólnego z Essi Daven? Możesz wyjaśnić?

– Oczywiście. Bezpodstawnie wydało ci się, że Oczko zainteresowała się tobą z niezdrowej, wręcz perwersyjnej ciekawości, że patrzy na ciebie jak na raroga, dwugłowe cielę albo salamandrę w zwierzyńcu. I natychmiast nadąsałeś się, dałeś przy pierwszej okazji niegrzeczną, niezasłużoną reprymendę, oddałeś cios, którego ona nie zadała. Przecież byłem świadkiem. Świadkiem dalszego biegu wydarzeń już nie byłem, ale dostrzegłem waszą ucieczkę z sali i widziałem jej zaróżowione jagody, gdyście wrócili. Tak, Geralt. Ja cię tu ostrzegam przed błędem, a tyś go już popełnił. Chciałeś się na niej zemścić za niezdrową, w twoim mniemaniu, ciekawość. Postanowiłeś tę ciekawość wykorzystać.

– Powtarzam, bredzisz.

– Spróbowałeś – ciągnął bard, niewzruszony – czy aby nie da się pójść z nią na siano, czy nie będzie ciekawa, jak to jest kochać się z cudakiem, z odmieńcem-wiedźminem. Na szczęście, Essi okazała się mądrzejsza od ciebie i wspaniałomyślnie ulitowała się nad twoją głupotą, zrozumiawszy jej przyczynę. Wnoszę to z faktu, że nie wróciłeś z pomostu ze spuchniętą gębą.

– Skończyłeś?

– Skończyłem.

– No, to dobranoc.

– Wiem, dlaczego się wściekasz i zgrzytasz zębami.

– Pewnie. Ty wszystko wiesz.

– Wiem, kto cię tak wykoślawił, dzięki komu nie umiesz zrozumieć normalnej kobiety. Ależ zalazła ci za skórę ta twoja Yennefer, niech mnie licho, jeśli wiem, co ty w niej widzisz.

– Zostaw to, Jaskier.

– Naprawdę nie wolisz normalnej dziewczyny, takiej jak Essi? Co mają czarodziejki, czego Essi nie ma? Chyba wiek? Oczko może nie jest najmłodsza, ale ma tyle lat, na ile wygląda. A wiesz, do czego przyznała mi się kiedyś Yennefer po paru kielichach? Ha, ha... Powiedziała mi, że kiedy pierwszy raz robiła to z mężczyzną, to było dokładnie w rok po tym, jak wynaleziono dwuskibowy pług.

– Łżesz, Yennefer nie cierpi cię jak morowej zarazy i nigdy by ci się nie zwierzyła.

– Niech ci będzie, zełgałem, przyznaję się.

– Nie musisz. Znam cię.

– Zda ci się jeno, że mnie znasz. Nie zapominaj, jestem naturą skomplikowaną.

– Jaskier – westchnął wiedźmin, robiąc się naprawdę senny. – Jesteś cynik, świntuch, kurwiarz i kłamca. I nic, uwierz mi, nic nie ma w tym skomplikowanego. Dobranoc.

– Dobranoc, Geralt.

V

– Wcześnie wstajesz, Essi.

Poetka uśmiechnęła się, przytrzymując szarpane wiatrem włosy. Weszła ostrożnie na molo, omijając dziury i przegniłe deski.

– Nie mogłam przegapić możliwości obejrzenia wiedźmina przy pracy. Znowu będziesz mnie miał za ciekawską? Cóż, nie ukrywam, naprawdę jestem ciekawska. Jak ci idzie?

– Co jak mi idzie?

– Och, Geralt – powiedziała. – Nie doceniasz mojej ciekawości, mojego talentu do zbierania i interpretowania informacji. Wiem już wszystko o wypadku poławiaczy, znam szczegóły twojej umowy z Aglovalem. Wiem, że szukasz żeglarza, chętnego do wypłynięcia tam, w stronę Smoczych Kłów. Znalazłeś?

Patrzył na nią przez moment badawczo, potem nagle zdecydował się.

– Nie – odparł. – Nie znalazłem. Ani jednego.

– Boją się?

– Boją.

– Jak więc zamierzasz zrobić rekonesans, bez możliwości wypłynięcia w morze? Jak, nie mogąc wypłynąć, chcesz dobrać się do skóry potworowi, który zabił poławiaczy?

Wziął ją za rękę i sprowadził z pomostu. Poszli wolno skrajem morza, po kamienistej plaży, wzdłuż wyciągniętych na brzeg barkasów, wśród szpaleru sieci, rozwieszonych na palach, wśród poruszanych wiatrem kurtyn suszących się, rozpłatanych ryb. Geralt nieoczekiwanie stwierdził, że towarzystwo poetki wcale mu nie przeszkadza, że nie jest uciążliwe i natrętne. Poza tym, miał nadzieję, że spokojna i rzeczowa rozmowa zatrze skutki tamtego głupiego pocałunku na tarasie. Fakt, że Essi przyszła na molo, napełnił go nadzieją, że nie żywi urazy. Był rad.

– Dobrać się potworowi do skóry – mruknął, powtarzając jej słowa. – Żebym to ja wiedział, jak. Bardzo mało wiem o morskich straszydłach.

– Interesujące. Z tego, co mi wiadomo, w morzu potworów jest znacznie więcej, niż na lądzie, zarówno pod względem liczby, jak i ilości gatunków. Wydawałoby się więc, że morze powinno być niezłym polem do popisu dla wiedźminów.

– Nie jest.

– Dlaczego?

– Ekspansja ludzi na morze – odchrząknął, odwracając twarz – trwa od niedawna. Wiedźmini byli potrzebni dawniej, na lądzie, na pierwszym etapie kolonizacji. Nie nadajemy się do walki ze stworami bytującymi w morzu, choć faktycznie pełno w nim wszelkiego agresywnego plugastwa. Ale nasze wiedźmińskie zdolności nie wystarczają przeciw morskim potworom. Stwory te są dla nas albo za duże, albo zbyt dobrze opancerzone, albo zbyt pewne w swoim żywiole. Albo wszystko na raz.

– A potwór, który zabił poławiaczy? Nie domyślasz się, co to było?

– Może kraken?

– Nie. Kraken rozwaliłby łódź, a łódź była cała. I, jak mówią, pełniutka krwi – Oczko przełknęła ślinę i zauważalnie pobladła. – Nie sądź, że się wymądrzam. Wychowałam się nad morzem, widywałam to i owo.

– W takim razie, co to mogło być? Wielka kałamarnica? Mogła pościągać tych ludzi z pokładu...

– Nie byłoby krwi. To nie kałamarnica, Geralt, nie orka, nie smokożów, bo to coś nie rozbiło, nie wywróciło łodzi. To coś weszło na pokład i tam dokonało masakry. Może popełniasz błąd, szukając tego w morzu?

Wiedźmin zastanowił się.

– Zaczynam cię podziwiać, Essi – powiedział. Poetka zarumieniła się. – Masz rację. To mogło zaatakować z powietrza. To mógł być ornitodrakon, gryf, wyvern, latawiec albo widłogon. Może nawet rok...

– Przepraszam cię – powiedziała Essi. – Zobacz, kto tu idzie.

Brzegiem nadchodził Agloval, sam, w silnie zmoczonym ubraniu. Był zauważalnie zły, a na ich widok aż zaczerwienił się z wściekłości.

Essi dygnęła lekko, Geralt skłonił głowę, przykładając pięść do piersi. Agloval splunął.

– Siedziałem na skałach trzy godziny, prawie od świtu – warknął. – Nawet się nie pokazała. Trzy godziny, jak dureń, na skałach zalewanych przez fale.

– Przykro mi... – mruknął wiedźmin.

- Przykro ci? - wybuchnął książę. - Przykro? To twoja wina. Pokpiłeś sprawę. Zepsułeś wszystko.
- Co zepsułem? Ja tylko robiłem za tłumacza...
- Do diabła z taką robotą - przerwał gniewnie Agloval, odwracając się profilem. Profil miał iście królewski, godny bicia na monetach. - Zaiste, lepiej by było, gdybym cię nie wynajmował. Brzmi to paradoksalnie, ale dopóki nie mieliśmy tłumacza, tośmy się lepiej rozumieli, ja i Sh'eenaz, jeśli wiesz, co mam na myśli. A teraz... Czy wiesz, co gadają w miasteczku? Szepcą po kątach, że poławiacze zginęli, bo ja rozwścieczyłem syrenę. Że to jej zemsta.
- Bzdura - skomentował wiedźmin zimno.
- Skąd mam wiedzieć, że to bzdura? - zawarczał książę. - Albo to ja wiem, czegoś jej wtedy nagadał? Albo to ja wiem, do czego jest zdolna? Z jakimi potworami kuma się tam, w głębinie? Proszę bardzo, udowodnij mi, że to bzdura. Przynieś mi łeb potwora, który zabił poławiaczy. Weź się do roboty, zamiast bawić się we flirty na plaży...
- Do roboty? - zdenerwował się Geralt. - Jak? Mam wypłynąć w morze okrakiem na beczce? Twój Zelest groził żeglarzom torturami i szubienicą, mimo tego nikt nie chce. Sam Zelest też się nie kwapi. To jak...
- Co mnie obchodzi, jak? - wrzasnął Agloval, przerywając mu. - To twoja sprawa! Po co są wiedźmini, jak nie po to, aby porządni ludzie nie musieli się głowić, jak pozbywać się potworów? Wynająłem cię do tej roboty i żądam, żebyś ją wykonał. A jak nie, to wynoś się stąd, bo pognam cię bizunami aż do granic mojej dziedziny!
- Uspokójcie się, mości książę - rzekła Oczko, cicho, ale bladość i drżenie rąk zdradzały zdenerwowanie. - I nie groźcie, bardzo proszę, Geraltowi. Tak się składa, że Jaskier i ja mamy kilku przyjaciół. Król Ethain z Cidaris, że wymienię tylko jednego, bardzo lubi nas i nasze ballady. Król Ethain jest światłym władcą i zawsze mawia, że nasze ballady to nie tylko skoczna muzyka i rymy, ale że to sposób przekazywania informacji, że to kronika ludzkości. Pragniecie, mości książę, zapisać się w kronice ludzkości? Mogę to wam załatwić.

Agloval patrzył na nią przez chwilę zimnym, lekceważącym wzrokiem.

– Poławiacze, którzy zaginęli, mieli żony i dzieci –
rzekł wreszcie, znacznie ciszej i spokojniej. – Pozostali,
gdy głód zajrzy im do garnków, rychło wypłyną znowu.
Poławiacze pereł, gąbek, ostryg i homarów, rybacy, wszyscy. Teraz się boją, ale głód pokona strach. Wypłyną. Ale
czy wrócą? Co ty na to, Geralt? Panno Daven? Ciekawym
waszej ballady, która o tym opowie. Ballady o wiedźminie
stojącym bezczynnie na brzegu i patrzącym na zakrwawione pokłady łodzi, na płaczące dzieci.

Essi zbladła jeszcze bardziej, ale hardo podrzuciła głową, dmuchnęła w lok i już szykowała się do odpowiedzi,
ale Geralt szybko chwycił ją za rękę i ścisnął, uprzedzając
słowa.

– Wystarczy – powiedział. – W tej całej powodzi słów
jedno ma prawdziwe znaczenie. Wynająłeś mnie, Agloval.
Przyjąłem zadanie i wykonam je, jeśli jest wykonalne.

– Liczę na to – rzekł krótko książę. – Do widzenia, zatem. Pokłon, panno Daven.

Essi nie dygnęła, skinęła tylko głową. Agloval podciągnął mokre spodnie i odszedł w stronę portu, chwiejąc się
na kamieniach. Geralt teraz dopiero zauważył, że wciąż
trzyma poetkę za rękę, a poetka wcale nie próbuje jej
uwolnić. Puścił ją. Essi, powoli wracając do normalnych
kolorów, obróciła się twarzą ku niemu.

– Łatwo sprawić, byś podjął ryzyko – powiedziała. –
Wystarczy kilka słów o kobietach i dzieciach. A tyle się
mówi o tym, jacyście to podobno nieczuli, wy, wiedźmini.
Geralt, Agloval gwiżdże na kobiety, dzieci i starców. On
chce, by wznowiono połowy pereł, bo traci z każdym
dniem, gdy mu ich nie dostarczają. On cię z mańki zażywa głodnymi dziećmi, a ty natychmiast gotów jesteś ryzykować życiem...

– Essi – przerwał. – Jestem wiedźminem. To mój fach,
ryzykować życiem. Dzieci nic do tego nie mają.

– Nie zwiedziesz mnie.

– Skąd supozycja, że mam zamiar?

– A stąd, że gdybyś był aż takim zimnym profesjonałem, za jakiego chcesz uchodzić, próbowałbyś podbić cenę.
A ty słowem nie wspomniałeś o zapłacie. Ach, dobrze,
dość już o tym. Wracamy?

– Przejdźmy się jeszcze.

– Z chęcią. Geralt?

– Słucham.

– Mówiłam, wychowałam się nad morzem. Umiem sterować łodzią i...

– Wybij to sobie z głowy.

– Dlaczego?

– Wybij to sobie z głowy – powtórzył ostro.

– Mógłbyś – powiedziała – sformułować to grzeczniej.

– Mógłbym. Ale wzięłabyś to... diabli wiedzą, za co. A ja jestem nieczuły wiedźmin i zimny profesjonał. Ryzykuję własnym życiem. Cudzym nie.

Essi zamilkła. Wiedział, jak zacisnęła usta, jak szarpnęła głową. Poryw wiatru znowu rozburzył jej włosy, na moment zakrył twarz plątaniną złotych pasemek.

– Chciałam ci tylko pomóc – powiedziała.

– Wiem. Dziękuję.

– Geralt?

– Słucham.

– A jeśli w plotkach, o których mówił Agloval, jest sens? Wiesz przecież, syreny nie wszędzie i nie zawsze są przyjazne. Były wypadki...

– Nie wierzę.

– Morszczynki – ciągnęła Oczko, zamyślona. – Nereidy, trytony, morskie nimfy. Kto wie, do czego są zdolne. A Sh'eenaz... Miała powód...

– Nie wierzę – przerwał.

– Nie wierzysz, czy nie chcesz uwierzyć?

Nie odpowiedział.

– I ty chcesz uchodzić za zimnego profesjonała? – spytała z dziwnym uśmiechem. – Za kogoś, kto myśli ostrzem miecza? Chcesz, to powiem ci, jaki jesteś naprawdę.

– Wiem, jaki jestem naprawdę.

– Jesteś wrażliwy – powiedziała cicho. – W głębi duszy pełnej niepokoju. Nie zwiedzie mnie twoja kamienna twarz i zimny głos. Jesteś wrażliwy, właśnie twoja wrażliwość każe ci się teraz bać, że to, przeciwko czemu masz wystąpić z mieczem w ręku, może mieć swoje racje, może mieć nad tobą moralną przewagę...

– Nie, Essi – powiedział powoli. – Nie szukaj we mnie tematu do wzruszającej ballady, ballady o wiedźminie, rozdartym wewnętrznie. Może chciałbym, żeby tak było, ale nie jest. Moje dylematy moralne rozwiązują za mnie kodeks i wychowanie. Tresura.

– Nie mów tak – żachnęła się. – Nie rozumiem, dlaczego starasz się...

– Essi – przerwał jej znowu. – Nie chcę, byś nabrała o mnie fałszywych wyobrażeń. Nie jestem błędnym rycerzem.

– Zimnym i bezmyślnym zabójcą też nie jesteś.

– Nie – zgodził się spokojnie. – Nie jestem, chociaż są tacy, którzy myślą inaczej. Ale to nie moja wrażliwość i zalety charakteru stawiają mnie wyżej, lecz pyszna i arogancka duma przekonanego o swej wartości zawodowca. Profesjonała, któremu wpojono, że kodeks jego profesji i zimna rutyna jest słuszniejsza niż emocja, że strzeże przed popełnieniem błędu, który można popełnić, gdy się zaplącze w dylematach Dobra i Zła, Ładu i Chaosu. Nie, Essi. Nie ja jestem wrażliwy, ale ty. Wymaga zresztą tego twój zawód, prawda? To ty zaniepokoiłaś się na myśl, że sympatyczna z pozoru syrena, znieważona, zaatakowała poławiaczy pereł w akcie rozpaczliwej zemsty. Od razu szukasz dla syreny usprawiedliwienia, okoliczności łagodzących, wzdragasz się na myśl, że wiedźmin, opłacony przez księcia, zamorduje śliczną syrenę tylko za to, że ośmieliła się ulec emocjom. A wiedźmin, Essi, wolny jest od takich dylematów. I od emocji. Gdyby nawet okazało się, że to syrena, wiedźmin nie zabije syreny, bo kodeks mu zabrania. Kodeks rozwiązuje dylemat za wiedźmina.

Oczko spojrzała na niego, raptownie podrywając głowę.

– Każdy dylemat? – spytała szybko.

Wie o Yennefer, pomyślał. Wie o niej. Ech, Jaskier, ty cholerny plotkarzu...

Patrzyli na siebie.

Co kryje się w twoich modrych oczach, Essi? Ciekawość? Fascynacja innością? Jakie są ciemne strony twojego talentu, Oczko?

– Przepraszam – powiedziała. – Pytanie było głupie.

I naiwne. Sugerujące, że uwierzyłam w to, co mówiłeś. Wracajmy. Ten wiatr przenika do szpiku kości. Spójrz, jak bałwani się morze.

– Widzę. Wiesz, Essi, to ciekawe...

– Co jest ciekawe?

– Głowę bym dał, że głaz, na którym Agloval spotyka się z syreną, był bliżej brzegu i był większy. A teraz go nie widać.

– Przypływ – rzekła krótko Essi. – Wkrótce woda sięgnie aż tam, pod urwisko.

– Aż tam?

– Tak. Woda przybiera tu i opada potężnie, dobrze ponad dziesięć łokci, bo tu, w cieśninie i ujściu rzeki występują tak zwane echa pływowe, czy jak to tam nazywają żeglarze.

Geralt patrzył w stronę przylądka, na Smocze Kły, wgryzione w huczący, spieniony przybój.

– Essi – spytał. – A gdy zacznie się odpływ?

– To co?

– Jak daleko cofnie się morze?

– A co... Ach, rozumiem. Tak, masz rację. Cofnie się aż do linii szelfu.

– Linii czego?

– No, jakby półki, którą tworzy dno, płaskiej płycizny, urywającej się krawędzią na granicy głębiny.

– A Smocze Kły...

– Są dokładnie na krawędzi.

– I będą osiągalne suchą nogą. Ile miałbym czasu?

– Nie wiem – Oczko zmarszczyła się. – Trzeba by popytać miejscowych. Ale nie wydaje mi się, Geralt, żeby to był najlepszy pomysł. Spójrz, między lądem a Kłami są skały, cały brzeg pocięty jest zatokami i fiordami. Gdy zacznie się odpływ, porobią się tam wąwozy, kotły, wypełnione wodą. Nie wiem, czy...

Od strony morza, od ledwie widocznych skał dobiegł ich plusk. I głośny, śpiewny okrzyk.

– Białowłosy! – zawołała syrenka, z gracją przeskakująca po grzbiecie fali, młócąc wodę krótkimi, eleganckimi uderzeniami ogona.

– Sh'eenaz! – odkrzyknął, machając ręką.

Syrenka podpłynęła do skał, zawisła pionowo w spienionej, zielonej toni, oburącz odrzuciła włosy do tyłu, prezentując jednocześnie tors wraz z całym urokiem. Geralt rzucił okiem na Essi. Dziewczyna poczerwieniała lekko i z wyrazem żalu i zażenowania na twarzy popatrzyła przez moment na własne uroki, ledwo zaznaczające się pod sukienką.

– Gdzie jest ten mój? – zaśpiewała Sh'eenaz, podpływając bliżej. – Przecież miał tu być.

– Był. Czekał trzy godziny i poszedł.

– Poszedł? – zdziwiła się syrenka wysokim trelem. – Nie czekał? Nie wytrzymał marnych trzech godzin? Tak sądziłam. Ani trochę poświęcenia! Ani trochę! Wstrętny, wstrętny, wstrętny! A co ty tutaj robisz, białowłosy? Przyszedłeś pospacerować ze swoją ukochaną? Ładna z was para, tylko te nogi was szpecą.

– To nie jest moja ukochana. Ledwie się znamy.

– Tak? – zdziwiła się Sh'eenaz. – Szkoda. Pasujecie do siebie, ładnie razem wyglądacie. Kto to jest?

– Jestem Essi Daven, poetka – zaśpiewała Oczko z akcentem i melodyką, przy której głos wiedźmina brzmiał jak skrzeczenie wrony. – Miło cię poznać, Sh'eenaz.

Syrenka plasnęła dłońmi po wodzie, zaśmiała się dźwięcznie.

– Jak pięknie! – krzyknęła. – Znasz naszą mowę! Słowo daję, zaskakujecie mnie, wy, ludzie. Prawdziwie, wcale nie dzieli nas tak wiele, jak się twierdzi.

Wiedźmin był zaskoczony nie mniej niż syrenka, chociaż mógł przypuszczać, że wykształcona i oczytana Essi lepiej od niego zna Starszą Mowę, język elfów, którego śpiewnej wersji używały syreny, morszczynki i nereidy. Jasne też powinno być dla niego, że śpiewność i skomplikowana melodyka mowy syren, która dla niego była utrudnieniem, dla Oczka była ułatwieniem.

– Sh'eenaz! – zawołał. – Trochę nas jednak dzieli, a tym, co nas niekiedy dzieli, bywa przelana krew! Kto... Kto zabił poławiaczy pereł, tam przy dwóch skałach? Powiedz mi!

Syrenka dała nurka, burząc wodę. Za chwilę wyprysnęła znowu na powierzchnię, a jej ładna twarzyczka skurczyła się i ściągnęła w brzydkim grymasie.

– Nie ważcie się! – krzyknęła przenikliwie. – Nie ważcie się zbliżać do Schodów! To nie dla was! Nie zadzierajcie z nimi! To nie dla was!

– Co? Co nie jest dla nas?

– Nie dla was! – wrzasnęła Sh'eenaz, rzucając się na wznak na fale.

Bryzgi wody frunęły wysoko w górę. Jeszcze przez moment widzieli jej ogon, rozwidloną, wciętą płetwę, trzepoczącą po falach. Potem znikła w głębinie.

Oczko poprawiła włosy, rozburzone wichrem. Stała bez ruchu, schyliwszy głowę.

– Nie wiedziałem – Geralt odchrząknął – że tak dobrze znasz Starszą Mowę, Essi.

– Nie mogłeś wiedzieć – powiedziała z wyraźną goryczą w głosie. – Przecież... Przecież ty ledwie mnie znasz.

VI

– Geralt – powiedział Jaskier, rozglądając się i węsząc jak pies gończy. – Okropnie tu śmierdzi, nie uważasz?

– Czy ja wiem? – wiedźmin pociągnął nosem. – Bywałem w miejscach, gdzie śmierdziało gorzej. To tylko zapach morza.

Bard odwrócił głowę i splunął pomiędzy głazy. Woda bulgotała w skalnych rozpadlinach, pieniąc się i szumiąc, odsłaniając wymyte falami żwirowate wąwozy.

– Zobacz, jak to się ładnie osuszyło, Geralt. Gdzie się podziała ta woda? Jak to jest, cholera, z tymi odpływami i przypływami? Skąd one się biorą? Nie zastanawiałeś się nigdy?

– Nie. Miałem inne zmartwienia.

– Myślę – Jaskier zadygotał lekko – że tam w głębinie, na samym dnie tego cholernego oceanu siedzi sobie ogromniasty potwór, gruba, łuskowata poczwara, ropucha z rogami na paskudnym łbie. I co jakiś czas wciąga wodę do brzuszyska, a z wodą wszystko, co żyje i da się zjeść – ryby, foki, żółwie, wszystko. A potem, zeżarłszy zdobycz, wyrzyguje wodę i mamy przypływ. Co o tym myślisz?

– Myślę, żeś głupi. Yennefer mówiła mi kiedyś, że pływy powoduje księżyc.

Jaskier zarechotał.

– Co za cholerna brednia! Co ma księżyc do morza? Do księżyca tylko psi wyją. Nabrała cię, Geralt, ta twoja kłamczucha, zakpiła sobie z ciebie. Z tego, co wiem, nie po raz pierwszy.

Wiedźmin nie skomentował. Patrzył na lśniące od wilgoci głazy w wąwozach, odsłoniętych przez odpływ. Wciąż wybuchała w nich i pieniła się woda, ale wydawało się, że przejdą.

– No, to do dzieła – powiedział wstając i poprawił miecz na plecach. – Dłużej czekać nie możemy, bo nie zdążymy przed przypływem. Nadal nastajesz, żeby iść ze mną?

– Tak. Tematy do ballad to nie szyszki, nie znajduje się ich pod choinką. Poza tym Pacynka ma jutro urodziny.

– Nie widzę związku.

– A szkoda. Wśród nas, normalnych ludzi, panuje zwyczaj dawania sobie prezentów z okazji urodzin. Na kupienie jej czegokolwiek nie stać mnie. Znajdę coś dla niej na dnie morza.

– Śledzia? Mątwę?

– Głupiś. Znajdę bursztyn, może konika morskiego, może jakąś ładną konchę. Chodzi o symbol, o dowód pamięci i sympatii. Lubię Oczko, chcę jej sprawić radość. Nie rozumiesz? Tak myślałem. Ruszajmy. Ty przodem, bo tam może siedzieć jakiś potwór.

– Dobra – wiedźmin zsunął się z urwiska na oślizgłe, pokryte algami kamienie. – Idę przodem, żeby w razie czego osłonić cię. W dowód pamięci i sympatii. Tylko pamiętaj, gdy krzyknę, bierz nogi za pas i żebyś mi się nie plątał pod mieczem. Nie idziemy tam zbierać morskich koników. Idziemy rozprawić się z potworem, który morduje ludzi.

Ruszyli w dół, w rozpadliny odsłoniętego dna, miejscami brodząc w wodzie, wciąż kotłującej się w skalnych kominach. Taplali się w nieckach wysłanych piaskiem i morszczynem. Na domiar złego zaczęło padać, wkrótce więc byli mokrzy od góry do dołu. Jaskier co chwila przystawał, grzebał patykiem w żwirze i kłębach wodorostów.

– O, popatrz, Geralt, rybka. Cała czerwona, niech mnie diabli. A tu, o, mały węgorz. A to? Co to jest? Wygląda jak wielka przezroczysta pchła. A to... O matko! Geraaalt!

Wiedźmin odwrócił się gwałtownie, z ręką na mieczu.

To była ludzka czaszka, biała, wyślizgana o kamienie, wklinowana w skalną szczelinę, wypełniona piaskiem. I nie tylko. Jaskier, widząc wijącego się w oczodole wieloszczeta, zatrząsł się i wydał z siebie nieprzyjemny odgłos. Wiedźmin wzruszył ramionami, kierując się w stronę odsłoniętej przez fale kamienistej równiny, ku dwóm zębatym rafom, zwanym Smoczymi Kłami, teraz wyglądającymi jak góry. Szedł ostrożnie. Dno usiane było strzykwami, muszlami, kupami morszczynu. W kałużach i nieckach falowały wielkie meduzy i wirowały wężowidła. Małe kraby, kolorowe jak kolibry, uciekały przed nimi, stąpając bokiem, przebierając ruchliwymi odnóżami.

Geralt już z daleka dostrzegł trupa, ugrzęźniętego między kamieniami. Topielec ruszał widoczną spod wodorostów klatką piersiową, chociaż w zasadzie nie miał już czym ruszać. Roił się od krabów, na zewnątrz i wewnątrz. Nie mógł być w wodzie dłużej niż dobę, ale kraby obrały go tak, że oględziny nie miały sensu. Wiedźmin bez słowa zmienił kierunek marszu, obchodząc trupa łukiem. Jaskier niczego nie zauważył.

– Ależ tu cuchnie zgnilizną – zaklął, doganiając Geralta, splunął, strząsnął wodę z kapelusza. – I leje, i zimno jest. Zaziębię się, stracę głos, psiakrew...

– Nie marudź. Jeśli chcesz zawrócić, znasz drogę.

Zaraz za podstawą Smoczych Kłów rozciągała się płaska, skalna półka, a dalej była już głębia, spokojnie falujące morze. Granica odpływu.

– Ha, wiedźminie – Jaskier rozejrzał się. – Ten twój potwór miał, zdaje się, dość rozumu, by wycofać się na pełne morze razem z uchodzącą wodą. A ty pewnie myślałeś, że będzie leżał tu gdzieś, brzuchem do góry, i czekał, aż go zarąbiesz?

– Bądź cicho.

Wiedźmin zbliżył się do krawędzi półki, ukłęknął, ostrożnie oparł ręce o ostre muszle obrastające skałę. Nie widział nic, woda była ciemna, a powierzchnia zmącona, zmatowiona mżawką.

Jaskier penetrował zakamarki raf, kopniakami odrzucając od nóg co nachalniejsze kraby, oglądał i obmacywał ociekające wodą skały, brodate od obwisłych alg, upstrzone kostropatymi koloniami skorupiaków i małży.

– Ej, Geralt!

– Czego?

– Popatrz na te muszle. To są perłopławy, no nie?

– Nie.

– Znasz się na tym?

– Nie znam.

– To wstrzymaj się z opiniami do momentu, aż się zaczniesz znać. To są perłopławy, pewien jestem. Zaraz nazbieram pereł, będzie chociaż jakiś profit z tej wyprawy, nie sam jeno katar. Nazbierać, Geralt?

– Nazbieraj. Potwór atakuje poławiaczy. Zbieracze też podpadają pod tę kategorię.

– Mam być przynętą!?!

– Zbieraj, zbieraj. Bierz co większe muszle, jak nie będzie pereł, to ugotujemy na nich polewkę.

– Jeszcze czego. Będę brał same perły, a skorupy pies chędożył. Cholera... Gamratka jego mać... Jak to się... psiakrew... otwiera? Nie masz noża, Geralt?

– To ty nawet noża nie wziąłeś?

– Jestem poetą, a nie jakimś nożownikiem. A, szlag by to trafił, nazbieram tego do torby, a perły wyjmiemy później. Ach, ty! Poszedł won!

Kopnięty krab przeleciał nad głową Geralta, plusnął w fale. Wiedźmin szedł powoli wzdłuż krawędzi półki wpatrzony w czarną nieprzeniknioną wodę. Słyszał rytmiczne stukanie kamienia, którym Jaskier odkuwał małże od skały.

– Jaskier! Chodź tu, zobacz!

Poszarpana, spękana półka kończyła się nagle równą, ostrą krawędzią, opadała w dół prostym kątem. Pod powierzchnią wody widać było wyraźnie ogromne, kanciaste, regularne bloki białego marmuru, obrośnięte glonami, mięczakami i ukwiałami, falującymi w wodzie jak kwiaty na wietrze.

– Co to jest? Wygląda jak... Jak schody.

– Bo to są schody – szepnął Jaskier w podziwie. – Ooo, to są schody, które wiodą do podwodnego miasta. Do legendarnego Ys, które pochłonęły fale. Słyszałeś legendę o mieście otchłani, o Ys Pod Wodami? Ooo, napiszę o tym balladę, taką, że konkurencji oko zbieleje. Muszę to obejrzeć z bliska... Zobacz, tam jest jakaś mozaika, coś tam jest wyryte czy wykute.. Jakieś napisy? Odsuń się.

– Jaskier! Tam jest głębia! Zsuniesz się...

– Eee tam. I tak jestem mokry. Zobacz, tu jest płytko, po pas zaledwie, na tym pierwszym stopniu. I szeroko jak na sali balowej. O, psiakrew...

Geralt błyskawicznie wskoczył do wody i podtrzymał barda zapadniętego po szyję.

– Potknąłem się o to gówno. – Jaskier, łapiąc powietrze, otrząsnął się, unosząc oburącz ociekającego wodą, dużego, płaskiego małża o skorupie kobaltowej barwy, obrośniętej kudełkami glonów. – Pełno tego na tych schodach. Ładny ma kolor, nie uważasz? Daj, wsadzę go do twojej torby, moja już jest pełna.

– Wyłaź stąd – warknął wiedźmin rozeźlony. – Natychmiast wyłaź na półkę, Jaskier. To nie zabawa.

– Cicho. Słyszałeś? Co to było?

Geralt słyszał. Dźwięk dobiegł z dołu, spod wody. Głuchy i głęboki, choć jednocześnie nikły, cichy, krótki, urwany. Dźwięk dzwonu.

– Dzwon, niech mnie – szepnął Jaskier, gramoląc się na półkę. – Miałem rację, Geralt. To dzwon zatopionego Ys, dzwon grodu upiorów przytłumiony ciężarem głębiny. To potępieńcy przypominają nam...

– Zamkniesz się wreszcie?

Dźwięk powtórzył się. Znacznie bliżej.

– ...przypominają nam – ciągnął bard, wykręcając przemoczone poły kubraka – o swoim strasznym losie. Ten dzwon to przestroga...

Wiedźmin przestał zwracać uwagę na głos Jaskra i przestawił się na inne zmysły. Czuł. Czuł coś.

– To przestroga – Jaskier wysunął lekko język, co zwykł był czynić, gdy się skupiał. – Przestroga, albowiem... hmm... Byśmy nie zapomnieli... hmm... hmmm... Już mam!

Brzmi głucho serce dzwonu, śpiewa pieśń o śmierci
O śmierci, którą wszakże łatwiej znieść
[niźli niepamięć...

Woda tuż obok wiedźmina eksplodowała. Jaskier wrzasnął. Wyłaniający się z piany wyłupiastooki potwór zamierzył się na Geralta szerokim, zębatym, kosopodobnym ostrzem. Geralt miał miecz w ręku już w chwili, gdy woda zaczynała się wygarbiać, teraz więc tylko pewnie zakręcił się w biodrach i chlasnął potwora przez obwisłe, łuskowate podgardle. Natychmiast obrócił się w drugą stronę, gdzie burzył wodę następny, w dziwacznym hełmie, w czymś, co przypominało zbroję z zaśniedziałej miedzi. Wiedźmin szerokim zamachem miecza odbił ostrze godzącej w niego krótkiej włóczni i z impetem, jaki dało mu to odbicie, ciął przez rybiogadzi, zębaty pysk. Odskoczył w stronę krawędzi półki, rozbryzgując wodę.

– Uciekaj, Jaskier!
– Daj rękę!
– Uciekaj, do cholery!

Następny stwór wychynął z fal, świszcząc zakrzywioną szablą, trzymaną w zielonej, kostropatej łapie. Wiedźmin odbił się plecami od najeżonej muszlami krawędzi skały, wszedł w pozycję, ale rybiooki stwór nie zbliżał się. Wzrostem dorównywał Geraltowi, woda sięgała mu również do pasa, ale imponująco zjeżony grzebień na głowie i rozdęte skrzela sprawiały, że wydawał się większy. Grymas, krzywiący szeroką, uzbrojoną zębami paszczękę, do złudzenia przypominał okrutny uśmiech.

Stwór, nie zwracając uwagi na dwa drgające, unoszące się w czerwonej wodzie ciała, podniósł swoją szablę, trzymaną oburącz za długą, pozbawioną jelca rękojeść. Jeszcze mocniej strosząc grzebień i skrzela, zwinnie zakręcił klingą w powietrzu. Geralt słyszał, jak lekkie ostrze syczy i furkocze.

Stwór zrobił krok do przodu, posyłając w stronę wiedźmina falę. Geralt zamłynkował, zafurkotał mieczem w odpowiedzi. I też zrobił krok, przyjmując wyzwanie.

Rybiooki zręcznie obrócił długie palce na rękojeści i powoli opuścił opancerzone szylkretem i miedzią ramiona, zanurzył je aż po łokcie, kryjąc broń pod wodą. Wiedźmin ujął miecz oburącz – prawą dłonią tuż pod jelcem, lewą za głowicę, uniósł broń do góry i nieco w bok, powyżej prawego ramienia. Patrzył w oczy potwora, ale to były opalizujące oczy ryby, oczy o tęczówkach w kształcie kropli, połyskujących zimno i metalicznie. Oczy, które niczego nie wyrażały i nie zdradzały niczego. Niczego, co mogłoby uprzedzić o ataku.

Z głębiny, z dołu schodów, niknących w czarnej otchłani, dobiegały dźwięki dzwonu. Coraz bliższe, coraz wyraźniejsze.

Rybiooki runął do przodu, wyrywając klingę spod wody, zaatakował szybkim jak myśl, dolnobocznym cięciem. Geralt miał po prostu szczęście – założył, że cios będzie zadany od prawej. Sparował ostrzem skierowanym ku dołowi, silnie wykręcając korpus, natychmiast obrócił miecz, wiążąc go na płask z szablą potwora. Teraz wszystko zależało od tego, który z nich prędzej obróci palce na rękojeści, kto pierwszy przejdzie z płaskiego, statycznego zwarcia kling do ciosu, ciosu, którego siłę budowali już obaj, przenosząc ciężar ciała na właściwą nogę. Geralt wiedział już, że obaj są jednakowo szybcy.

Ale rybiooki miał dłuższe palce.

Wiedźmin ciął go w bok, powyżej biodra, wykręcił się w półobrót, rozchlastał, napierając na klingę, umknął bez trudu przed szerokim i bezładnym, rozpaczliwym i pozbawionym gracji uderzeniem. Potwór, bezgłośnie otwierając rybi pysk, zniknął pod wodą, w której tętniły ciemnoczerwone obłoki.

– Daj rękę! Prędko! – wrzasnął Jaskier. – Płyną, całą kupą! Widzę ich!

Wiedźmin chwycił prawicę barda i wyrwał się z wody na kamienną półkę. Za nim, szeroko, chlusnęła fala.

Zaczynał się przypływ.

Uciekali chyżo, ścigani przez przybierającą wodę. Geralt obejrzał się i zobaczył, jak z morza wypryskują kolejne, liczne rybostwory, jak rzucają się w pościg, skacząc zwinnie na muskularnych nogach. Bez słowa przyspieszył bieg.

Jaskier dyszał, biegł ciężko, rozpryskując wodę, już sięgającą kolan. Nagle potknął się, upadł, chlapnął pomiędzy morszczyny, wspierając się na rozdygotanych rękach. Geralt chwycił go za pas, wyrwał z piany gotującej się dookoła.

– Biegnij! – krzyknął. – Zatrzymam ich!
– Geralt...
– Biegnij, Jaskier! Zaraz woda wypełni rozpadlinę, a wtedy nie wydostaniemy się stąd! Pędź ile sił!

Jaskier jęknął i pobiegł. Wiedźmin biegł za nim, licząc, że potwory rozciągną się w pościgu. Wiedział, że w walce z całą grupą nie ma szans.

Dognali go przy samej rozpadlinie, bo woda była już na tyle głęboka, by mogli płynąć, podczas gdy on z trudem, nurzając się w pianie, drapał się w górę po oślizgłych kamieniach. W rozpadlinie było jednak zbyt ciasno, by mogli go opaść ze wszystkich stron. Zatrzymał się w niecce, w tej, w której Jaskier znalazł czaszkę.

Zatrzymał się, odwrócił. I uspokoił.

Pierwszego dosięgnął samym końcem miecza w miejsce, gdzie powinna być skroń. Drugiemu, uzbrojonemu w coś w rodzaju krótkiego berdysza, rozpłatał brzuch. Trzeci uciekł.

Wiedźmin rzucił się w górę wąwozu, ale w tym samym momencie wzbierająca fala zahuczała, wybuchnęła pianą, zakotłowała wirem w kominie, zerwała go z głazów i powlokła w dół, w kipiel. Zderzył się z trzepoczącym w wirze rybostworem, odrzucił go kopniakiem. Ktoś chwycił go za nogi i pociągnął w dół, na dno. Walnął plecami o skałę, otworzył oczy, w samą porę, by zobaczyć ciemne kształty tamtych, dwa szybkie błyski. Pierwszy błysk sparował mieczem, przed drugim odruchowo zasłonił się lewą ręką. Poczuł uderzenie, ból, a zaraz po tym ostre szczypnięcie soli. Odbił się nogami od dna, wyprysnął w górę, ku powierzchni, złożył palce, odpalił Znak. Eksplozja była głucha, dźgnęła uszy krótkim paroksyzmem bólu. Jeżeli wyjdę z tego, pomyślał, młócąc wodę rękami i nogami, jeżeli z tego wyjdę, pojadę do Yen do Vengerbergu, spróbuję jeszcze raz... Jeżeli z tego wyjdę...

Wydało mu się, że słyszy buczenie trąby. Lub rogu.

Fala, ponownie wybuchając w kominie, uniosła go do góry, wyrzuciła brzuchem na wielki głaz. Teraz słyszał wyraźnie buczenie rogu, wrzaski Jaskra, zdające się dobiegać ze wszystkich stron równocześnie. Wydmuchnął słoną wodę z nosa, rozejrzał się, odrzucając z twarzy mokre włosy.

Był na brzegu, tuż przy miejscu, z którego wyruszyli. Leżał brzuchem na kamieniach, dookoła białą pianą gotował się przybój.

Za nim, w wąwozie, teraz już będącym wąską zatoką, tańczył na falach wielki, szary delfin. Na jego grzbiecie, miotając mokrymi, seledynowymi włosami, siedziała syrenka. Miała piękne piersi.

— Białowłosy! — zaśpiewała, machając ręką, w której trzymała dużą, stożkowatą, spiralnie skręconą konchę. — Żyjesz?

— Żyję — zdziwił się wiedźmin. Piana wokół niego zrobiła się różowa. Lewe ramię sztywniało, szczypało od soli. Rękaw kurtki był rozcięty, równo i prosto, z rozcięcia buchała krew. Wyszedłem z tego, pomyślał, znowu się udało. Ale nie, nigdzie nie pojadę.

Zobaczył Jaskra, który biegł ku niemu, potykając się na mokrych otoczakach.

— Powstrzymałam ich! — zaśpiewała syrenka i znowu zadęła w konchę. — Ale nie na długo! Uciekaj i nie wracaj tu, białowłosy! Morze... Nie jest dla was!

— Wiem! — odkrzyknął — Wiem! Dziękuję, Sh'eenaz!

VII

— Jaskier — odezwała się Oczko, rozdzierając zębami koniec bandaża i motając supeł na nadgarstku Geralta. — Wyjaśnij mi, skąd wzięła się pod schodami kupa ślimaczych skorup? Żona Drouharda właśnie je sprząta i nie ukrywa przy tym, co o was obu sądzi.

– Skorupy? – zdziwił się Jaskier. – Jakie skorupy? Pojęcia nie mam. Może upuściły je przelatujące kaczki?

Geralt uśmiechnął się, obracając twarz w cień. Uśmiechnął się na wspomnienie bluźnierstw Jaskra, który spędził całe popołudnie na otwieraniu muszli i grzebaniu w oślizgłym mięsie, pokaleczył sobie palce i upaprał koszulę, ale nie znalazł ani jednej perły. I nie dziwota, albowiem prawdopodobnie nie były to żadne perłopławy, ale zwykłe skójki czy omułki. Pomysł, by na małżach gotować zupę, porzucili, gdy Jaskier otworzył pierwszą skorupę – mięczak wyglądał nieapetycznie i śmierdział tak, że aż łzy ciekły z oczu.

Oczko zakończyła bandażowanie i usiadła na odwróconym cebrze. Wiedźmin podziękował, oglądając zgrabnie opatrzoną rękę. Rana była głęboka i dość długa, obejmowała też łokieć, który wściekle bolał przy poruszeniach. Opatrzyli ją prowizorycznie jeszcze na brzegu morza, ale nim dotarli do domu, zaczęła krwawić ponownie. Tuż przed przyjściem dziewczyny Geralt wlał w rozsiecione przedramię eliksir koagulujący krew, poprawił eliksirem znieczulającym, a Essi nakryła ich w chwili, gdy próbowali z Jaskrem zszyć ranę za pomocą nitki uwiązanej do rybackiego haczyka. Oczko sklęła ich i sama wzięła się za opatrunek, a w tym czasie Jaskier uraczył ją barwną opowieścią o walce, zastrzegając sobie przy tym kilkakrotnie wyłączne prawa do ballady o całym wydarzeniu. Essi, rzecz jasna, zasypała Geralta lawiną pytań, na które nie umiał odpowiedzieć. Odebrała to źle, najwyraźniej odniosła wrażenie, że tai coś przed nią. Naburmuszyła się i zaprzestała indagacji.

– Agloval już wie – powiedziała. – Widziano was, powracających, a Drouhardowa, gdy zobaczyła krew na schodach, poleciała na plotki. Naród kopnął się ku skałom w nadziei, że fale coś wyrzucą, kręcą się tam do tej pory, ale, o ile wiem, niczego nie znaleźli.

– I nie znajdą – rzekł wiedźmin. – Do Aglovala wybiorę się jutro, ale uprzedź go, jeśli możesz, by zabronił ludziom kręcić się koło Smoczych Kłów. Tylko ani słowa, proszę, o tych schodach ani o Jaskrowych fantazjach o mieście Ys. Zaraz znaleźliby się poszukiwacze skarbów i sensacji i padłyby nowe trupy...

– Nie jestem plotkarką – Essi nadąsała się, gwałtownie odrzuciła lok z czoła. – Jeżeli cię o coś pytam, to nie po to, by natychmiast biec z tym pod studnię i rozpowiadać praczkom.

– Przepraszam.

– Muszę wyjść – zakomunikował nagle Jaskier. – Umówiłem się z Akerettą. Geralt, biorę twój kubrak, bo mój jest nieludzko uświniony i ciągle jeszcze mokry.

– Wszystko tu jest mokre – rzekła z przekąsem Oczko, z odrazą trącając czubkiem trzewiczka porozrzucane części odzieży. – Jak tak można? To trzeba rozwiesić, porządnie wysuszyć... Jesteście okropni.

– Samo wyschnie – Jaskier naciągnął wilgotną kurtkę wiedźmina i z lubością przyjrzał się srebrnym ćwiekom na rękawach.

– Nie pleć. A to, co to jest? No nie, ta torba ciągle jeszcze pełna jest szlamu i wodorostów! A to... Co to takiego? Pfuj!

Geralt i Jaskier w milczeniu przyglądali się kobaltowo niebieskiej skorupie trzymanej przez Essi dwoma palcami. Zapomnieli. Małż był lekko otwarty i wyraźnie cuchnął.

– To prezent – powiedział trubadur, wycofując się ku drzwiom. – Jutro są twoje urodziny, prawda, Pacynko? No, to to jest prezent dla ciebie.

– To?

– Ładna, prawda? – Jaskier poniuchał i dodał szybko. – To od Geralta. To on dla ciebie wybrał. Och, już późno. Bywajcie...

Po jego wyjściu Oczko milczała przez chwilę. Wiedźmin patrzył na śmierdzącego małża i wstydził się. Za Jaskra i za siebie.

– Pamiętałeś o moich urodzinach? – spytała wolno Essi, trzymając muszlę daleko od siebie. – Naprawdę?

– Daj mi to – rzekł ostro. Wstał z siennika, chroniąc zabandażowaną rękę. – Przepraszam cię za tego idiotę...

- Nie - zaprotestowała, wyciągając mały nożyk z pochwy przy pasku. - To rzeczywiście ładna muszelka, zachowam ją na pamiątkę. Trzeba ją tylko umyć, a przedtem pozbyć się... zawartości. Wyrzucę oknem, niech zjedzą koty.

Coś stuknęło o podłogę, potoczyło się. Geralt rozszerzył źrenice i zobaczył to coś znacznie wcześniej niż Essi.

To była perła. Pięknie opalizująca i połyskliwa perła bladobłękitnej barwy, wielka jak spęczniałe ziarnko grochu.

- Bogowie - Oczko dostrzegła ją również. - Geralt... Perła!

- Perła - zaśmiał się. - A więc jednak dostałaś prezent, Essi. Cieszę się.

- Geralt, ja nie mogę jej przyjąć. Ta perła warta jest...

- Jest twoja - przerwał jej. - Jaskier, chociaż zgrywa głupka, naprawdę pamiętał o twoich urodzinach. Naprawdę chciał sprawić ci radość. Mówił o tym, mówił głośno. Cóż, los usłyszał i spełnił, co należało.

- A ty, Geralt?

- Ja?

- Czy ty... Też chciałeś sprawić mi radość? Ta perła jest taka piękna... Musi być ogromnie wartościowa... Nie żałujesz?

- Cieszę się, że ci się podoba. A jeżeli żałuję, to tego, że była tylko jedna. I tego, że...

- Tak?

- Że nie znam cię tak długo jak Jaskier, tak długo, żeby móc wiedzieć i pamiętać o twoich urodzinach. Żeby móc dawać ci prezenty i sprawiać ci radość. Żeby móc... nazywać cię Pacynką.

Zbliżyła się i nagle zarzuciła mu ręce na szyję. Zręcznie i szybko uprzedził jej ruch, umknął przed jej ustami, pocałował chłodno w policzek, obejmując ją zdrową ręką, niezręcznie, z rezerwą, delikatnie. Czuł, jak dziewczyna sztywnieje i cofa się powoli, ale tylko na długość rąk, wciąż spoczywających na jego ramionach. Wiedział, na co czeka, ale nie zrobił tego. Nie przyciągnął jej do siebie.

Essi puściła go, odwróciła się w stronę uchylonego, brudnego okienka.

– Oczywiście – powiedziała nagle. – Ledwie mnie znasz. Zapomniałam, że ty ledwie mnie znasz...
– Essi – rzekł po chwili milczenia. – Ja...
– Ja też ledwie cię znam – wybuchnęła, przerywając mu. – I co z tego? Kocham cię. Nic na to nie mogę poradzić. Nic.
– Essi!
– Tak. Kocham cię, Geralt. Jest mi wszystko jedno, co pomyślisz. Kocham cię od momentu, w którym cię zobaczyłam, tam, na zaręczynowym przyjęciu...
Zamilkła, opuściła głowę.
Stała przed nim, a Geralt żałował, że to ona, a nie rybiooki z szablą ukrytą pod wodą. Z rybiookim miał szanse. Z nią nie.
– Nic nie mówisz – stwierdziła fakt. – Nic, ani słowa.
Jestem zmęczony, pomyślał, i cholernie słaby. Muszę usiąść, ćmi mi się w oczach, straciłem trochę krwi i nic nie jadłem... Muszę usiąść. Przeklęta izdebka, pomyślał, oby spłonęła w czasie najbliższej burzy, trafiona piorunem. Przeklęty brak mebli, dwóch głupich krzeseł i stołu, który dzieli, przez który tak łatwo i bezpiecznie się rozmawia, można nawet trzymać się za ręce. A ja muszę usiąść na sienniku, muszę poprosić ją, by usiadła przy mnie. A wypchany grochowinami siennik jest niebezpieczny, stamtąd nie można się niekiedy wywinąć, wykonać uniku...
– Usiądź przy mnie, Essi.
Usiadła. Z ociąganiem. Taktownie. Daleko. Za blisko.
– Kiedy się dowiedziałam – szepnęła, przerywając długie milczenie – gdy usłyszałam, że Jaskier przywlókł cię, pokrwawionego, wybiegłam z domu jak szalona, gnałam na oślep, na nic nie zwracając uwagi. I wtedy... Wiesz, o czym wtedy pomyślałam? Że to magia, że rzuciłeś na mnie urok, potajemnie, zdradziecko oczarowałeś mnie, zauroczyłeś Znakiem, twoim wilczym medalionem, złym okiem. Tak pomyślałam, ale nie zatrzymałam się, biegłam dalej, bo zrozumiałam, że pragnę... pragnę znaleźć się w twojej mocy. A rzeczywistość okazała się straszniejsza. Nie rzuciłeś na mnie uroku, nie użyłeś żadnych czarów. Dlaczego, Geralt? Dlaczego mnie nie zauroczyłeś?

Milczał.

– Gdyby to była magia – podjęła – wszystko byłoby takie proste i łatwe. Uległabym twojej mocy i byłabym szczęśliwa. A tak... Muszę... Nie wiem, co się ze mną dzieje...

Do diabła, pomyślał, jeśli Yennefer, gdy jest ze mną, czuje się jak ja teraz, to współczuję jej. I nigdy nie będę się już dziwił. Nigdy nie będę już nienawidził jej... Nigdy.

Bo może Yennefer czuje to, co ja teraz, czuje dogłębną pewność, że oto powinienem spełnić to, co jest niemożliwe do spełnienia, jeszcze bardziej niemożliwe do spełnienia niż związek Aglovala z Sh'eenaz. Pewność, że nie wystarczyłoby tu trochę poświęcenia, że trzeba by poświęcić wszystko, a i to nie wiadomo, czy wystarczyłoby. Nie, nie będę już nienawidził Yennefer za to, że nie może i nie chce dać mi więcej, niż trochę poświęcenia. Teraz wiem, że trochę poświęcenia to ogromnie dużo.

– Geralt – jęknęła Oczko, wciągając głowę w ramiona. – Tak bardzo mi wstyd. Wstydzę się tego, co czuję, tego, co jest jak jakaś przeklęta niemoc, jak zimnica, jak krótki oddech...

Milczał.

– Myślałam zawsze, że to piękny i wzniosły stan ducha, szlachetny i godny, nawet, jeżeli unieszczęśliwia. Przecież tyle ballad ułożyłam o czymś takim. A to jest organiczne, Geralt, podle i przejmująco organiczne. Tak może się czuć ktoś chory, ktoś, kto wypił truciznę. Bo tak, jak ktoś, kto wypił truciznę, jest się gotowym na wszystko w zamian za odtrutkę. Na wszystko. Nawet na poniżenie.

– Essi. Proszę cię...

– Tak. Czuję się poniżona, poniżona tym, że wszystko ci wyznałam, zapominając o godności, która każe cierpieć w milczeniu. Tym, że moim wyznaniem wprawiłam cię w zakłopotanie. Czuję się poniżona tym, że jesteś zakłopotany. Ale ja nie mogłam inaczej. Jestem bezsilna. Zdana na łaskę, jak ktoś złożony chorobą. Zawsze bałam się choroby, momentu, w którym będę słaba, bezsilna, bezradna i samotna. Zawsze bałam się choroby, zawsze wierzyłam, że choroba byłaby najgorszym, co mogłoby mnie spotkać...

Milczał.

– Wiem – jęknęła znowu. – Wiem, że powinnam być ci wdzięczna, że... że nie wykorzystujesz sytuacji. Ale nie jestem ci wdzięczna. I tego też się wstydzę. Bo ja nienawidzę tego twojego milczenia, tych twoich przerażonych oczu. Nienawidzę cię. Za to, że milczysz. Za to, że nie kłamiesz, że nie... I jej też nienawidzę, tej twojej czarodziejki, chętnie pchnęła bym ją nożem za to, że... Nienawidzę jej. Każ mi wyjść, Geralt. Rozkaż mi, bym stąd wyszła. Bo sama, z własnej woli, nie mogę, a chcę stąd wyjść, pójść do miasta, do oberży... Chcę zemścić się na tobie za mój wstyd, za poniżenie, chcę znaleźć pierwszego lepszego...

Psiakrew, pomyślał, słysząc, jak jej głos opada niby szmaciana piłeczka tocząca się po schodach. Rozpłacze się, pomyślał, nie ma dwóch zdań, rozpłacze się. Co robić, cholera, co robić?

Skurczone ramiona Essi zadrgały silnie. Dziewczyna odwróciła głowę i zaczęła płakać, cichym, przerażająco spokojnym, nie wstrzymywanym płaczem.

Niczego nie czuję, stwierdził ze zgrozą, niczego, najmniejszego wzruszenia. To, że teraz obejmę jej plecy, to gest rozmyślny, wyważony, nie spontaniczny. Obejmę ją, bo czuję, że tak trzeba, nie dlatego, że pragnę. Niczego nie czuję.

Gdy objął ją, natychmiast przestała płakać, otarła łzy, mocno potrząsając głową i odwracając się tak, by nie mógł widzieć jej twarzy. A potem przywarła do niego silnie, wciskając głowę w pierś.

Trochę poświęcenia, pomyślał, tylko trochę poświęcenia. To ją przecież uspokoi, uścisk, pocałunek, spokojne pieszczoty... Ona nie chce więcej. A nawet, gdyby chciała, to co? Trochę poświęcenia, bardzo mało poświęcenia, przecież jest piękna i warta... Gdyby chciała więcej... To ją uspokoi. Cichy, spokojny, delikatny akt miłosny. A ja... Mnie przecież jest wszystko jedno, bo Essi pachnie werbeną, nie bzem i agrestem, nie ma chłodnej, elektryzującej skóry, włosy Essi nie są czarnym tornadem lśniących loków, oczy Essi są piękne, miękkie, ciepłe i modre, nie płoną zimnym, beznamiętnym, głębokim fioletem. Essi

uśnie potem, odwróci głowę, otworzy lekko usta, Essi nie uśmiechnie się z tryumfem. Bo Essi...
Essi nie jest Yennefer.
I dlatego nie mogę. Nie mogę zdobyć się na te trochę poświęcenia.
– Proszę cię, Essi, nie płacz.
– Nie będę – odsunęła się od niego bardzo powoli. – Nie będę. Rozumiem. Nie może być inaczej.
Milczeli, siedząc obok siebie na wypchanym grochowinami sienniku. Zbliżał się wieczór.
– Geralt – powiedziała nagle, a głos jej drżał. – A może... Może byłoby tak... jak z tym małżem, z tym dziwnym prezentem? Może jednak odnaleźlibyśmy perłę? Później? Po jakimś czasie?
– Widzę tę perłę – powiedział z wysiłkiem. – Oprawioną w srebro, w srebrny kwiatuszek o misternych płatkach. Widzę ją na twojej szyi, na srebrnym łańcuszku, noszoną tak, jak ja noszę mój medalion. To będzie twój talizman, Essi. Talizman, który uchroni cię przed każdym złem.
– Mój talizman – powtórzyła, opuszczając głowę. – Moja perła, którą oprawię w srebro, z którą nigdy się nie rozstanę. Mój klejnot, który dostałam zamiast. Czy taki talizman może przynieść szczęście?
– Tak, Essi. Bądź pewna.
– Czy mogę posiedzieć tu jeszcze? Z tobą?
– Możesz.
Zbliżał się zmierzch i zapadał zmrok, a oni siedzieli na wypchanym grochowinami sienniku, w izdebce na stryszku, w której nie było mebli, w której był tylko ceber i nie zapalona świeczka na podłodze, w kałużce zastygłego wosku.
Siedzieli, w zupełnym milczeniu, w ciszy, bardzo długo. A potem przyszedł Jaskier. Słyszeli, jak nadchodzi, brzdąka na lutni i podśpiewuje. Jaskier wszedł, zobaczył ich i nie powiedział nic, ani jednego słowa. Essi, również milcząc, wstała i wyszła, nie patrząc na nich.
Jaskier nie powiedział ani słowa. Ale wiedźmin widział w jego oczach słowa, które nie padły.

VIII

– Rozumna rasa – powtórzył w zamyśleniu Agloval, opierając łokieć na poręczy krzesła, a podbródek na pięści. – Podwodna cywilizacja. Ryboludy żyjące na dnie morza. Schody, prowadzące w głębinę. Geralt, ty mnie masz za cholernie łatwowiernego księcia.

Oczko, stojąca obok Jaskra, prychnęła gniewnie. Jaskier z niedowierzaniem pokręcił głową. Geralt nie przejął się wcale.

– Jest mi obojętne – rzekł cicho – czy mi uwierzysz, czy nie. Moim obowiązkiem jest jednak uprzedzić cię. Łódź, która zbliży się do Smoczych Kłów, lub ludzie, którzy się tam pojawią w czasie odpływu, narażeni są na ryzyko. Śmiertelne ryzyko. Chcesz sprawdzić, czy to prawda, chcesz ryzykować, twoja sprawa. Ja po prostu uprzedzam.

– Ha – odezwał się nagle włodarz Zelest, siedzący za Aglovalem we wnęce okiennej. – Jeżeli to potwory jako elfy czy inne gobliny, to nie straszne nam one. Balim się, że to coś gorszego, a, strzeżcie bogowie, zaczarowanego. Z tego, co wiedźmin prawi, to takie jakby morskie topce czy inne pławuny. Są sposoby na topce. Obiło mi się o uszy, że jeden czarodziej w mig poradził sobie z topcami na jeziorze Mokva. Wlał w wodę baryłkę magicznego filtru i było po zasranych topcach. Śladu nie zostało.

– Prawda – odezwał się milczący dotąd Drouhard. – Śladu nie zostało. Również po leszczach, szczupakach, rakach i szczeżujach. Wygniła nawet moczarka na dnie i uschły olszyny na brzegach.

– Kapitalnie – rzekł drwiąco Agloval. – Dzięki za wspaniałą sugestię, Zelest. Masz ich może więcej?

– No, niby prawda – włodarz poczerwieniał silnie. – Magik przegiął różdżkę ociupinkę, krzynkę bardzo się rozmachał. Ale i bez magików możem sobie poradzić, książę. Powiada wiedźmin, że walczyć z onymi potworami można i ubić je też można. Tedy wojna, panie. Jak dawniej. Nie nowina nam, nie? Żyły w górach bobołaki, gdzie one teraz? Po lasach kołaczą się jeszcze dzikie elfy i dziwożony, ale i z tymi koniec będzie niebawem. Wywalczym co nasze. Jako dziadowie nasi...

– A perły zobaczą dopiero moje wnuki? – skrzywił się książę. – Za długo by czekać, Zelest.

– No, tak źle nie będzie. Widzi mi się... Rzeknę tak: z każdą łodzią poławiaczy dwie łodzie łuczników. Wnet nauczymy te potwory rozumu. Nauczymy ich strachu. Prawda, panie wiedźmin?

Geralt spojrzał na niego zimnym wzrokiem, nie odpowiedział.

Agloval odwrócił głowę, demonstrując swój szlachetny profil, zagryzł wargi. Potem spojrzał na wiedźmina, mrużąc oczy i marszcząc czoło.

– Nie wykonałeś zadania, Geralt – powiedział. – Pokpiłeś sprawę ponownie. Nie przeczę, wykazałeś dobre chęci. Ale ja za dobre chęci nie płacę. Płacę za rezultat. Za efekt. A efekt, wybacz określenie, jest gówniany. Tak tedy gówno zarobiłeś.

– Pięknie, mości książę – zakpił Jaskier. – Szkoda, że was z nami nie było tam, przy Smoczych Kłach. Dalibyśmy wam może z wiedźminem szansę spotkania z jednym z tamtych, z morza, z mieczem w ręku. Może wówczas zrozumielibyście, w czym rzecz, i przestali droczyć się o zapłatę...

– Jak przekupka – wtrąciła Oczko.

– Nie mam we zwyczaju droczyć się, targować ani dyskutować – powiedział Agloval spokojnie. – Rzekłem, nie zapłacę ci ani grosza, Geralt. Umowa brzmiała: wyeliminować niebezpieczeństwo, wyeliminować zagrożenie, umożliwić połów pereł bez ryzyka dla ludzi. A ty? Przychodzisz i opowiadasz mi o rozumnej rasie z dna morza. Radzisz, bym trzymał się z dala od miejsca, które przynosi mi dochód. Co zrobiłeś? Zabiłeś jakoby... Ilu?

– To bez znaczenia ilu – Geralt pobladł lekko. – Przynajmniej dla ciebie, Agloval.

– Właśnie. Tym bardziej, że dowodów brak. Gdybyś chociaż przyniósł prawe dłonie tych rybożab, kto wie, może wykosztowałbym się na zwyczajową stawkę, taką, jaką bierze mój gajowy od pary wilczych uszu.

– Cóż – rzekł wiedźmin chłodno. – Nie pozostaje mi nic innego, jak tylko się pożegnać.

– Mylisz się – powiedział książę. – Pozostaje ci coś jeszcze. Stała praca za całkiem przyzwoite pieniądze i utrzymanie. Stanowisko i patent kapitana mojej zbrojnej straży, która odtąd będzie towarzyszyła poławiaczom. Nie musi być na stałe, wystarczy do czasu, gdy owa jakoby rozumna rasa nabierze dość rozumu, by trzymać się z daleka od moich łodzi, by unikać ich jak ognia. Co ty na to?

– Dziękuję, nie skorzystam – wiedźmin wykrzywił się. – Nie odpowiada mi taka praca. Prowadzenie wojen z innymi rasami uważam za idiotyzm. Może to i świetna rozrywka dla znudzonych i zblazowanych książąt. Ale dla mnie nie.

– Och, jakże dumnie – uśmiechnął się Agloval. – Jakże wyniośle. Zaiste, odrzucasz propozycje w sposób, jakiego niejeden król by się nie powstydził. Rezygnujesz z niezłych pieniędzy z miną bogacza będącego po sutym obiedzie. Geralt? Jadłeś dzisiaj obiad? Nie? A jutro? A pojutrze? Małe widzę szanse, wiedźminie, bardzo małe. Nawet normalnie trudno o zarobek, a teraz, z ręką na temblaku...

– Jak śmiesz! – krzyknęła cienko Oczko. – Jak śmiesz mówić tak do niego, Agloval! Rękę, którą nosi na temblaku, rozrąbano mu podczas wykonywania twojego zlecenia! Jak możesz być tak podły...

– Przestań – powiedział Geralt. – Przestań, Essi. To nie ma sensu.

– Nieprawda – rzuciła gniewnie. – To ma sens. Ktoś musi mu wreszcie powiedzieć prawdę w oczy, temu księciu, który sam się mianował księciem, korzystając z faktu, że nikt nie konkurował z nim o tytuł do władania tym kawałkiem skalistego wybrzeża, a który teraz uważa, że wolno mu znieważać innych.

Agloval poczerwieniał i zacisnął usta, ale nie powiedział ani słowa, nie poruszył się.

– Tak, Agloval – ciągnęła Essi. – Bawi cię i cieszy możliwość znieważania innych, radujesz się pogardą, jaką możesz okazać wiedźminowi gotowemu nadstawić karku

za twoje pieniądze. Ale wiedz, że wiedźmin kpi sobie
z twojej pogardy i twoich zniewag, że nie robią one na
nim najmniejszego wrażenia, że nawet ich nie zauważa.
Nie, wiedźmin nie czuje nawet tego, co czują twoi słudzy
i poddani, Zelest i Drouhard, a oni czują wstyd, głęboki
i palący wstyd. Wiedźmin nie czuje tego, co my, ja i Jaskier, a my czujemy wstręt. Czy wiesz, Agloval, dlaczego
tak jest? Powiem ci to. Wiedźmin wie, że jest lepszy. Jest
więcej wart niż ty. I to daje mu siłę, którą ma.

Essi zamilkła, opuściła głowę, nie dość szybko, by Geralt nie zdążył zobaczyć łzy, która błysnęła w kąciku
pięknego oka. Dziewczyna dotknęła dłonią zawieszonego
na szyi kwiatuszka o srebrnych płatkach, kwiatuszka,
w środku którego tkwiła wielka, błękitna perła. Kwiatuszek miał misterne, plecione płatki, wykonany był po mi-
strzowsku. Drouhard, pomyślał wiedźmin, stanął na wysokości zadania. Polecony przez niego rzemieślnik wykonał dobrą robotę. I nie wziął od nich grosza. Drouhard zapłacił za wszystko.

– Dlatego, mości książę – podjęła Oczko, unosząc głowę – nie ośmieszaj się, proponując wiedźminowi rolę najemnika w armii, jaką chcesz wystawić przeciw oceanowi.
Nie narażaj się na śmieszność, bo twoja propozycja może
wywołać tylko śmiech. Jeszcze nie pojąłeś? Wiedźminowi
możesz zapłacić za wykonanie zadania, możesz go wyna-
jąć, by ochronił ludzi przed złem, by zapobiegł grożącemu
im niebezpieczeństwu. Ale wiedźmina nie możesz kupić,
nie możesz użyć go do własnych celów. Bo wiedźmin, nawet ranny i głodny, jest od ciebie lepszy. Więcej wart.
Dlatego kpi sobie z twojej nędznej oferty. Zrozumiałeś?

– Nie, panno Daven – powiedział zimno Agloval. – Nie
zrozumiałem. Wprost przeciwnie, rozumiem coraz mniej.
Podstawową zaś rzeczą, której zaiste nie rozumiem, jest
to, że jeszcze nie rozkazałem powiesić całej waszej trójki,
oćwiczywszy pierwej batogiem i przypiekłszy czerwonym
żelazem. Wy, panno Daven, usiłujecie sprawiać wrażenie
takiej, która wie wszystko. Powiedzcież mi tedy, czemu
tego nie robię.

– Proszę bardzo – wypaliła natychmiast poetka. – Nie

robisz tego, Agloval, bo gdzieś tam, głęboko, w środku, tli się w tobie iskierka przyzwoitości, resztka honoru, nie zduszona jeszcze pychą nuworysza i kupczyka. W środku, Agloval. Na dnie serca. Serca, które wszakże zdolne jest kochać syrenę.

Agloval pobladł jak płótno i zacisnął ręce na poręczach fotela. Brawo, pomyślał wiedźmin, brawo, Essi, wspaniale. Był z niej dumny. Ale jednocześnie czuł żal, potworny żal.

– Odejdźcie – powiedział Agloval cicho. – Idźcie sobie. Dokąd chcecie. Zostawcie mnie w spokoju.

– Żegnaj, książę – powiedziała Essi. – A na pożegnanie przyjmij dobrą radę. Radę, której powinien udzielić ci wiedźmin, ale nie chcę, by wiedźmin ci jej udzielał. By zniżał się do udzielania ci rad. Zrobię to za niego.

– Słucham.

– Ocean jest wielki, Agloval. Nikt jeszcze nie zbadał, co jest tam, za horyzontem, jeżeli w ogóle coś tam jest. Ocean jest większy niż jakakolwiek puszcza, w głąb której zepchnęliście elfów. Jest trudniej dostępny niż jakiekolwiek góry i wąwozy, w których masakrowaliście bobołaków. A tam, na dnie oceanu, mieszka rasa, używająca zbroi, znająca tajniki obróbki metali. Strzeż się, Agloval. Jeżeli z poławiaczami zaczną wypływać łucznicy, rozpoczniesz wojnę z czymś, czego nie znasz. To, co chcesz ruszyć, może okazać się gniazdem szerszeni. Radzę wam, zostawcie im morze, bo morze nie jest dla was. Nie wiecie i nigdy nie dowiecie się, dokąd prowadzą Schody, którymi idzie się w dół Smoczych Kłów.

– Jesteście w błędzie, panno Essi – rzekł spokojnie Agloval. – Dowiemy się, dokąd prowadzą te schody. Więcej, zejdziemy tymi schodami. Sprawdzimy, co jest po tamtej stronie oceanu, jeżeli w ogóle coś tam jest. I wyciągniemy z tego oceanu wszystko, co tylko da się wyciągnąć. A jeśli nie my, to zrobią to nasze wnuki albo wnuki naszych wnuków. To tylko kwestia czasu. Tak, zrobimy to, choćby ten ocean miał stać się czerwony od krwi. I ty o tym wiesz, Essi, mądra Essi, która piszesz kronikę ludzkości swoimi balladami. Życie to nie ballada, mała, bied-

na, pięknooka poetko zagubiona wśród swoich pięknych
słów. Życie to walka. A walki nauczyli nas właśnie owi
więcej od nas warci wiedźmini. To oni pokazali nam drogę, oni utorowali ją dla nas, oni zasłali ją trupami tych,
którzy stali nam, ludziom, na przeszkodzie i zawadzie,
trupami tych, którzy bronili przed nami tego świata. My,
Essi, tylko tę walkę kontynuujemy. To my, nie twoje ballady, tworzymy kronikę ludzkości. I niepotrzebni już są
nam wiedźmini, i tak już nic nas nie powstrzyma. Nic.

Essi, pobladła, dmuchnęła w lok i szarpnęła głową.

– Nic, Agloval?

– Nic, Essi.

Poetka uśmiechnęła się.

Z przedpokojów dobiegł ich nagle hałas, okrzyki, tupot.
Do sali wpadli paziowie i strażnicy, tuż przed drzwiami
uklękli lub zgięli się w ukłonach, tworząc szpaler.

W drzwiach stanęła Sh'eenaz.

Jej seledynowe włosy były kunsztownie utrefione, spięte wspaniałym diademem z korali i pereł. Była w sukni
koloru morskiej wody, z falbankami białymi jak piana.
Suknia była mocno wydekoltowana, tak że uroki syrenki,
choć częściowo ukryte i udekorowane naszyjnikiem z ne-
frytów i lapis lazuli, były nadal godne najwyższego za-
chwytu.

– Sh'eenaz... – jęknął Agloval, padając na kolana. –
Moja... Sh'eenaz...

Syrenka zbliżyła się wolno, a jej chód był miękki i pełen gracji, płynny jak nadbiegająca fala.

Zatrzymała się przed księciem, błysnęła w uśmiechu
drobnymi białymi ząbkami, potem zaś zebrała szybko
suknię w małe dłonie i uniosła ją, dość wysoko, na tyle
wysoko, by każdy mógł ocenić jakość pracy morskiej czarownicy, morszczynki. Geralt przełknął ślinę. Nie było
wątpliwości: morszczynka wiedziała, co to są ładne nogi
i jak się je robi.

– Ha! – zakrzyknął Jaskier. – Moja ballada... To zupełnie jak w mojej balladzie... Zyskała dla niego nóżki, ale
straciła głos!

– Niczego nie straciłam – powiedziała Sh'eenaz śpiewnie najczystszym wspólnym. – Na razie. Po tej operacji jestem jak nowa.

– Mówisz w naszym języku?

– A co, nie wolno? Jak się masz, białowłosy. O, i twoja ukochana tu jest, Essi Daven, jeśli pamiętam. Lepiej już ją znasz czy nadal ledwie ledwie?

– Sh'eenaz... – jęknął Agloval rozdzierająco, zbliżając się do niej na kolanach. – Moja miłości! Moja ukochana... jedyna... Więc jednak, nareszcie. Więc jednak, Sh'eenaz!

Syrenka wdzięcznym gestem podała mu rękę do ucałowania.

– A tak. Bo ja też cię kocham, głupku. A co to byłaby za miłość, gdyby kochającego nie było stać na trochę poświęcenia.

IX

Odjechali z Bremervoord wczesnym, chłodnym rankiem, wśród mgły odbierającej jaskrawość czerwonej kuli słońca wytaczającej się zza horyzontu. Odjechali we troje. Tak jak postanowili. Nie rozmawiali o tym, nie robili planów – chcieli po prostu być razem. Jakiś czas.

Opuścili kamienisty przylądek, pożegnali urwiste, poszarpane klify nad plażami, dziwaczne formacje wysieczonych przez fale i wichry wapiennych skał. Ale gdy zjechali w ukwieconą i zieloną dolinę Dol Adalatte, nadal mieli w nozdrzach zapach morza, a w uszach huk przyboju i przeraźliwe, dzikie wrzaski mew.

Jaskier gadał bezustannie, bez przerwy, przeskakiwał z tematu na temat i praktycznie żadnego nie kończył. Opowiadał o Kraju Barsa, gdzie głupi zwyczaj każe dziewczynom strzec cnoty aż do zamążpójścia, o żelaznych ptakach z wyspy Inis Porhoet, o żywej wodzie i martwej wodzie, o smaku i dziwnych właściwościach szafirowego wina, zwanego cill, o królewskich czworaczkach z Ebbing, okropnych, dokuczliwych bachorach, zwanych Putzi, Gritzi, Mitzi i Juan Pablo Vassermiller. Opowiadał o lansowanych przez konkurencję nowych kierunkach w muzyce i poezji, będących, zdaniem Jaskra, upiorami, symulującymi ruchy żywotne.

Geralt milczał. Essi też milczała lub odpowiadała pół-
słówkami. Wiedźmin czuł na sobie jej wzrok. Wzrok, którego unikał.

Przez rzekę Adalatte przeprawili się promem, przy
czym sami musieli ciągnąć liny, albowiem przewoźnik
znajdował się w stanie patetycznie zapijaczonej, trupio
białej, sztywno-rozdygotanej, zapatrzonej w otchłań bla-
dości, nie mógł puścić słupa u podsienia, którego trzymał
się oburącz, a na wszystkie pytania, jakie mu zadawali, odpowiadał jednym, jedynym słowem brzmiącym jak „wurg".

Kraj na drugim brzegu Adalatte spodobał się wiedźminowi – położone wzdłuż rzeki wsie były w większości otoczone ostrokołem, a to rokowało pewne szanse na znale-
zienie pracy.

Gdy poili konie, wczesnym popołudniem, Oczko podeszła do niego, korzystając z faktu, że Jaskier się oddalił.
Wiedźmin nie zdążył się oddalić. Zaskoczyła go.

– Geralt – powiedziała cichutko. – Ja już... nie mogę
tego znieść. To ponad moje siły.

Starał się uniknąć konieczności spojrzenia jej w oczy.
Nie pozwoliła na to. Stała przed nim, bawiąc się błękitną
perłą oprawioną w srebrny kwiatuszek zawieszony na
szyi. Stała tak, a on znowu żałował, że to nie rybiooki
z szablą ukrytą pod wodą.

– Geralt... Musimy coś z tym zrobić, prawda?

Czekała na jego odpowiedź. Na słowa. Na trochę poświęcenia. Ale wiedźmin nie miał niczego, co mógłby jej
poświęcić, wiedział o tym. Nie chciał kłamać. A na prawdę
nie było go stać, bo nie mógł zdobyć się na to, by zadać jej
ból.

Sytuację uratował Jaskier, niezawodny Jaskier, poja-
wiając się nagle. Jaskier ze swoim niezawodnym taktem.

– A pewnie, że tak! – wrzasnął i z rozmachem cisnął
do wody kijek, którym rozgarniał szuwary i ogromne,
nadrzeczne pokrzywy. – A pewnie, że musicie coś z tym
zrobić, najwyższy czas! Nie mam ochoty przyglądać się
dłużej temu, co dzieje się między wami! Czego ty od niego
oczekujesz, Pacynko? Niemożliwości? A ty, Geralt, na co
liczysz? Na to, że Oczko odczyta twoje myśli, tak jak...

Tak, jak tamta? I że się tym zadowoli, a ty wygodnie pomilczysz, nie musząc niczego wyjaśniać, niczego deklarować, niczego odmawiać? Nie musząc się odsłaniać? Ile czasu, ile faktów trzeba wam obojgu, aby zrozumieć? I kiedy chcecie się zrozumieć, za kilka lat, we wspomnieniach? Przecież jutro mamy się rozstać, do diabła! Och, dość mam, na bogów, obydwojga mam potąd, potąd, o! Dobrze, posłuchajcie, ja teraz wyłamię sobie leszczynę i pójdę na ryby, a wy będziecie mieli chwilę tylko dla siebie, będziecie mogli wszystko sobie powiedzieć. Powiedzcie sobie wszystko, postarajcie się zrozumieć wzajemnie. To nie jest takie trudne, jak się wam wydaje. A później, na bogów, zróbcie to. Zrób to z nim, Pacynko. Zrób to z nią, Geralt, i bądź dla niej dobry. A wtedy, cholera, albo wam przejdzie, albo...

Jaskier odwrócił się gwałtownie i odszedł, łamiąc trzciny i klnąc. Zrobił wędkę z leszczynowego pręta i końskiego włosia i łowił do zapadnięcia zmroku.

Gdy odszedł, Geralt i Essi stali długo, oparci o pokraczną wierzbę schyloną nad nurtem. Stali, trzymając się za ręce. Potem wiedźmin mówił, mówił cicho i długo, a oczko Oczka było pełne łez.

A potem, na bogów, zrobili to, ona i on.
I wszystko było dobrze.

X

Następnego dnia urządzili sobie coś w rodzaju uroczystej wieczerzy. W mijanej wsi Essi i Geralt kupili sprawione jagniątko. W czasie gdy się targowali, Jaskier cichcem wykradł czosnek, cebulę i marchew z warzywnika za chałupą. Odjeżdżając, świsnęli jeszcze kociołek z płotu za kuźnią. Kociołek był lekko dziurawy, ale wiedźmin zalutował go Znakiem Igni.

Wieczerza odbyła się na polanie, w głębi puszczy. Ogień trzaskał wesoło, kociołek bulgotał. Geralt mieszał w nim troskliwie koziołkiem sporządzonym z okorowanego czubka choinki. Jaskier obierał cebulę i skrobał marchew. Oczko, która pojęcia nie miała o gotowaniu, uprzyjemniała im czas, grając na lutni i śpiewając nieprzyzwoite kuplety.

To była uroczysta wieczerza. Bo rano mieli się rozstać, rano każde z nich miało ruszyć w swoją drogę, na poszukiwanie czegoś, co już przecież mieli. Ale nie wiedzieli, że to mają, nawet nie domyślali się tego. Nie domyślali się, dokąd zaprowadzą ich drogi, którymi mieli rano wyruszyć. Każde z osobna.

Gdy się objedli, opili sprezentowanym przez Drouharda piwem, poplotkowali i pośmiali, Jaskier i Essi urządzili zawody śpiewacze. Geralt, z dłońmi pod głową, leżał na legowisku ze świerkowych gałązek i myślał, że nigdy nie słyszał tak pięknych głosów i równie pięknych ballad. Myślał o Yennefer. Myślał też o Essi. Miał przeczucie, że...

Na zakończenie, Oczko odśpiewała wraz z Jaskrem słynny duet Cyntii i Vertverna, wspaniałą pieśń o miłości, zaczynającą się od słów: „Łzę niejedną już wylałam..." Geraltowi wydawało się, że nawet drzewa się schyliły, słuchając tych dwojga.

Potem Oczko, pachnąca werbeną, położyła się obok niego, wcisnęła mu się pod ramię, wwierciła głowę na pierś, westchnęła może ze dwa razy i spokojnie usnęła. Wiedźmin usnął dużo, dużo później.

Jaskier, wpatrzony w dogasające ognisko, siedział jeszcze długo, sam, cicho pobrzękując na lutni.

Zaczęło się od kilku taktów, z których złożyła się zgrabna, spokojna melodia. Wiersz, pasujący do melodii, powstawał jednocześnie z nią, słowa wtapiały się w muzykę, zostawały w niej niby owady w złotoprzezroczystych bryłkach bursztynu.

Ballada opowiadała o pewnym wiedźminie i o pewnej poetce. O tym, jak wiedźmin i poetka spotkali się na brzegu morza, wśród krzyku mew, jak pokochali się od pierwszego wejrzenia. O tym, jak piękną i silną była ich miłość. O tym, że nic, nawet śmierć, nie było w stanie zniszczyć tej miłości i rozdzielić ich.

Jaskier wiedział, że mało kto uwierzy w historię, którą opowiadała ballada, ale nie przejmował się tym. Wiedział, że ballad nie pisze się po to, by w nie wierzono, ale po to, by się nimi wzruszano.

Kilka lat później Jaskier mógł zmienić treść ballady, napisać o tym, co wydarzyło się naprawdę. Nie zrobił tego. Prawdziwa historia nie wzruszyłaby przecież nikogo. Któż chciałby słuchać o tym, że wiedźmin i Oczko rozstali się i nie zobaczyli już nigdy, ani razu? O tym, że cztery lata później Oczko umarła na ospę podczas szalejącej w Wyzimie epidemii? O tym, jak on, Jaskier, wyniósł ją na rękach spomiędzy palonych na stosach trupów i pochował daleko od miasta, w lesie, samotną i spokojną, a razem z nią, tak jak prosiła, dwie rzeczy – jej lutnię i jej błękitną perłę. Perłę, z którą nie rozstawała się nigdy.

Nie, Jaskier pozostał przy pierwszej wersji ballady. Ale i tak nie zaśpiewał jej nigdy. Nigdy. Nikomu.

Nad ranem, jeszcze w ciemnościach, do biwaku podkradł się głodny i wściekły wilkołak, ale zobaczył, że to Jaskier, więc posłuchał chwilę i poszedł sobie.

MIECZ PRZEZNACZENIA

I

Pierwszego trupa znalazł około południa.

Widok zabitych rzadko kiedy wstrząsał wiedźminem, znacznie częściej zdarzało mu się patrzeć na zwłoki zupełnie obojętnie. Tym razem nie był obojętny.

Chłopiec miał około piętnastu lat. Leżał na wznak, z szeroko rozrzuconymi nogami, na ustach zastygło mu coś niby grymas przerażenia. Pomimo tego Geralt wiedział, że chłopiec zginął natychmiast, nie cierpiał i prawdopodobnie nawet nie wiedział, że umiera. Strzała trafiła w oko, głęboko ugrzęzła w czaszce, w kości potylicy. Strzała była opierzona pręgowanymi, barwionymi na żółto lotkami kury bażanta. Brzechwa sterczała ponad mioty traw.

Geralt rozejrzał się, szybko i bez trudu znalazł to, czego szukał. Drugą strzałę, identyczną, utkwioną w pniu sosny, o jakieś sześć kroków z tyłu. Wiedział, co zaszło. Chłopiec nie zrozumiał ostrzeżenia, słysząc świst i stuk strzały przeraził się i zaczął biec w niewłaściwym kierunku. W stronę tej, która nakazała mu zatrzymać się i natychmiast wycofać. Syczący, jadowity i pierzasty świst, krótki stuk grotu wcinającego się w drewno. Ani kroku dalej, człowieku, mówi ten świst i ten stuk. Precz, człowieku, natychmiast wynoś się z Brokilonu. Zdobyłeś cały świat, człowieku, wszędzie cię pełno, wszędzie wnosisz ze sobą to, co nazywasz nowoczesnością, erą zmian, to, co nazywasz postępem. Ale my nie chcemy tutaj ani ciebie, ani twojego postępu. Nie życzymy sobie zmian, jakie przynosisz. Nie życzymy sobie niczego, co przynosisz. Świst i stuk. Precz z Brokilonu!

Precz z Brokilonu, pomyślał Geralt. Człowieku. Nieważne, czy masz piętnaście lat i przedzierasz się przez las oszalały ze strachu, nie mogąc odnaleźć drogi do domu. Nieważne, że masz lat siedemdziesiąt i musisz pójść po chrust, bo za nieprzydatność wygonią cię z chałupy, nie dadzą żreć. Nieważne, że masz lat sześć i przyciągnęły cię kwiatki niebieszczące się na zalanej słońcem polanie. Precz z Brokilonu! Świst i stuk.

Dawniej, pomyślał Geralt, zanim strzeliły, by zabić, ostrzegały dwa razy. Nawet trzy.

Dawniej, pomyślał, ruszając w dalszą drogę. Dawniej.

Cóż, postęp.

Las nie wydawał się zasługiwać na straszną sławę, jaką się cieszył. Prawda, był przerażająco dziki i uciążliwy do marszu, ale była to zwyczajna uciążliwość matecznika, w którym każdy prześwit, każda słoneczna plama przepuszczona przez konary i liściaste gałęzie wielkich drzew wykorzystywana była natychmiast przez dziesiątki młodych brzóz, olch i grabów, przez jeżyny, jałowce i paprocie pokrywające gęstwiną pędów chrupliwe grzęzawisko próchna, suchych gałęzi i zbutwiałych pni drzew najstarszych, tych, które przegrały w walce, tych, które dożyły swego żywota. Gęstwina nie milczała jednak złowieszczym, ciężkim milczeniem, które bardziej pasowałoby do tego miejsca. Nie, Brokilon żył. Bzyczały owady, szeleściły pod nogami jaszczurki, pomykały tęczowe żuki biegacze, targało lśniącymi od kropel pajęczynami tysiące pająków, dzięcioły roztętniały pnie ostrymi seriami stuków, wrzeszczały sójki.

Brokilon żył.

Ale wiedźmin nie dawał się zwieść. Wiedział, gdzie jest. Pamiętał o chłopcu ze strzałą w oku. Wśród mchu i igliwia widział niekiedy białe kości, po których biegały czerwone mrówki.

Szedł dalej, ostrożnie, ale szybko. Ślady były świeże. Liczył na to, że zdąży, że zdoła zatrzymać i zawrócić idących przed nim ludzi. Łudził się, że nie jest za późno.

Było.

Drugiego trupa nie zauważyłby, gdyby nie refleks słońca na klindze krótkiego miecza, który zabity ściskał w dłoni. Ten był dojrzałym mężczyzną. Prosty strój w użytkowo burym kolorze wskazywał na niskie pochodzenie. Strój – jeśli nie liczyć plam krwi otaczających dwie wbite w pierś strzały – był czysty i nowy, nie mógł to zatem być zwykły pachołek.

Geralt rozejrzał się i zobaczył trzeciego trupa, ubranego w skórzaną kurtkę i krótki, zielony płaszcz. Ziemia wokół nóg zabitego była poszarpana, mech i igliwie zryte aż do piachu. Nie było wątpliwości – ten człowiek umierał długo.

Usłyszał jęk.

Szybko rozgarnął jałowce, dostrzegł głęboki wykrot, który maskowały. W wykrocie, na odsłoniętych korzeniach sosny leżał mężczyzna potężnej budowy, o czarnych, kręconych włosach i takiejż brodzie, kontrastujących z przeraźliwą, wręcz trupią bladością twarzy. Jasny kaftan z jeleniej skóry był czerwony od krwi.

Wiedźmin wskoczył do wykrotu. Ranny otworzył oczy.

– Geralt... – jęknął. – O, bogowie... Ja chyba śnię...

– Freixenet? – zdumiał się wiedźmin. – Ty tutaj?

– Ja... Ooch...

– Nie ruszaj się – Geralt ukląkł obok. – Gdzie dostałeś? Nie widzę strzały...

– Przeszła... na wylot. Odłamałem grot i wyciągnąłem... Słuchaj, Geralt...

– Milcz, Freixenet, bo zachłyśniesz się krwią. Masz przebite płuco. Zaraza, muszę cię stąd wyciągnąć. Co wy, do diabła, robiliście w Brokilonie? To tereny driad, ich sanktuarium, stąd nikt żywy nie wychodzi. Nie wiedziałeś o tym?

– Później... – zajęczał Freixenet i splunął krwią. – Później ci opowiem... Teraz wyciągnij mnie... Och, zaraza! Ostrożniej... Oooch...

– Nie dam rady – Geralt wyprostował się, rozejrzał. – Za ciężki jesteś...

– Zostaw mnie – stęknął ranny. – Zostaw mnie, trudno... Ale ratuj ją... na bogów, ratuj ją...

– Kogo?

– Księżniczkę... Och... Znajdź ją, Geralt...

– Leż spokojnie, do diabła! Zaraz coś zmontuję i wy-
wlokę cię.

Freixenet zakasłał ciężko i znowu splunął, gęsta, ciąg-
nąca się nitka krwi zawisła mu na brodzie. Wiedźmin zaklął, wyskoczył z wykrotu, rozejrzał się. Potrzebował
dwóch młodych drzewek. Ruszył szybko w stronę skraju
polany, gdzie poprzednio widział kępy olszyn.

Świst i stuk.

Geralt zamarł w miejscu. Strzała, wbita w pień na wysokości jego głowy, miała na brzechwie pióra jastrzębia.
Spojrzał w kierunku wytyczonym przez jesionowy pręt,
wiedział, skąd strzelano. O jakieś pięćdziesiąt kroków był
kolejny wykrot, zwalone drzewo, stercząca w górę pląta-
nina korzeni, wciąż jeszcze ściskających w objęciu ogro-
mną bryłę piaszczystej ziemi. Gęstniała tam tarnina i ciemność pręgowata jaśniejszymi pasami brzozowych pni.
Nie widział nikogo. Wiedział, że nie zobaczy.

Uniósł obie ręce, bardzo powoli.

– Ceádmil! Vá an Eithné meáth e Duén Canell! Esseá
Gwynbleidd!

Tym razem usłyszał cichy szczęk cięciwy i zobaczył
strzałę, wystrzelono ją bowiem tak, by ją widział. Ostro w
górę. Patrzył, jak wzbija się, jak załamuje lot, jak spada
po krzywej. Nie poruszył się. Strzała wbiła się w mech
prawie pionowo, o dwa kroki od niego. Prawie natychmiast utkwiła obok niej druga, pod identycznym kątem.
Bał się, że następnej może już nie zobaczyć.

– Meáth Eithné! – zawołał ponownie. – Esseá Gwynbleidd!

– Gláeddyv vort! – głos, niby powiew wiatru. Głos, nie
strzała. Żył. Powoli rozpiął klamrę pasa, wyciągnął miecz
daleko od siebie, odrzucił. Druga driada bezszelestnie
wyłoniła się zza otulonego jałowcami pnia jodły, nie więcej niż dziesięć kroków od niego. Chociaż była mała i bardzo szczupła, pień wydawał się cieńszy. Nie miał pojęcia,
jak mógł nie zauważyć jej, gdy podchodził. Być może ma-
skował ją strój – nie szpecąca zgrabnego ciała kombinacja

zszytych dziwacznie kawałków tkaniny w mnóstwie odcieni zieleni i brązu, usiana liśćmi i kawałkami kory. Jej włosy, przewiązane na czole czarną chustką, miały kolor oliwkowy, a twarz była poprzecinana pasami wymalowanymi łupiną orzecha.

Rzecz jasna, łuk miała napięty i mierzyła w niego.

– Eithné... – zaczął.

– Tháess aep!

Zamilkł posłusznie, stojąc bez ruchu, trzymając ręce z dala od tułowia. Driada nie opuściła łuku.

– Dunca! – krzyknęła. – Braenn! Caemm vort!

Ta, która strzelała poprzednio, wyprysnęła z tarniny, przesmyknęła po zwalonym pniu, zręcznie przeskakując wykrot. Chociaż leżała tam sterta suchych gałęzi, nie słyszał, by choć jedna trzasnęła pod jej stopami. Za sobą, blisko, usłyszał leciutki szmer, coś niby szelest liści na wietrze. Wiedział, że trzecią ma za plecami.

Właśnie ta trzecia, wysuwając się błyskawicznie z boku, podniosła jego miecz. Ta miała włosy w kolorze miodu, ściągnięte opaską z sitowia. Kołczan pełen strzał kołysał się na jej plecach.

Tamta najdalsza, z wykrotu, zbliżyła się szybko. Jej strój nie różnił się niczym od ubioru towarzyszek. Na matowych, ceglastorudych włosach nosiła wianek spleciony z koniczyny i wrzosu. Trzymała łuk, nie napięty, ale strzała była na cięciwie.

– T'en thesse in meáth aep Eithné llev? – spytała, podchodząc blisko. Głos miała niezwykle melodyjny, oczy ogromne i czarne. – Ess' Gwynbleidd?

– Aé... aesseá... – zaczął, ale słowa brokilońskiego dialektu, brzmiące jak śpiew w ustach driady, jemu więzły w gardle i drażniły wargi. – Żadna z was nie mówi wspólnym? Niezbyt dobrze znam...

– An' váill. Vort llinge – ucięła.

– Jestem Gwynbleidd, Biały Wilk. Pani Eithné mnie zna. Idę do niej z poselstwem. Bywałem już w Brokilonie. W Dúen Canell.

– Gwynbleidd – ceglasta zmrużyła oczy. – Vatt'ghern?

– Tak – potwierdził. – Wiedźmin.

Oliwkowa parsknęła gniewnie, ale opuściła łuk. Ceglasta patrzyła na niego szeroko rozwartymi oczami, a jej
poznaczona zielonymi pręgami twarz była zupełnie nieruchoma, martwa, jak twarz posągu. Nieruchomość ta nie
pozwalała sklasyfikować tej twarzy jako ładną czy brzyd-
ką – zamiast takiej klasyfikacji nasuwała się myśl o obo-
jętności i bezduszności, jeśli nie okrucieństwie. Geralt
w myślach zrobił sobie wyrzut z tej oceny, łapiąc się na
wiodącym na manowce uczłowieczaniu driady. Powinien
był wszakże wiedzieć, że była po prostu starsza od tamtych dwu. Pomimo pozorów, była od nich znacznie, znacznie starsza.

Stali wśród niezdecydowanego milczenia. Geralt słyszał, jak Freixenet jęczy, stęka i kaszle. Ceglasta też musiała to słyszeć, ale jej twarz nie drgnęła nawet. Wiedźmin oparł ręce o biodra.

– Tam, w wykrocie – powiedział spokojnie – leży ranny. Jeśli nie otrzyma pomocy, umrze.

– Tháess aep! – oliwkowa napięła łuk, kierując grot
strzały prosto w jego twarz.

– Dacie mu zdechnąć? – nie podniósł głosu. – Pozwolicie mu, tak po prostu, powoli zadławić się krwią? W takim razie lepiej go dobić.

– Zawrzyj gębę! – szczeknęła driada, przechodząc na
wspólny. Ale opuściła łuk i zwolniła napięcie cięciwy.
Spojrzała na tę drugą pytająco. Ceglasta kiwnęła głową,
wskazała na wykrot. Oliwkowa pobiegła, szybko i bezszelestnie.

– Chcę się widzieć z panią Eithné – powtórzył Geralt.
– Niosę poselstwo...

– Ona – ceglasta wskazała na miodową – zaprowadzi
cię do Duén Canell. Idź.

– Frei... A ten ranny?

Driada spojrzała na niego, mrużąc oczy. Wciąż bawiła
się strzałą, zaczepioną na cięciwie.

– Nie frasuj się – powiedziała. – Idź. Ona cię zaprowadzi.

– Ale...

– Va'en vort! – ucięła, zaciskając usta.

Wzruszył ramionami, odwrócił się w stronę tej o włosach w kolorze miodu. Wydawała się najmłodsza z całej trójki, ale mógł się mylić. Zauważył, że oczy ma niebieskie.

– Chodźmy tedy.

– Ano – powiedziała cicho miodowa. Po krótkiej chwili wahania oddała mu miecz. – Chodźmy.

– Jak masz na imię? – spytał.

– Zawrzyj gębę.

Szła przez matecznik bardzo szybko, nie oglądając się. Geralt musiał się mocno wysilić, by za nią nadążyć. Wiedział, że driada robi to celowo, wiedział, że chce, aby idący za nią człowiek z jękiem ugrzązł w chaszczach, by zwalił się na ziemię wyczerpany, niezdolny do dalszego marszu. Oczywiście, nie wiedziała, że ma do czynienia z wiedźminem, nie z człowiekiem. Była za młoda, by wiedzieć, kim jest wiedźmin.

Dziewczyna – Geralt wiedział już, że nie jest czystej krwi driadą – zatrzymała się nagle, odwróciła. Widział, że piersi ostro falują jej pod łaciatym kubraczkiem, że z trudem powstrzymuje się, by nie oddychać ustami.

– Zwolnimy? – zaproponował z uśmiechem.

– Yeá – spojrzała na niego niechętnie. – Aeén esseáth Sidh?

– Nie, nie jestem elfem. Jak masz na imię?

– Braenn – odpowiedziała, wznawiając marsz, ale już wolniejszym krokiem, nie starając się wyprzedzać go. Szli obok siebie, blisko. Czuł zapach jej potu, zwykłego potu młodej dziewczyny. Pot driad miał zapach rozcieranych w dłoniach wierzbowych listków.

– A jak nazywałaś się przedtem?

Spojrzała na niego, usta skrzywiły się jej nagle, myślał, że żachnie się lub nakaże mu milczenie. Nie zrobiła tego.

– Nie pamiętam – powiedziała z ociąganiem. Nie sądził, żeby to była prawda.

Nie wyglądała na więcej niż szesnaście lat, a nie mogła być w Brokilonie dłużej niż sześć, siedem – gdyby trafiła tu wcześniej, maleńkim dzieckiem lub wręcz niemowlęciem, nie rozpoznałby już w niej człowieka. Niebieskie oczy i naturalnie jasne włosy zdarzały się i u driad. Dzieci driad, poczynane w celebrowanych kontaktach z elfami lub ludźmi, przejmowały cechy organiczne wyłącznie od matek i były to wyłącznie dziewczynki. Niezmiernie rzadko, i z reguły w którymś z następnych pokoleń, rodziło się jednak niekiedy dziecko o oczach lub włosach anonimowego męskiego protoplasty. Ale Geralt był pewien, że Braenn nie miała w sobie ani kropli krwi driad. Nie miało to zresztą większego znaczenia. Krew czy nie, obecnie była driadą.

– A ciebie – spojrzała na niego koso – jak zwać?

– Gwynbleidd.

Kiwnęła głową.

– Pójdziem tedy... Gwynbleidd.

Szli wolniej niż poprzednio, ale nadal szybko. Braenn, rzecz jasna, znała Brokilon – gdyby był sam, Geralt nie byłby w stanie utrzymać ani tempa, ani właściwego kierunku. Braenn przemykała przez zaporę matecznika krętymi, zamaskowanymi ścieżkami, pokonywała wąwozy, biegnąc zwinnie, jak po mostach, po zwalonych pniach, śmiało chlupotała przez zielone od rzęsy, lśniące połacie trzęsawisk, na które wiedźmin nie odważyłby się wkroczyć i traciłby godziny, jeśli nie dni, na ich obejście.

Nie tylko przed dzikością lasu chroniła go obecność Braenn – były miejsca, w których driada zwalniała kroku, szła bardzo ostrożnie, macając stopą ścieżkę, trzymając go za rękę. Wiedział, z jakiego powodu. O pułapkach Brokilonu krążyły legendy – mówiono o dołach, pełnych zaostrzonych palików, o samostrzałach, o walących się drzewach, o straszliwym „jeżu" – kolczastej kuli na linie, spadającej znienacka, wymiatającej ścieżkę. Bywały też miejsca, w których Braenn zatrzymywała się i gwizdała melodyjnie, a z zarośli odpowiadały jej gwizdy. Bywały też miejsca, w których przystawała z ręką na strzale w kołczanie, nakazując mu ciszę, i czekała w napięciu, aż coś, co szeleściło w gąszczu, oddali się.

Pomimo szybkiego marszu, musieli zatrzymać się na noc. Braenn wybrała miejsce bezbłędnie – na pagórku, na który różnice temperatur niosły podmuchy ciepłego po-

wietrza. Spali na uschłych paprociach, bardzo blisko siebie, zwyczajem driad. W środku nocy Braenn objęła go,
przytuliła się mocno. I nic więcej. Objął ją. I nic więcej.
Była driadą. Chodziło tylko o ciepło.

O brzasku, jeszcze prawie po ciemku, wyruszyli w dalszą drogę.

II

Pokonywali pas rzadziej zalesionych wzgórz, klucząc
kotlinkami, wypełnionymi mgłą, idąc przez rozległe, tra-
wiaste polany, przez wiatrołomy.

Braenn po raz kolejny zatrzymała się, rozejrzała. Sprawiała wrażenie, jakby zgubiła drogę, ale Geralt wiedział,
że to niemożliwe. Korzystając jednak z przerwy w marszu, przysiadł na zwalonym pniu.

I wtedy usłyszał krzyk. Cienki. Wysoki. Rozpaczliwy.

Braenn przyklęknęła błyskawicznie, wyciągając z kołczana jednocześnie dwie strzały. Jedną chwyciła w zęby,
drugą zaczepiła o cięciwę, napięła łuk, celując na ślepo,
przez krzaki, na głos.

– Nie strzelaj! – krzyknął.

Przeskoczył przez pień, przedarł się przez zarośla.

Na niewielkiej polanie u podnóża kamienistego urwiska stała mała istotka w szarym kubraczku przyciśnięta
plecami do pnia uschniętego grabu. Przed nią, o jakieś
pięć kroków, coś poruszało się powoli, rozgarniając trawy.
To coś miało około dwóch sążni długości i było ciemnobrą-
zowe. W pierwszej chwili Geralt pomyślał, że to wąż. Ale
spostrzegł żółte, ruchliwe, haczykowate odnóża, płaskie
segmenty długiego tułowia i zorientował się, że to nie
wąż. Że to coś znacznie gorszego.

Przytulona do pnia istotka pisnęła cienko. Olbrzymi
wij uniósł ponad trawy długie, drgające czułki, łowił nimi
zapach i ciepło.

– Nie ruszaj się! – wrzasnął wiedźmin i tupnął, by
zwrócić na siebie uwagę skolopendromorfa. Ale wij nie zareagował, jego czułki uchwyciły już woń bliższej ofiary.
Potwór poruszył odnóżami, zwinął się esowato i ruszył do

przodu. Jego jaskrawożółte łapy migały wśród traw, równo, jak wiosła galery.

– Yghern! – krzyknęła Braenn.

Geralt dwoma susami wpadł na polanę, w biegu wyszarpując miecz z pochwy na plecach, z rozpędu, biodrem, uderzył skamieniałą pod drzewem istotkę, odrzucając ją w bok, w krzaki jeżyn. Skolopendromorf zaszeleścił w trawie, zadrobił odnóżami i rzucił się na niego, unosząc przednie segmenty, szczękając ociekającymi jadem kleszczami. Geralt zatańczył, przeskoczył przez płaskie cielsko i z półobrotu rąbnął mieczem, mierząc w większe miejsce, pomiędzy pancerne płyty tułowia. Potwór był jednak zbyt szybki, miecz uderzył w chitynową skorupę, nie przecinając jej – gruby dywan mchu zamortyzował uderzenie. Geralt odskoczył, ale nie dość zwinnie. Skolopendromorf owinął tylną część cielska wokół jego nóg, z potworną siłą. Wiedźmin upadł, przekręcił się i spróbował wyrwać. Bezskutecznie.

Wij wygiął się i obrócił, by dosięgnąć go kleszczami, przy czym gwałtownie zadrapał pazurami o drzewo, przewinął się po nim. W tym momencie nad głową Geralta syknęła strzała, z trzaskiem przebijając pancerz, przygważdżając stwora do pnia. Wij zwinął się, złamał strzałę i uwolnił się, ale natychmiast ugodziły go dwa dalsze pociski. Wiedźmin kopniakiem odrzucił od siebie trzepoczący odwłok, odturlał się w bok.

Braenn, klęcząc, szyła z łuku w nieprawdopodobnym tempie, pakując w skolopendromorfa strzałę po strzale. Wij łamał brzechwy i uwalniał się, ale kolejna strzała znowu przygważdżała go do pnia. Płaski, błyszczący, ciemnorudy łeb stwora kłapał i szczękał kleszczami przy miejscach, gdzie trafiały groty, bezmyślnie usiłując dosięgnąć raniącego go wroga.

Geralt przyskoczył z boku i ciął mieczem z szerokiego zamachu, kończąc walkę jednym uderzeniem. Drzewo podziałało jak katowski pień.

Braenn zbliżyła się powoli, z napiętym łukiem, kopnęła wijący się wśród traw, przebierający odnóżami tułów, splunęła na niego.

– Dzięki – rzekł wiedźmin, miażdżąc ucięty łeb wija uderzeniami obcasa.

– Ee?

– Uratowałaś mi życie.

Driada spojrzała na niego. Nie było w tym spojrzeniu ani zrozumienia, ani emocji.

– Yghern – powiedziała, trącając butem skręcające się cielsko. – Połamał mi szypy.

– Uratowałaś życie i mnie, i tej małej driadzie – powtórzył Geralt. – Psiakrew, gdzie ona jest?

Braenn zręcznie odgarnęła krzaki jeżyn, zagłębiła ramię wśród kolczatych pędów.

– Takem myślała – powiedziała, wyciągając z chaszczy istotkę w szarym kubraczku. – Obacz sam, Gwynbleidd.

To nie była driada. Nie był to też elf, sylfida, puk ani niziołek. To była najzwyklejsza w świecie ludzka dziewczynka. W środku Brokilonu, najniezwyklejszym miejscu dla zwykłych, ludzkich dziewczynek.

Miała jasne, mysiopopielate włosy i wielkie, jadowicie zielone oczy. Nie mogła mieć więcej niż dziesięć lat.

– Kim jesteś? – spytał. – Skąd się tu wzięłaś?

Nie odpowiedziała. Gdzie ja ją już widziałem, pomyślał. Gdzieś już ją widziałem. Ją lub kogoś bardzo do niej podobnego.

– Nie bój się – powiedział niepewnie.

– Nie boję się – burknęła niewyraźnie. Najwidoczniej miała katar.

– Dyrdajmy stąd – odezwała się nagle Braenn, rozglądając się dookoła. – Gdzie jest jeden yghern, wraz patrzeć drugiego. A ja już mało szypów mam.

Dziewczynka spojrzała na nią, otworzyła usta, otarła buzię wierzchem dłoni, rozmazując kurz.

– Kim ty, do diabła, jesteś? – powtórzył Geralt, pochylając się. – Co robisz w... W tym lesie? Jak się tu dostałaś?

Dziewczynka opuściła głowę i pociągnęła zakatarzonym nosem.

– Ogłuchłaś? Kim jesteś, pytam? Jak się nazywasz?

– Ciri – smarknęła.

Geralt odwrócił się. Braenn, oglądając łuk, łypała okiem na niego.

– Słuchaj, Braenn...

– Czego?

– Czy to możliwe... Czy to możliwe, żeby ona... uciekła wam z Duén Canell?

– Ee?

– Nie udawaj kretynki – zdenerwował się. – Wiem, że porywacie dziewczynki. A ty sama, co, z nieba spadłaś do Brokilonu? Pytam, czy to możliwe...

– Nie – ucięła driada. – Nigdym jej na oczy nie widziała.

Geralt przyjrzał się dziewczynce. Jej popielatoszare włosy były potargane, pełne igliwia i listków, ale pachniały czystością, nie dymem, nie oborą ani tłuszczem. Ręce, choć nieprawdopodobnie brudne, były małe i delikatne, bez szram i odcisków. Chłopięce ubranie, kubraczek z czerwonym kapturkiem, jakie nosiła, na nic nie wskazywało, ale wysokie buciki zrobione były z miękkiej, drogiej, cielęcej skóry. Nie, z pewnością nie było to wiejskie dziecko. Freixenet, pomyślał nagle wiedźmin. To jej szukał Freixenet. Za nią poszedł do Brokilonu.

– Skąd jesteś, pytam, smarkulo?

– Jak mówisz do mnie! – dziewczynka hardo zadarła głowę i tupnęła nóżką. Miękki mech zupełnie zepsuł efekt tego tupnięcia.

– Ha – powiedział wiedźmin i uśmiechnął się. – W samej rzeczy, księżniczka. Przynajmniej w mowie, bo wygląd nikczemny. Jesteś z Verden, prawda? Wiesz, że cię szukają? Nie martw się, odstawię cię do domu. Słuchaj, Braenn...

Gdy odwrócił głowę, dziewczynka błyskawicznie zakręciła się na pięcie i puściła biegiem przez las, po łagodnym zboczu wzgórza.

– Bloede turd! – wrzasnęła driada, sięgając do kołczana. – Caemm 'ere!

Dziewczynka, potykając się, pędziła na oślep przez las, trzeszcząc wśród suchych gałęzi.

– Stój! – krzyknął Geralt. – Dokąd, zaraza!

Braenn błyskawicznie napięła łuk. Strzała zasyczała jadowicie, mknąc po płaskiej paraboli, grot ze stukotem wbił się w pień, nieledwie muskając włosy dziewczynki. Mała skuliła się i przypadła do ziemi.

– Ty cholerna idiotko – syknął wiedźmin, zbliżając się do driady. Braenn zwinnie wyciągnęła z kołczanu następną strzałę. – Mogłaś ją zabić!

– Tu jest Brokilon – powiedziała hardo.

– A to jest dziecko!

– No to co?

Spojrzał na brzechwę strzały. Były na niej pręgowane pióra z lotek kury bażanta barwione na żółto w wywarze z kory. Nie powiedział ani słowa. Odwrócił się i szybko poszedł w las.

Dziewczynka leżała pod drzewem, skulona, ostrożnie unosząc głowę i patrząc na strzałę tkwiącą w pniu. Usłyszała jego kroki i poderwała się, ale dopadł jej w krótkim skoku, chwycił za czerwony kapturek kubraczka. Odwróciła głowę i spojrzała na niego, potem na rękę, trzymającą kapturek. Puścił ją.

– Dlaczego uciekałaś?

– Nic ci do tego – smarknęła. – Zostaw mnie w spokoju, ty... ty...

– Głupi bachorze – syknął wściekle. – Tu jest Brokilon. Mało ci było wija? Sama nie dożyjesz w tym lesie do rana. Jeszcze tego nie pojęłaś?

– Nie dotykaj mnie! – rozdarła się. – Ty pachołku, ty! Jestem księżniczką, nie myśl sobie!

– Jesteś głupią smarkulą.

– Jestem księżniczką!

– Księżniczki nie łażą same po lesie. Księżniczki mają czyste nosy.

– Głowę ci każę ściąć! I jej też! – dziewczynka otarła nos dłonią i wrogo spojrzała na podchodzącą driadę. Braenn parsknęła śmiechem.

– No, dobrze, dość tych wrzasków – przerwał wiedźmin. – Dlaczego uciekałaś, księżniczko? I dokąd? Czego się zlękłaś?

Milczała, pociągając nosem.

– Dobrze, jak chcesz – mrugnął do driady. – My idziemy. Chcesz zostać sama w lesie, twoja wola. Ale na drugi raz, gdy dopadnie cię yghern, nie wrzeszcz. Księżniczkom to nie przystoi. Księżniczki umierają nawet nie pisnąwszy, wytarłszy uprzednio nosy do czysta. Idziemy, Braenn. Żegnaj, wasza wysokość.

– Za... zaczekaj.

– Aha?

– Pójdę z wami.

– Zaszczyceniśmy wielce. Prawda, Braenn?

– Ale nie zaprowadzisz mnie znowu do Kistrina? Przyrzekasz?

– Kto to jest... – zaczął. – Ach, psiakrew. Kistrin. Książę Kistrin? Syn króla Ervylla z Verden?

Dziewczynka wydęła małe usteczka, smarknęła i odwróciła głowę.

– Dość tych igrów – odezwała się ponuro Braenn. – Idziem.

– Zaraz, zaraz – wiedźmin wyprostował się i spojrzał na driadę z góry. – Plany ulegają pewnej zmianie, moja śliczna łuczniczko.

– Ee? – Braenn uniosła brwi.

– Pani Eithné zaczeka. Muszę odprowadzić tę małą do domu. Do Verden.

Driada zmrużyła oczy i sięgnęła do kołczana.

– Nikaj nie pójdziesz. Ani ona.

Wiedźmin uśmiechnął się paskudnie.

– Uważaj, Braenn – powiedział. – Ja nie jestem szczeniakiem, któremu wczoraj wpakowałaś strzałę w oko z zasadzki. Ja umiem się bronić.

– Bloede arss! – syknęła, unosząc łuk. – Idziesz do Duén Canell, ona takoż! Nie do Verden!

– Nie! Nie do Verden! – popielatowłosa dziewuszka przypadła do driady, przycisnęła się do jej szczupłego uda. – Idę z tobą! A on niech sobie idzie sam do Verden, do głupiego Kistrina, jeśli tak chce!

Braenn nawet nie spojrzała na nią, nie spuszczała oka z Geralta. Ale opuściła łuk.

– Ess turd! – splunęła mu pod nogi. – Ano! A idź, gdzie

cię oczy poniosą! Obaczym, czy zdołasz. Zdechniesz, nim wyjdziesz z Brokilonu.

Ma rację, pomyślał Geralt. Nie mam szans. Bez niej ani nie wyjdę z Brokilonu, ani nie dotrę do Duén Canell. Trudno, zobaczymy. Może uda się wyperswadować Eithné...

– No, Braenn – powiedział pojednawczo, uśmiechnął się. – Nie wściekaj się, ślicznotko. Dobrze, niech będzie po twojemu. Idziemy wszyscy do Duén Canell. Do pani Eithné.

Driada burknęła coś pod nosem, zdjęła strzałę z cięciwy.

– W drogę tedy – powiedziała, poprawiając opaskę na włosach. – Dość się czasu zwlekło.

– Oooj... – jęknęła dziewczynka, robiąc krok.

– Czego tam?

– Coś mi się stało... W nogę.

– Zaczekaj, Braenn! Chodź, smarkulo, wezmę cię na barana.

Była cieplutka i pachniała jak mokry wróbel.

– Jak masz na imię, księżniczko? Zapomniałem.

– Ciri.

– A twoje włości, gdzie leżą, jeśli wolno spytać?

– Nie powiem ci – burknęła. – Nie powiem i już.

– Przeżyję. Nie wierć się i nie smarkaj mi nad uchem. Co robiłaś w Brokilonie? Zgubiłaś się? Zabłądziłaś?

– Akurat! Ja nigdy nie błądzę.

– Nie wierć się. Uciekłaś od Kistrina? Z zamku Nastrog? Przed czy po ślubie?

– Skąd wiesz? – smarknęła przejęta.

– Jestem niesamowicie mądry. Dlaczego uciekałaś akurat do Brokilonu? Nie było bezpieczniejszych kierunków?

– Głupi koń poniósł.

– Łżesz, księżniczko. Przy twojej posturze mogłabyś dosiąść najwyżej kota. I to łagodnego.

– To Marck jechał. Giermek rycerza Voymira. A w lesie koń się wywalił i złamał nogę. I pogubiliśmy się.

– Mówiłaś, że ci się to nie zdarza.

– To on zabłądził, nie ja. Była mgła. I pogubiliśmy się.

Pogubiliście się, pomyślał Geralt. Biedny giermek rycerza Voymira, który miał nieszczęście nadziać się na Braenn i jej towarzyszki. Szczeniak, nie wiedzący zapewne, co to kobieta, pomaga w ucieczce zielonookiej smarkuli, bo nasłuchał się rycerskich opowieści o dziewicach zmuszanych do małżeństwa. Pomaga jej uciec, po to, by paść od strzały farbowanej driady, która zapewne nie wie, co to mężczyzna. Ale już umie zabijać.

– Pytałem, zwiałaś z zamku Nastrog przed ślubem czy po ślubie?

– Zwiałam i już, co ci do tego – zaburczała. – Babka powiedziała, że mam tam jechać i poznać go. Tego Kistrina. Tylko poznać. A ten jego ojciec, ten brzuchasty król...

– Ervyll.

– ... od razu ślub i ślub. A ja jego nie chcę. Tego Kistrina. Babka powiedziała...

– Taki ci wstrętny książę Kistrin?

– Nie chcę go – oświadczyła hardo Ciri, pociągając nosem, w którym grało aż miło. – Jest gruby, głupi i brzydko pachnie mu z buzi. Zanim tam pojechałam, pokazali mi obrazek, a na obrazku on gruby nie był. Nie chcę takiego męża. W ogóle nie chcę męża.

– Ciri – rzekł wiedźmin niepewnie. – Kistrin jest jeszcze dzieckiem, tak jak i ty. Za parę lat może być z niego całkiem przystojny młodzian.

– To niech mi przyślą drugi obrazek, za parę lat – prychnęła. – I jemu też. Bo powiedział mi, że na obrazku, który jemu pokazali, ja byłam dużo ładniejsza. I przyznał się, że kocha Alvinę, damę dworu, i chce być jej rycerzem. Widzisz? On mnie nie chce i ja jego nie chcę. To po co ślub?

– Ciri – mruknął wiedźmin. – On jest księciem, a ty księżniczką. Książęta i księżniczki tak właśnie się żenią, nie inaczej. Taki jest zwyczaj.

– Mówisz jak wszyscy. Myślisz, że jeśli jestem mała, to można mi nakłamać.

– Nie kłamię.

– Kłamiesz.

Geralt zamilkł. Braenn, idąca przed nimi, obejrzała się, zapewne zdziwiona ciszą. Wzruszywszy ramionami, podjęła marsz.

– Dokąd my idziemy? – odezwała się ponuro Ciri. – Chcę wiedzieć!

Geralt milczał.

– Odpowiadaj, jak cię pytają! – rzekła groźnie, popierając rozkaz głośnym smarknięciem. – Czy wiesz, kto... Kto na tobie siedzi?

Nie zareagował.

– Bo ugryzę cię w ucho! – wrzasnęła.

Wiedźmin miał dosyć. Ściągnął dziewczynkę z karku i postawił na ziemi.

– Słuchaj no, smarkulo – powiedział ostro, mocując się z klamrą pasa. – Zaraz przełożę cię przez kolano, ściągnę gacie i dam po tyłku rzemieniem. Nikt mnie przed tym nie powstrzyma, bo tu nie królewski dwór, a ja nie jestem twoim dworakiem ani sługą. Zaraz pożałujesz, że nie zostałaś w Nastrogu. Zaraz zobaczysz, że jednak lepiej być księżną niż zagubionym w lesie usmarkańcem. Bo księżnej, i owszem, wolno zachowywać się nieznośnie. Księżnej nawet wtedy nikt nie leje w tyłek rzemieniem, co najwyżej książę pan, osobiście.

Ciri skurczyła się i kilkakrotnie pociągnęła nosem. Braenn, oparta o drzewo, beznamiętnie przyglądała się.

– No jak? – spytał wiedźmin, owijając pas wokół napięstka. – Będziemy już zachowywać się godnie i powściągliwie? Jeżeli nie, przystąpimy do łojenia zadka jej wysokości. No? Tak czy nie?

Dziewczynka zachlipała i pociągnęła nosem, po czym skwapliwie pokiwała głową.

– Będziesz grzeczna, księżniczko?

– Będę – burknęła.

– Ćma wnet będzie – odezwała się driada. – Dyrdajmy, Gwynbleidd.

Las zrzedł. Szli przez piaszczyste młodniaki, przez wrzosowiska, przez zasnute mgłą łąki, na których pasły się stada jeleni. Robiło się chłodniej.

– Szlachetny panie... – odezwała się Ciri po długim, długim milczeniu.

– Nazywam się Geralt. O co chodzi?

– Jestem okropecznie głodna.

– Zaraz się zatrzymamy. Wkrótce zmierzch.

– Nie wytrzymam – zachlipiała. – Nic nie jadłam od...

– Nie maż się – sięgnął do sakwy, wyciągnął kawał słoniny, mały krążek sera i dwa jabłka. – Masz.

– Co to jest, to żółte?

– Słonina.

– Tego jeść nie będę – burknęła.

– Świetnie się składa – rzekł niewyraźnie, pakując słoninę do ust. – Zjedz ser. I jabłko. Jedno.

– Dlaczego jedno?

– Nie wierć się. Zjedz oba.

– Geralt?

– Mhm?

– Dziękuję.

– Nie ma za co. Jedz na zdrowie.

– Ja nie... Nie za to. Za to też, ale... Uratowałeś mnie przed tą stonogą... Brrr... O mało nie umarłam ze strachu...

– O mało nie umarłaś – potwierdził poważnie. O mało nie umarłaś w wyjątkowo bolesny i paskudny sposób, pomyślał. – A dziękować powinnaś Braenn.

– Kim ona jest?

– Driadą.

– Dziwożoną?

– Tak.

– To ona nas... One porywają dzieci! Ona nas porwała? Eee, ty przecież nie jesteś mały. A czemu ona tak dziwnie mówi?

– Mówi, jak mówi, to nieważne. Ważne jest, jak strzela. Nie zapomnij jej podziękować, gdy się zatrzymamy.

– Nie zapomnę – smarknęła.

– Nie wierć się, księżniczko, przyszła księżno Verden.

– Nie będę – burknęła – żadną księżną.

– Dobrze, dobrze. Nie będziesz księżną. Zostaniesz chomikiem i zamieszkasz w norce.

– Nieprawda! Ty nic nie wiesz!

– Nie piszcz mi nad uchem. I nie zapominaj o rzemieniu!

– Nie będę księżną. Będę...

– No? Czym?

– To jest tajemnica.

– Ach, tak, tajemnica. Świetnie – uniósł głowę. – Co się stało, Braenn?

Driada, zatrzymawszy się, wzruszyła ramionami, popatrzyła w niebo.

– Ustałam – rzekła miękko. – I tyś pewnie ustał, niosąc ją, Gwynbleidd. Tu staniemy. Ćma wraz.

III

– Ciri?

– Mhm? – pociągnęła nosem dziewczynka, szeleszcząc gałązkami, na których leżała.

– Nie zimno ci?

– Nie – westchnęła. – Dzisiaj jest ciepło. Wczoraj... Wczoraj to okropecznie zmarzłam, ojej.

– Dziw – odezwała się Braenn, rozluźniając rzemienie długich, miękkich butów. – Tycia kruszynka, a zaszła tyli szmat lasu. I przez czaty przeszła, przez młakę, przez gęstwę. Krzepka, zdrowa i dzielna. Zaprawdę, nada się... Nada się nam.

Geralt szybko rzucił okiem na driadę, na jej błyszczące w półmroku oczy. Braenn oparła się plecami o drzewo, zdjęła opaskę, rozrzuciła włosy szarpnięciem głowy.

– Weszła do Brokilonu – mruknęła, uprzedzając komentarz. – Jest nasza, Gwynbleidd. Idziem do Duén Canell.

– Pani Eithné zdecyduje – odrzekł cierpko. Ale wiedział, że Braenn miała rację.

Szkoda, pomyślał, patrząc na wiercącą się na zielonym posłaniu dziewczynkę. Taki rezolutny skrzat. Gdzie ja ją już widziałem? Nieważne. Ale szkoda. Świat jest taki wielki i taki piękny. A jej światem będzie już Brokilon, do końca jej dni. Być może, niewielu dni. Może tylko do dnia, gdy zwali się między paprocie, wśród krzyku i świstu strzał, walcząc w tej bezsensownej wojnie o las, po stronie tych, które muszą przegrać. Muszą. Wcześniej czy później.

- Ciri?
- Aha?
- Gdzie mieszkają twoi rodzice?
- Nie mam rodziców - pociągnęła nosem. - Utonęli w morzu, jak byłam malutka.

Tak, pomyślał, to wyjaśnia wiele. Księżniczka, dziecko nie żyjącej książęcej pary. Kto wie, czy nie trzecia córka po czterech synach. Tytuł w praktyce znaczący mniej od tytułu szambelana czy koniuszego. Kręcące się przy dworze popielatowłose i zielonookie coś, co trzeba jak najprędzej wypchnąć, wydać za mąż. Jak najprędzej, zanim dojrzeje i stanie się małą kobietą, groźbą skandalu, mezaliansu czy incestu, o jaki nietrudno we wspólnej zamkowej sypialni.

Jej ucieczka nie dziwiła wiedźmina. Spotykał już wielokrotnie księżniczki, a nawet królewny, włóczące się z trupami wędrownych aktorów i szczęśliwe, że zdołały zbiec przed zgrzybiałym, ale wciąż spragnionym potomka królem. Widywał królewiczów, przedkładających niepewny los najemnika nad upatrzoną przez ojca kulawą czy ospowatą królewnę, której zasuszone lub wątpliwe dziewictwo miało być ceną sojuszu i dynastycznej koligacji.

Położył się obok dziewczynki, okrył ją swoją kurtką.

- Śpij - powiedział. - Śpij, mała sierotko.
- Akurat! - zaburczała. - Jestem księżniczką, a nie sierotką. I mam babkę. Moja babka jest królową, nie myśl sobie. Jak jej powiem, że chciałeś mnie zbić pasem, moja babka każe ci ściąć głowę, zobaczysz.
- Potworne! Ciri, miej litość!
- Akurat!
- Jesteś przecież dobrą dziewczynką. Ucinanie głowy okropnie boli. Prawda, że nic nie powiesz?
- Powiem.
- Ciri.
- Powiem, powiem, powiem! Boisz się, co?
- Strasznie. Wiesz, Ciri, jak człowiekowi utną głowę, to można od tego umrzeć.
- Naśmiewasz się?
- Gdzieżbym śmiał.

- Jeszcze ci mina zrzednie, zobaczysz. Z moją babką nie ma żartów, jak tupnie nogą, to najwięksi woje i rycerze klękają przed nią, sama widziałam. A jak któryś jest nieposłuszny, to ciach, i głowy nie ma.
- Straszne. Ciri?
- Ehe?
- Chyba utną ci głowę.
- Mnie?
- Jasne. Przecież to twoja babka-królowa uzgodniła małżeństwo z Kistrinem i wysłała cię do Verden, do Nastroga. Byłaś nieposłuszna. Jak tylko wrócisz... Ciach! I głowy nie ma.

Dziewczynka zamilkła, przestała się nawet wiercić. Słyszał, jak cmoka, przygryzając dolną wargę ząbkami, jak pociąga zakatarzonym nosem.

- Nieprawda - powiedziała. - Babka nie pozwoli uciąć mi głowy, bo... Bo to moja babka, no nie? Eee, najwyżej dostanę...
- Aha - zaśmiał się Geralt. - Z babką żartów nie ma? Bywała już w robocie rózga, co?

Ciri parsknęła gniewnie.

- Wiesz co? - powiedział. - Powiemy twojej babce, że ja już cię sprałem, a dwa razy za tę samą winę karać nie wolno. Umowa stoi?
- Chyba niemądry jesteś! - Ciri uniosła się na łokciach, szeleszcząc gałązkami. - Jak babka usłyszy, że mnie zbiłeś, to głowę ci utną jak nic!
- A więc jednak żal ci mojej głowy?

Dziewczynka zamilkła, znowu pociągnęła nosem.

- Geralt...
- Co, Ciri?
- Babka wie, że muszę wrócić. Nie mogę być żadną księżną ani żoną tego głupiego Kistrina. Muszę wrócić, i już.

Musisz, pomyślał. Niestety, nie zależy to ani od ciebie ani od twojej babki. Zależy to od humoru starej Eithné. I od moich umiejętności przekonywania.

- Babka to wie - ciągnęła Ciri. - Bo ja... Geralt, przysięgnij, że nikomu nie powiesz. To straszna tajemnica. Okropeczna, mówię ci. Przysięgnij.

– Przysięgam.

– No, to ci powiem. Moja mama była czarownicą, nie myśl sobie. I mój tata też był zaczarowany. To wszystko opowiedziała mi jedna niania, a jak babka się o tym dowiedziała, to była straszna awantura. Bo ja jestem przeznaczona, wiesz?

– Do czego?

– Nie wiem – rzekła Ciri z przejęciem. – Ale jestem przeznaczona. Tak mówiła niania. A babka powiedziała, że nie pozwoli, że prędzej cały chorrel... chorrerny zamek zawali się. Rozumiesz? A niania powiedziała, że na przeznaczenie to choćby nie wiem co, nic nie pomoże. Ha! A potem niania się popłakała, a babka wrzeszczała. Widzisz? Jestem przeznaczona. Nie będę żoną głupiego Kistrina. Geralt?

– Śpij – ziewnął, aż zatrzeszczała żuchwa. – Śpij, Ciri.

– Opowiedz mi bajkę.

– Co?

– Bajkę mi opowiedz – fuknęła. – Jak mam spać bez bajki? Eee tam!

– Nie znam, psiakrew, żadnej bajki. Śpij.

– Nie kłam. Bo znasz. Jak byłeś mały, to co, nikt ci nie opowiadał bajek? Z czego się śmiejesz?

– Z niczego. Coś sobie przypomniałem.

– Aha! Widzisz. No, to opowiedz.

– Co?

– Bajkę.

Zaśmiał się znowu, podłożył ręce pod głowę, patrząc na gwiazdy, mrugające zza gałęzi nad ich głowami.

– Był sobie pewnego razu... kot – zaczął. – Taki zwykły, pręgowaty myszołowca. I pewnego razu ten kot poszedł sobie, sam jeden, na daleką wyprawę do strasznego, ciemnego lasu. Szedł... Szedł... Szedł...

– Nie myśl sobie – mruknęła Ciri, przytulając się do niego – że zasnę, zanim on dojdzie.

– Cicho, smarkulo. Tak... Szedł, szedł, aż napotkał lisa. Rudego lisa.

Braenn westchnęła i położyła się obok wiedźmina, z drugiej strony, też przytulając się lekko.

– No – Ciri pociągnęła nosem. – Opowiadaj, co było dalej.

– Popatrzył lis na kota. Ktoś ty, pyta. Jestem kot, odpowie na to kot. Ha, powiada lis, a nie boisz się, kocie, łazić sam po lesie? A jak będzie król jechał na łowy, to co? Z psami, z osacznikami, na koniach? Powiadam ci, kocie, mówi lis, łowy to straszna bieda dla takich, jak ty i ja. Ty masz futro, ja mam futro, łowcy nigdy nie darują takim jak my, bo łowcy mają narzeczone i kochanki, a tym łapy marzną i szyje, to i robią z nas kołnierze i mufki dla tych dziwek do noszenia.

– Co to są mufki? – spytała Ciri.

– Nie przerywaj. I dodał lis: Ja, kocie, umiem ich przechytrzyć, mam na tych myśliwych tysiąc dwieście osiemdziesiąt sześć sposobów, taki jestem przebiegły. A ty, kocie, ile masz sposobów na łowców?

– Och, jaka to ładna bajka – powiedziała Ciri, przytulając się do wiedźmina jeszcze mocniej. – Opowiadaj, co kot?

– Aha – szepnęła z drugiej strony Braenn. – Co kot?

Wiedźmin odwrócił głowę. Oczy driady błyszczały, usta miała półotwarte i przesuwała po nich językiem. Jasne, pomyślał. Małe driady spragnione są bajek. Tak, jak mali wiedźmini. Bo i jednym, i drugim rzadko kto opowiada bajki przed zaśnięciem. Małe driady usypiają wsłuchane w szum drzew. Mali wiedźmini usypiają wsłuchani w ból mięśni. Nam też świeciły się oczy, tak jak Braenn, gdy słuchaliśmy bajki Vesemira, tam, w Kaer Morhen. Ależ to było dawno... Tak dawno...

– No – zniecierpliwiła się Ciri. – Co dalej?

– A kot na to: Ja, lisie, nie mam żadnych sposobów. Ja umiem tylko jedno – hyc na drzewo. To powinno wystarczyć, prawda? Lis w śmiech. Ech, mówi, ależ z ciebie głupek. Zadzieraj twój pręgowaty ogon i zmykaj stąd, zginiesz tu, jeśli cię łowcy osaczą. I nagle, ni z tego ni z owego, jak nie zagrają rogi! I wyskoczyli z krzaków myśliwi, zobaczyli kota i lisa, i na nich!

– Ojej! – smarknęła Ciri, a driada poruszyła się gwałtownie.

– Cicho. I na nich, wrzeszcząc, dalejże, obedrzeć ich ze skóry! Na mufki ich, na mufki! I poszczuli psami lisa i kota. A kot hyc na drzewo, po kociemu. Na sam czubek. A psy lisa cap! Zanim rudzielec zdążył użyć któregokolwiek ze swych chytrych sposobów, już był z niego kołnierz. A kot z czubka drzewa namiauczał i naparskał na myśliwych, a oni nic mu nie mogli zrobić, bo drzewo było wysokie jak cholera. Postali na dole, poklęli, na czym świat stoi, ale musieli odejść z niczym. A wówczas kot zlazł z drzewa i spokojnie wrócił do domu.

– I co dalej?

– Nic. To koniec.

– A morał? – spytała Ciri. – Bajki mają morały, no nie?

– Ee? – odezwała się Braenn, przytulając się mocniej do Geralta. – Co to morał?

– Dobra bajka ma morał, a zła nie ma morału – rzekła Ciri z przekonaniem, pociągając nosem.

– Ta była dobra – ziewnęła driada. – Tedy ma, co ma mieć. Trza było, kruszynko, przed yghernem na drzewo, jak ów umny kocur. Nie dumać, jeno aby wraz na drzewo. Ot, cała mądrość. Przeżyć. Nie dać się.

Geralt zaśmiał się cicho.

– Nie było drzew w zamkowym parku, Ciri? W Nastrogu? Zamiast do Brokilonu, mogłaś wleźć na drzewo i siedzieć tam, na samym czubku, dopóki Kistrinowi nie przeszłaby ochota do żeniaczki.

– Naśmiewasz się?

– Aha.

– To wiesz, co? Nie cierpię cię.

– To straszne. Ciri, ugodziłaś mnie w samo serce.

– Wiem – przytaknęła poważnie, pociągając nosem, po czym przytuliła się do niego mocno.

– Śpij dobrze, Ciri – mruknął, wdychając jej miły, wróbli zapach. – Śpij dobrze. Dobranoc, Braenn.

– Deárme, Gwynbleidd.

Nad ich głowami Brokilon szumiał miliardem gałęzi i setkami miliardów liści.

IV

Następnego dnia dotarli do Drzew. Braenn uklękła, pochyliła głowę. Geralt czuł, że powinien zrobić to samo. Ciri westchnęła z podziwu.

Drzewa – głównie dęby, cisy i hikory – miały po kilkanaście sążni w obwodzie. Nie sposób było ocenić, jak wysoko sięgały ich korony. Miejsca, gdzie potężne, powyginane korzenie przechodziły w równy pień, znajdowały się jednak wysoko ponad ich głowami. Mogli iść szybciej – olbrzymy rosły rzadko, a w ich cieniu nie utrzymała się żadna inna roślinność – był tylko dywan butwiejących liści.

Mogli iść szybciej. Ale szli wolno. Cicho. Schyliwszy głowy. Byli tu, wśród Drzew, mali, nieważni, nieistotni. Nie liczący się. Nawet Ciri zachowała ciszę – nie odzywała się blisko pół godziny.

A po godzinie marszu minęli pas Drzew, znowu zagłębili się w wąwozy, w mokre bukowiny.

Katar gnębił Ciri coraz mocniej. Geralt nie miał chusteczki, mając zaś dość jej nieustannego pociągania nosem, nauczył ją smarkać w palce. Dziewczynce ogromnie się to spodobało. Patrząc na jej uśmieszek i błyszczące oczy, wiedźmin był głęboko przekonany, że cieszy się myślą, że wkrótce będzie mogła popisać się nową sztuczką na dworze, podczas uroczystej uczty lub audiencji zamorskiego ambasadora.

Braenn zatrzymała się nagle, odwróciła.

– Gwynbleidd – powiedziała, odmotując zieloną chustkę okręconą wokół łokcia. – Chodź. Zawiążę ci oczy. Tak trzeba.

– Wiem.

– Będę cię wiodła. Daj rękę.

– Nie – zaprotestowała Ciri. – Ja go będę prowadziła. Dobrze, Braenn?

– Dobrze, kruszynko.

– Geralt?

– Aha?

– Co to znaczy Gwyn... bleidd?

– Biały Wilk. Tak nazywają mnie driady.

– Uważaj, korzeń. Nie potknij się! Nazywają cię tak, bo masz białe włosy?

– Tak... Psiakrew!

– Przecież mówiłam, że korzeń.

Szli. Powoli. Pod nogami było ślisko od opadłych liści. Poczuł na twarzy ciepło, blask słońca przedarł się przez zasłaniającą mu oczy chustkę.

– Och, Geralt – usłyszał głos Ciri. – Tak tu pięknie... Szkoda, że nie możesz widzieć. Tyle tu kwiatów. I ptaków. Słyszysz, jak śpiewają? Och, ile tu ich jest. Mnóstwo. O, i wiewiórki. Uważaj, będziemy przechodzić przez rzeczkę, po kamiennym mostku. Nie wpadnij do wody. Och, ile tu rybek! Pełno. Pływają w wodzie, wiesz? Tyle tu zwierzątek, ojej. Nigdzie chyba tyle nie ma...

– Nigdzie – mruknął. – Nigdzie. Tu jest Brokilon.

– Co?

– Brokilon. Ostatnie Miejsce.

– Nie rozumiem...

– Nikt nie rozumie. Nikt nie chce zrozumieć.

V

– Zdejmij chustkę, Gwynbleidd. Już można. Jesteśmy na miejscu.

Braenn stała po kolana w gęstym kobiercu z mgły.

– Duén Canell – wskazała ręką.

Duén Canell, Miejsce Dębu. Serce Brokilonu.

Geralt był tu już kiedyś. Dwukrotnie. Ale nie opowiadał o tym nikomu. Nikt by nie uwierzył.

Kotlina zamknięta koronami wielkich, zielonych drzew. Skąpana w mgłach i oparach bijących z ziemi, ze skał, z gorących źródeł. Kotlina...

Medalion na jego szyi drgał lekko.

Kotlina skąpana w magii. Duén Canell. Serce Brokilonu.

Braenn podniosła głowę, poprawiła kołczan na plecach.

– Pójdziem. Daj rączkę, kruszynko.

Początkowo kotlina zdawała się wymarła, opuszczona. Nie na długo. Rozległ się głośny, modulowany gwizd, a po ledwie zauważalnych stopniach z hub, spiralnie otaczających najbliższy pień, zwinnie zsunęła się smukła, ciemnowłosa driada, ubrana, jak wszystkie, w łaciaty, maskujący strój.

– Ceád, Braenn.

– Ceád, Sirssa. Va'n vort meáth Eithné á?

– Neén, aefder – odparła ciemnowłosa, mierząc wiedźmina powłóczystym spojrzeniem. – Ess' ae'n Sidh?

Uśmiechnęła się, błysnęła białymi zębami. Była niezwykle urodziwa, nawet według ludzkich standardów. Geralt poczuł się niepewnie i głupio, świadom, że driada bez skrępowania taksuje go.

– Neén – pokręciła głową Braenn. – Ess' vatt'ghern, Gwynbleidd, á váen meáth Eithné va, a'ss.

– Gwynbleidd? – piękna driada skrzywiła wargi. – Bloede caérme! Aen'ne caen n'wedd vort! T'ess foile!

Braenn zachichotała.

– O co chodzi? – spytał wiedźmin, robiąc się zły.

– Nic – zachichotała znowu Braenn. – Nic. Pójdźmy.

– Och – zachwyciła się Ciri. – Spójrz, Geralt, jakie śmieszne domki!

W głębi kotliny zaczynało się właściwe Duén Canell – „śmieszne domki", przypominające kształtem olbrzymie kule jemioły, oblepiały pnie i konary drzew na różnej wysokości, zarówno nisko, tuż nad ziemią, jak i wysoko, a nawet bardzo wysoko – pod samymi koronami. Geralt dostrzegł też kilka większych, naziemnych konstrukcji, szałasów z posplatanych, wciąż pokrytych liśćmi gałązek. Widział ruch w otworach sadyb, ale samych driad prawie nie było widać. Było ich znacznie mniej niż wtedy, gdy był tu poprzednio.

– Geralt – szepnęła Ciri. – Te domki rosną. Mają listki!

– Są z żywego drzewa – kiwnął głową wiedźmin. – Tak właśnie mieszkają driady, tak budują swoje domy. Żadna driada, nigdy, nie skrzywdzi drzewa, rąbiąc je czy piłując. One kochają drzewa. Potrafią jednak sprawić, by gałęzie rosły tak, by powstały domki.

– Śliczne. Chciałabym mieć taki domek w naszym parku.

Braenn zatrzymała się przed jednym z większych szałasów.

– Wejdź, Gwynbleidd – powiedziała. – Tutaj zaczekasz na panią Eithné. Vá fáill, kruszynko.

– Co?

– To było pożegnanie, Ciri. Powiedziała: do widzenia.

– Ach. Do widzenia, Braenn.

Weszli. Wnętrze „domku" migotało, jak kalejdoskop, od słonecznych plam, przeciśniętych i przesianych przez strukturę dachu.

– Geralt!

– Freixenet!

– Żyjesz, niech mnie diabli! – ranny błysnął zębami, unosząc się na posłaniu ze świerczyny. Zobaczył uczepioną uda wiedźmina Ciri i oczy mu się rozszerzyły, a rumieniec uderzył na twarz.

– Ty mała cholero! – rozdarł się. – Życia przez ciebie o mało nie postradałem! Och, masz ty szczęście, że wstać nie mogę, już ja bym ci skórę wygarbował!

Ciri wydęła usteczka.

– To już drugi – powiedziała, marszcząc śmiesznie nos – który chce mnie bić. Ja jestem dziewczynką, a dziewczynek bić nie wolno!

– Już ja bym ci pokazał... co wolno – rozkaszlał się Freixenet. – Ty zarazo jedna! Ervyll tam od zmysłów odchodzi... Wici rozsyła, cały w strachu, że twoja babka ruszy na niego z wojskiem. Kto mu uwierzy, żeś sama zwiała? Wszyscy wiedzą, jaki jest Ervyll i co lubi. Wszyscy myślą, że ci... coś zrobił po pijanemu, a potem kazał utopić w stawie! Wojna z Nilfgaardem wisi na włosku, a traktat i sojusz z twoją babką diabli wzięli przez ciebie! Widzisz, co narobiłaś?

– Nie podniecaj się – ostrzegł wiedźmin – bo możesz dostać krwotoku. Jak się tu dostałeś tak szybko?

– Licho wie, większość czasu byłem bez ducha. Wlały mi coś obrzydliwego do gardła. Przemocą. Zacisnęły mi nos i... Taki wstyd, psia mać...

– Żyjesz dzięki temu, co wlały ci do gardła. Przyniosły cię tu?

– Wlokły na saniach. Pytałem o ciebie, nic nie mówiły. Byłem pewien, żeś dostał strzałę. Tak nagle wtedy zniknąłeś... A ty zdrów i cały, nawet nie w pętach, a do tego, proszę, ocaliłeś księżniczkę Cirillę... Niech mnie zaraza, ty radzisz sobie wszędzie, Geralt, zawsze spadasz na cztery łapy jak kot.

Wiedźmin uśmiechnął się, nie odpowiedział. Freixenet zakasłał ciężko, odwrócił głowę, splunął różową śliną.

– Ano – dodał. – I to, że mnie nie dokończyły, też ani chybi tyś sprawił. Znają cię, cholerne dziwożony. Już drugi raz ratujesz mnie z opresji.

– Daj pokój, baronie.

Freixenet, stękając, spróbował usiąść, ale zrezygnował.

– Gówno z mojej baronii – sapnął. – Baronem byłem w Hamm. Teraz jestem czymś w rodzaju wojewody u Ervylla, w Verden. To znaczy, byłem. Nawet jeśli wykarabskam się jakoś z tego lasu, w Verden nie ma już dla mnie miejsca, chyba że na szafocie. To spod mojej ręki i straży nawiała ta mała łasica, Cirilla. Myślisz, że co, z fantazji poszedłem samotrzeć do Brokilonu? Nie, Geralt, ja też wiałem, na litość Ervylla mogłem liczyć tylko wtedy, gdybym przyprowadził ją z powrotem. No i nadzialiśmy się na przeklęte dziwożony... Gdyby nie ty, skapiałbym tam, w wykrocie. Uratowałeś mnie znowu. To przeznaczenie, to jasne jak słońce.

– Przesadzasz.

Freixenet pokręcił głową.

– To przeznaczenie – powtórzył. – Musiało być w górze zapisane, że się znów spotkamy, wiedźminie. Że to znowu ty uratujesz mi skórę. Pamiętam, mówiono o tym w Hamm po tym, jak zdjąłeś ze mnie tamten ptasi urok.

– Przypadek – rzekł zimno Geralt. – Przypadek, Freixenet.

– Jaki tam przypadek. Psiakrew, przecież gdyby nie ty, do dziś dzień byłbym pewnie kormoranem...

– Ty byłeś kormoranem? – krzyknęła Ciri w podnieceniu. – Prawdziwym kormoranem? Ptakiem?

– Byłem – wyszczerzył zęby baron. – Zaczarowała mnie jedna taka... dziwka... Psia jej... Z zemsty.

– Pewnie nie dałeś jej futra – stwierdziła Ciri, marszcząc nos. – Na tę, no... mufkę.

– Był inny powód – zaczerwienił się lekko Freixenet, po czym groźnie łypnął na dziewczynkę. – Ale co to ciebie obchodzi, ty pędraku!

Ciri zrobiła obrażoną minę i odwróciła głowę.

– Tak – odkaszlnął Freixenet. – Na czym to ja... Aha, na tym, jak odczarowałeś mnie w Hamm. Gdyby nie ty, Geralt, zostałbym kormoranem do końca życia, latałbym dookoła jeziora i obsrywał gałęzie, łudząc się, że uratuje mnie koszulka z pokrzywowego łyka tkana przez moją siostrunię z uporem godnym lepszej sprawy. Psiakrew, co sobie przypomnę tę jej koszulkę, mam ochotę kogoś kopnąć. Ta idiotka...

– Nie mów tak – uśmiechnął się wiedźmin. – Chęci miała jak najlepsze. Źle ją poinformowano, to wszystko. O odczynianiu uroków krąży mnóstwo bezsensownych mitów. I tak miałeś szczęście, Freixenet. Mogła kazać ci dać nura we wrzące mleko. Słyszałem o takim wypadku. Nakrycie koszulką z pokrzywy, jakby na to nie spojrzeć, jest mało szkodliwe dla zdrowia, nawet jeśli mało pomaga.

– Ha, może i prawda. Może za wiele wymagam od niej. Eliza zawsze była głupia, od dziecka była głupia i śliczna, w samej rzeczy, świetny materiał na żonę dla króla.

– Co to jest śliczny materiał? – spytała Ciri. – I dlaczego na żonę?

– Nie wtrącaj się, pędraku, mówiłem. Tak, Geralt, miałem szczęście, żeś się wtedy pojawił w Hamm. I że szwagrunio-król skłonny był wydać tę parę dukatów, których zażądałeś za zdjęcie uroku.

– Wiesz, Freixenet – rzekł Geralt, uśmiechając się jeszcze szerzej – że wieść o tym wydarzeniu rozeszła się szeroko?

– Prawdziwa wersja?

– Nie bardzo. Po pierwsze, dodano ci dziesięciu braci.

– No nie! – baron uniósł się na łokciu, zakasłał. – A zatem, wliczając Elizę, miało nas być dwanaście sztuk? Co za cholerny idiotyzm! Moja mamusia nie była królicą!

– To nie wszystko. Uznano, że kormoran jest mało romantyczny.

– Bo jest! Nic w nim nie ma romantycznego! – baron

skrzywił się, macając pierś owiązaną łykiem i płatami brzozowej kory. – W co więc byłem zaklęty, według opowieści?

– W łabędzia. To znaczy, w łabędzie. Było was jedenastu, nie zapominaj.

– A w czym, do jasnej zarazy, łabędź jest romantyczniejszy od kormorana?

– Nie wiem.

– Ja też nie. Ale założę się, że w opowieści to Eliza odczarowała mnie za pomocą jej straszliwego koszuliszcza z pokrzyw?

– Wygrałeś. A co słychać u Elizy?

– Ma suchoty, bidulka. Długo nie pociągnie.

– Smutne.

– Smutne – potwierdził Freixenet beznamiętnie, patrząc w bok.

– Wracając do uroku – Geralt oparł się plecami o ścianę z posplatanych, sprężynujących gałęzi. – Nawrotów nie masz? Pióra ci nie rosną?

– Chwalić bogów, nie – westchnął baron. – Wszystko w porządku. Jedno, co mi zostało z tamtych czasów, to smak na ryby. Nie ma dla mnie, Geralt, lepszego żarcia niż ryba. Czasami z samego rana idę sobie do rybaków, na przystań, a zanim wyszukają mi coś szlachetniejszego, to ja sobie jedną, drugą garść uklejek prosto z sadza, parę piskorzy, jelca albo klenia... Rozkosz, nie żarcie.

– On był kormoranem – powiedziała powoli Ciri, patrząc na Geralta. – A ty go odczarowałeś. Ty umiesz czarować!

– To chyba oczywiste – rzekł Freixenet – że umie. Każdy wiedźmin umie.

– Wiedź... Wiedźmin?

– Nie wiedziałaś, że to wiedźmin? Sławny Geralt Riv? Prawda, skąd taki pędrak, jak ty, ma wiedzieć, kto to wiedźmin. Teraz to nie to, co dawniej. Teraz jest mało wiedźminów, prawie nie uświadczysz. Pewnie w życiu nie widziałaś wiedźmina?

Ciri wolno pokręciła głową, nie spuszczając z Geralta wzroku.

- Wiedźmin, pędraku, to ta... - Freixenet urwał i zbladł, widząc wchodzącą do chatki Braenn. - Nie, nie chcę! Nie dam sobie niczego wlewać do gęby, nigdy, nigdy więcej! Geralt! Powiedz jej...

- Uspokój się.

Braenn nie zaszczyciła Freixeneta niczym więcej oprócz przelotnego spojrzenia. Podeszła od razu do Ciri siedzącej w kucki obok wiedźmina.

- Chodź - powiedziała. - Chodź, kruszynko.

- Dokąd? - wykrzywiła się Ciri. - Nie pójdę. Chcę być z Geraltem.

- Idź - uśmiechnął się wymuszenie wiedźmin. - Pobawisz się z Braenn i młodymi driadami. Pokążą ci Duén Canell...

- Nie zawiązała mi oczu - powiedziała Ciri bardzo wolno. - Gdyśmy tu szli, nie zawiązała mi oczu. Tobie zawiązała. Żebyś nie mógł tu trafić, gdy odejdziesz. To znaczy...

Geralt spojrzał na Braenn. Driada wzruszyła ramionami, potem objęła i przytuliła dziewczynkę.

- To znaczy... - głos Ciri załamał się nagle. - To znaczy, że ja stąd nie odejdę. Tak?

- Nikt nie ujdzie przed swym przeznaczeniem.

Wszyscy odwrócili głowy na dźwięk tego głosu. Cichego, ale dźwięcznego, twardego, zdecydowanego. Głosu wymuszającego posłuch, nie uznającego sprzeciwu. Braenn skłoniła się. Geralt przyklęknął na jedno kolano.

- Pani Eithné...

Władczyni Brokilonu nosiła powłóczystą, zwiewną, jasnozieloną szatę. Jak większość driad, była niewysoka i szczupła, ale dumnie uniesiona głowa, twarz o poważnych, ostrych rysach i zdecydowane usta sprawiały, że wydawała się wyższa i potężniejsza. Jej włosy i oczy miały kolor roztopionego srebra.

Weszła do szałasu eskortowana przez dwie młodsze driady uzbrojone w łuki. Bez słowa skinęła na Braenn, a ta natychmiast chwyciła Ciri za rączkę i pociągnęła w stronę wyjścia, pochylając nisko głowę. Ciri stąpała sztywno i niezgrabnie, blada i oniemiała. Gdy przechodziła obok Eithné, srebrnowłosa driada szybkim ruchem ujęła ją pod brodę, uniosła, długo patrzyła w oczy dziewczynki. Geralt widział, że Ciri drży.

– Idź – powiedziała wreszcie Eithné. – Idź, dziecko. Nie lękaj się niczego. Nic nie jest już w stanie odmienić twego przeznaczenia. Jesteś w Brokilonie.

Ciri posłusznie podreptała za Braenn. W wyjściu odwróciła się. Wiedźmin spostrzegł, że usta jej drżą, a zielone oczy szklą się od łez. Nie powiedział ani słowa. Klęczał nadal, pochyliwszy głowę.

– Wstań, Gwynbleidd. Witaj.

– Witaj, Eithné, Pani Brokilonu.

– Ponownie mam przyjemność gościć cię w moim Lesie. Jakkolwiek przybywasz tu bez mojej wiedzy i zgody. Wchodzenie do Brokilonu bez mojej wiedzy i zgody jest ryzykowne, Biały Wilku. Nawet dla ciebie.

– Przybywam z poselstwem.

– Ach... – uśmiechnęła się lekko driada. – To stąd twoja śmiałość, której nie chciałabym określić innym, bardziej dosadnym słowem. Geralt, nietykalność posłów to zwyczaj przyjęty wśród ludzi. Ja go nie akceptuję. Nie uznaję niczego, co ludzkie. Tu jest Brokilon.

– Eithné...

– Milcz – przerwała, nie podnosząc głosu. – Kazałam cię oszczędzić. Wyjdziesz z Brokilonu żywy. Nie dlatego, że jesteś posłem. Z innych powodów.

– Nie interesuje cię, czyim jestem posłem? Skąd przychodzę, w czyim imieniu?

– Mówiąc szczerze, nie. Tu jest Brokilon. Ty przychodzisz z zewnątrz, ze świata, który mnie nie obchodzi. Dlaczego miałabym tracić czas na wysłuchiwanie poselstw? Czym mogą być dla mnie jakieś propozycje, jakieś ultimatum wymyślone przez kogoś, kto myśli i czuje inaczej niż ja? Cóż może mnie obchodzić, co myśli król Venzlav?

Geralt ze zdumieniem pokręcił głową.

– Skąd wiesz, że przychodzę od Venzlava?

– To przecież jasne – rzekła driada z uśmiechem. – Ekkehard jest za głupi. Ervyll i Viraxas zbyt mnie nienawidzą. Włości innych z Brokilonem nie graniczą.

– Wiesz mnóstwo o tym, co dzieje się poza Brokilonem, Eithné.

– Wiem bardzo wiele, Biały Wilku. To przywilej mojego wieku. Teraz zaś, jeżeli pozwolisz, chciałabym załatwić pewną sprawę. Czy ten mężczyzna o aparycji niedźwiedzia – driada przestała się uśmiechać i spojrzała na Freixeneta – jest twoim przyjacielem?

– Znamy się. Odczarowałem go kiedyś.

– Problem polega na tym – rzekła zimno Eithné – że nie wiem, co z nim począć. Przecież nie mogę go teraz kazać dobić. Pozwoliłabym, by wyzdrowiał, ale stanowi zagrożenie. Na fanatyka nie wygląda. A zatem łowca skalpów. Wiem, że Ervyll płaci za każdy skalp driady. Nie pamiętam, ile. Zresztą, cena rośnie wraz ze spadkiem wartości pieniądza.

– Mylisz się. On nie jest łowcą skalpów.

– Po co więc wlazł do Brokilonu?

– Szukać dziewczynki, którą powierzono jego opiece. Zaryzykował życiem, by ją odnaleźć.

– Bardzo głupio – rzekła zimno Eithné. – To nawet trudno nazwać ryzykiem. Szedł na pewną śmierć. To, że żyje, zawdzięcza wyłącznie końskiemu zdrowiu i wytrzymałości. Jeżeli zaś chodzi o to dziecko, to ono też ocalało przypadkiem. Moje dziewczęta nie strzelały, bo myślały, że to puk albo leprekaun.

Spojrzała jeszcze raz na Freixeneta, a Geralt zobaczył, że jej usta straciły nieprzyjemną twardość.

– No, dobrze. Uczcijmy jakoś ten dzień.

Podeszła do posłania z gałęzi. Obie towarzyszące jej driady zbliżyły się również. Freixenet pobladł i skurczył się, wcale nie robiąc się przez to mniejszy.

Eithné patrzyła na niego przez chwilę, lekko mrużąc oczy.

– Masz dzieci? – spytała wreszcie. – Do ciebie mówię, klocu.

– Hę?

– Chyba wyrażam się jasno.

– Nie jestem... – Freixenet odchrząknął, zakasłał. – Nie jestem żonaty.

– Mało obchodzi mnie twoje życie rodzinne. Interesuje mnie, czy zdolny jesteś wykrzesać coś z twoich otłuszczonych lędźwi. Na Wielkie Drzewo! Czyś uczynił kiedy kobietę brzemienną?

– Eee... Tak... Tak, pani, ale...

Eithné machnęła niedbale ręką, odwróciła się do Geralta.

– Zostanie w Brokilonie – powiedziała – do pełnego wyleczenia, i jeszcze jakiś czas. Potem... Niech idzie, dokąd chce.

– Dziękuję ci, Eithné – skłonił się wiedźmin. – A... Dziewczynka? Co z nią?

– Dlaczego pytasz? – driada spojrzała na niego zimnym spojrzeniem swych srebrnych oczu. – Przecież wiesz.

– To nie jest zwykłe, wiejskie dziecko. To księżniczka.

– Nie robi to na mnie wrażenia. Ani różnicy.

– Posłuchaj...

– Ani słowa więcej, Gwynbleidd.

Zamilkł, przygryzł wargi.

– Co z moim poselstwem?

– Wysłucham go – westchnęła driada. – Nie, nie z ciekawości. Zrobię to dla ciebie, byś mógł wykazać się przed Venzlavem i odebrać zapłatę, którą ci pewnie obiecał za dotarcie do mnie. Ale nie teraz, teraz będę zajęta. Przyjdź wieczorem do mojego Drzewa.

Gdy wyszła, Freixenet uniósł się na łokciu, jęknął, kaszlnął, splunął na dłoń.

– O co tu chodzi, Geralt? Dlaczego mam tu zostać? I o co szło z tymi dziećmi? W co ty mnie ubrałeś, hę?

Wiedźmin usiadł.

– Ocalisz głowę, Freixenet – powiedział zmęczonym głosem. – Zostaniesz jednym z niewielu, który wyszedł stąd żywy, przynajmniej ostatnio. I zostaniesz ojcem małej driady. Może kilku.

– Że jak? Mam być... rozpłodowcem?

– Nazwij to sobie, jak chcesz. Wybór masz ograniczony.

– Pojmuję – mruknął baron i uśmiechnął się obleśnie. – Cóż, widywałem jeńców pracujących w kopalniach i kopiących kanały. Z dwojga złego wolę... Byle mi tylko sił starczyło. Trochę ich tutaj jest...

– Przestań się głupio uśmiechać – skrzywił się Geralt – i snuć marzenia. Niech ci się nie roją hołdy, muzyka, wino, wachlarze i rój wielbiących cię driad. Będzie jedna, może dwie. I nie będzie wielbienia. Potraktują całą sprawę bardzo rzeczowo. A ciebie jeszcze bardziej.

– Nie sprawia im to przyjemności? Ale chyba nie sprawia przykrości?

– Nie bądź dzieckiem. Pod tym względem one niczym nie różnią się od kobiet. Przynajmniej fizycznie.

– To znaczy?

– Od ciebie zależy, czy będzie to dla driady przyjemne, czy przykre. Ale nie zmieni to faktu, że jej chodzić będzie wyłącznie o efekt. Twoja osoba ma znaczenie drugorzędne. Nie oczekuj wdzięczności. Aha, i pod żadnym pozorem nie próbuj niczego z własnej inicjatywy.

– Z własnego czego?

– Jeżeli spotkasz ją rano – wyjaśnił cierpliwie wiedźmin – ukłoń się, ale, do diabła, bez uśmieszków czy mrugnięć. Dla driady to sprawa śmiertelnie poważna. Jeżeli ona się uśmiechnie albo podejdzie do ciebie, możesz z nią porozmawiać. Najlepiej o drzewach. Jeśli nie znasz się na drzewach, to o pogodzie. Ale jeżeli ona uda, że cię nie widzi, trzymaj się od niej z daleka. I trzymaj się z daleka od innych driad i uważaj na ręce. Dla driady, która nie jest gotowa, te sprawy nie istnieją. Dotkniesz jej i dostaniesz nożem, bo nie zrozumie intencji.

– Obeznanyś – uśmiechnął się Freixenet – z ich obyczajem godowym. Zdarzało ci się?

Wiedźmin nie odpowiedział. Przed oczyma miał piękną, smukłą driadę, jej bezczelny uśmiech. Vatt'ghern, bloede caérme. Wiedźmin, cholerny los. Coś ty nam przyprowadziła, Braenn? Po co on nam? Żadnego pożytku z wiedźmina...

– Geralt?

– Co?

– A księżniczka Cirilla?

– Zapomnij o niej. Będzie z niej driada. Za dwa, trzy lata wpakuje strzałę w oko własnemu bratu, gdyby spróbował wejść do Brokilonu.

- Psiakrew - zaklął Freixenet, krzywiąc się. - Ervyll będzie wściekły. Geralt? A nie dałoby się...
- Nie - uciął wiedźmin. - Nawet nie próbuj. Nie wyszedłbyś żywy z Duén Canell.
- Znaczy, dziewuszka jest stracona.
- Dla was, tak.

VI

Drzewem Eithné był, ma się rozumieć, dąb, a właściwie trzy zrośnięte razem dęby, wciąż jeszcze zielone, nie zdradzające żadnych objawów usychania, choć Geralt obliczał je na co najmniej trzysta lat. Dęby były wewnątrz puste, a dziupla miała rozmiary sporej izby o wysokim, zwężającym się w stożek pułapie. Wnętrze było oświetlone nie kopcącym kagankiem i skromnie, ale nie prymitywnie, zamienione na wygodną kwaterę.

Eithné klęczała pośrodku, na czymś w rodzaju włóknistej maty. Przed nią, wyprostowana i nieruchoma, jak gdyby skamieniała, siedziała na podwiniętych nogach Ciri, umyta i wyleczona z kataru, szeroko otwierająca swe wielkie, szmaragdowe oczy. Wiedźmin zauważył, że jej twarzyczka, teraz, gdy znikł z niej brud i grymas złośliwego diablęcia, była wcale ładna.

Eithné czesała długie włosy dziewczynki, powoli i pieszczotliwie.

- Wejdź, Gwynbleidd. Usiądź.

Usiadł, ceremonialnie przyklękając najpierw na jedno kolano.

- Wypocząłeś? - spytała driada, nie patrząc na niego, nie przerywając czesania. - Kiedy możesz wyruszyć w drogę powrotną? Co powiesz na jutro rano?

- Kiedy tylko rozkażesz - powiedział zimno - Pani Brokilonu. Wystarczy jednego twego słowa, bym przestał drażnić cię moją obecnością w Duén Canell.

- Geralt - Eithné powoli odwróciła głowę. - Nie zrozum mnie źle. Znam cię i szanuję. Wiem, żeś nigdy nie skrzywdził driady, rusałki, sylfidy czy nimfy, wręcz przeciwnie, zdarzało ci się występować w ich obronie, ratować życie. Ale to nie zmienia niczego. Za wiele nas dzieli. Należymy do innych światów. Nie chcę i nie mogę robić wyjątków. Dla nikogo. Nie będę pytała, czy to rozumiesz, bo wiem, że tak jest. Pytam, czy to akceptujesz.

– Co to zmieni?

– Nic. Ale chcę wiedzieć.

– Akceptuję – potwierdził. – A co z nią? Z Ciri? Ona też należy do innego świata.

Ciri spojrzała na niego płochliwie, potem rzuciła okiem w górę, na driadę. Eithné uśmiechnęła się.

– Już nie na długo – powiedziała.

– Eithné, proszę. Zastanów się.

– Nad czym?

– Oddaj mi ją. Niech wraca ze mną. Do świata, do którego należy.

– Nie, Biały Wilku – driada ponownie zagłębiła grzebień w popielate włosy dziewczynki. – Nie oddam jej. Kto jak kto, ale ty powinieneś to zrozumieć.

– Ja?

– Ty. Nawet do Brokilonu docierają wieści ze świata. Wieści o pewnym wiedźminie, który za świadczone usługi wymusza niekiedy dziwne przysięgi. „Dasz mi to, czego nie spodziewasz się zastać w domu". „Dasz mi to, co już masz, a o czym nie wiesz". Brzmi znajomo? Wszakże od pewnego czasu próbujecie w ten sposób pokierować przeznaczeniem, szukacie chłopców wyznaczonych przez los na waszych następców, chcecie bronić się przed wymarciem i zapomnieniem. Przed nicością. Dlaczego więc dziwisz się mnie? Ja troszczę się o los driad. To chyba sprawiedliwie? Za każdą zabitą przez ludzi driadę jedna ludzka dziewczynka.

– Zatrzymując ją, obudzisz wrogość i pragnienie zemsty, Eithné. Obudzisz zapiekłą nienawiść.

– Nic to dla mnie nowego, ludzka nienawiść. Nie, Geralt. Nie oddam jej. Zwłaszcza że zdrowa. To ostatnio nieczęste.

– Nieczęste?

Driada utkwiła w nim swe wielkie, srebrne oczy.

– Podrzucają mi chore dziewczynki. Dyfteryt, szkarlatyna, krup, ostatnio nawet ospa. Myślą, że nie mamy immunitetu, że epidemia nas zniszczy albo przynajmniej zdziesiątkuje. Rozczaruj ich, Geralt. Mamy coś więcej niż immunitet. Brokilon dba o swoje dzieci.

Zamilkła, pochylając się, ostrożnie rozczesała pasemko splątanych włosów Ciri, pomagając sobie drugą ręką.

– Czy mogę – odchrząknął wiedźmin – przystąpić do poselstwa, z którym przysyła mnie tu król Venzlav?

– A nie szkoda na to czasu? – uniosła głowę Eithné. – Po co masz się wysilać? Przecież ja doskonale wiem, czego chce król Venzlav. Do tego bynajmniej nie potrzeba proroczych zdolności. Chce, bym oddała mu Brokilon, zapewne aż po rzeczkę Vdę, którą, jak mi wiadomo, uważa, lub chciałby uważać za naturalną granicę pomiędzy Brugge a Verden. W zamian, jak przypuszczam, oferuje mi enklawę, mały i dziki zakątek lasu. I zapewne gwarantuje królewskim słowem i królewską opieką, że ten mały i dziki zakątek, ten skrawek puszczy, będzie należał do mnie po wieki wieków i że nikt nie ośmieli się niepokoić tam driad. Że tam driady będą mogły żyć w pokoju. Co, Geralt? Venzlav chciałby zakończyć trwającą dwa stulecia wojnę o Brokilon. I aby ją zakończyć, driady miałyby oddać to, w obronie czego giną od dwustu lat? Tak po prostu – oddać? Oddać Brokilon?

Geralt milczał. Nie miał nic do dodania. Driada uśmiechnęła się.

– Czy tak właśnie brzmiała królewska propozycja, Gwynbleidd? Czy też może była bardziej szczera, mówiąca: „Nie zadzieraj głowy, leśne straszydło, bestio z puszczy, relikcie przeszłości, lecz posłuchaj, czego chcemy my, król Venzlav. A my chcemy cedru, dębu i hikory, chcemy mahoniu i złotej brzozy, cisu na łuki i masztowych sosen, bo Brokilon mamy pod bokiem, a musimy sprowadzać drewno zza gór. Chcemy żelaza i miedzi, które są pod ziemią. Chcemy złota, które leży na Craag An. Chcemy rąbać i piłować, i ryć w ziemi, nie musząc nasłuchiwać świstu strzał. I co najważniejsze: chcemy nareszcie być królem, któremu podlega wszystko w królestwie. Nie życzymy sobie w naszym królestwie jakiegoś Brokilonu, lasu, do którego nie możemy wejść. Taki las drażni nas, złości i spędza nam sen z powiek, bo my jesteśmy ludźmi, my panujemy nad światem. Możemy, jeśli zechcemy, tolerować na tym świecie kilka elfów, driad czy rusałek. Jeśli nie będą zbyt zuchwałe. Podporządkuj się naszej woli, Wiedźmo Brokilonu. Lub zgiń."

– Eithné, sama przyznałaś, że Venzlav nie jest głupcem ani fanatykiem. Z pewnością wiesz, że to król sprawiedliwy i miłujący pokój. Jego boli i martwi przelewana tu krew...

– Jeśli będzie trzymał się z dala od Brokilonu, nie popłynie ani kropla krwi.

– Dobrze wiesz... – Geralt uniósł głowę. – Dobrze wiesz, że to nie tak. Zabijano ludzi na Wypalankach, na Ósmej Mili, na Sowich Wzgórzach. Zabijano ludzi w Brugge, na lewym brzegu Wstążki. Poza Brokilonem.

– Miejsca, które wymieniłeś – odrzekła spokojnie driada – to Brokilon. Ja nie uznaję ludzkich map ani granic.

– Ale tam wyrąbano las sto lat temu!

– Cóż znaczy sto lat dla Brokilonu? I sto zim?

Geralt zamilkł.

Driada odłożyła grzebień, pogłaskała Ciri po popielatych włosach.

– Przystań na propozycję Venzlava, Eithné.

Driada spojrzała na niego zimno.

– Co nam to da? Nam, dzieciom Brokilonu?

– Możliwość przetrwania. Nie, Eithné, nie przerywaj. Wiem, co chcesz powiedzieć. Rozumiem twoją dumę z niezależności Brokilonu. Świat się jednak zmienia. Coś się kończy. Czy tego chcesz, czy nie, panowanie człowieka nad światem jest faktem. Przetrwają ci, którzy się z ludźmi zasymilują. Inni zginą. Eithné, są lasy, gdzie driady, rusałki i elfy żyją spokojnie, ułożywszy się z ludźmi. Jesteśmy przecież sobie tak bliscy. Przecież ludzie mogą być ojcami waszych dzieci. Co daje ci wojna, którą prowadzisz? Potencjalni ojcowie waszych dzieci padają pod waszymi strzałami. I jaki jest skutek? Ile spośród driad Brokilonu jest czystej krwi? Ile z nich to porwane, przerobione ludzkie dziewczęta? Nawet z Freixeneta musisz skorzystać, bo nie masz wyboru. Jakoś mało widzę tu maleńkich driad, Eithné. Widzę tylko ją – ludzką dziewczynkę, przerażoną i otępiałą od narkotyków, sparaliżowaną ze strachu...

– Wcale się nie boję! – krzyknęła nagle Ciri, przybierając na chwilę swą zwykłą minę małego diabełka. – I nie jestem opępiała! Nie myśl sobie! Mnie się nic nie może tu stać. Akurat! Nie boję się! Moja babka mówi, że driady nie są złe, a moja babka jest najmądrzejsza na świecie! Moja babka... Moja babka mówi, że powinno być więcej takich lasów jak ten...

Zamilkła, opuściła głowę. Eithné zaśmiała się.

– Dziecko Starszej Krwi – powiedziała. – Tak, Geralt. Ciągle jeszcze rodzą się na świecie Dzieci Starszej Krwi, o których mówią przepowiednie. A ty mówisz, że coś się kończy... Martwisz się, czy przetrwamy...

– Smarkula miała wyjść za mąż za Kistrina z Verden – przerwał Geralt. – Szkoda, że nie wyjdzie. Kistrin obejmie kiedyś rządy po Ervyllu, pod wpływem żony o takich poglądach może zaprzestałby rajdów na Brokilon?

– Nie chcę tego Kistrina! – krzyknęła cienko dziewczynka, a w jej zielonych oczach coś błysnęło. – Niech sobie Kistrin znajdzie śliczny i głupi materiał! Ja nie jestem żaden materiał! Nie będę żadną księżną!

– Cicho, Dziecko Starszej Krwi – driada przytuliła Ciri. – Nie krzycz. Oczywiście, że nie będziesz księżną...

– Oczywiście – wtrącił kwaśno wiedźmin. – I ty, Eithné, i ja dobrze wiemy, czym ona będzie. Widzę, że to już postanowione. Trudno. Jaką odpowiedź mam zanieść królowi Venzlavowi, Pani Brokilonu?

– Żadnej.

– Jak to, żadnej?

– Żadnej. On to zrozumie. Już dawniej, już bardzo dawno temu, gdy Venzlava nie było jeszcze na świecie, pod Brokilon podjeżdżali heroldowie, ryczały rogi i trąby, błyszczały zbroje, powiewały proporce i sztandary. „Ukorz się, Brokilonie!” krzyczano. „Król Koziząbek, władca Łysej Górki i Podmokłej Łąki żąda, byś się ukorzył, Brokilonie!” A odpowiedź Brokilonu była zawsze taka sama. Gdy już opuścisz mój Las, Gwynbleidd, obróć się i posłuchaj. W szumie liści usłyszysz odpowiedź Brokilonu. Przekaż ją Venzlavowi i dodaj, że innej nie usłyszy nigdy, póki stoją dęby w Duén Canell. Póki rośnie tu choć jedno drzewo i żyje choć jedna driada.

Geralt milczał.

– Mówisz, że coś się kończy – ciągnęła wolno Eithné. – Nieprawda. Są rzeczy, które nie kończą się nigdy. Mówisz mi o przetrwaniu? Ja walczę o przetrwanie. Bo Brokilon trwa dzięki mojej walce, bo drzewa żyją dłużej niż ludzie, trzeba tylko chronić je przed waszymi siekierami. Mówisz mi o królach i książętach. Kim oni są? Ci, których znam, to białe szkielety, leżące w nekropoliach Craag An, tam, w głębi lasu. W marmurowych grobowcach, na stosach żółtego metalu i błyszczących kamyków. A Brokilon trwa, drzewa szumią nad ruinami pałaców, korzenie rozsadzają marmur. Czy twój Venzlav pamięta, kim byli ci królowie? Czy ty to pamiętasz, Gwynbleidd? A jeżeli nie, to jak możesz twierdzić, że coś się kończy? Skąd wiesz, komu przeznaczona jest zagłada, a komu wieczność? Co upoważnia cię, by mówić o przeznaczeniu? Czy ty chociaż wiesz, czym jest przeznaczenie?

– Nie – zgodził się. – Nie wiem. Ale...

– Jeśli nie wiesz – przerwała – na żadne „ale" nie ma już miejsca. Nie wiesz. Po prostu nie wiesz.

Zamilkła, dotknęła ręką czoła, odwróciła twarz.

– Gdy byłeś tu po raz pierwszy, przed laty – podjęła – też nie wiedziałeś. A Morénn... Moja córka... Geralt, Morénn nie żyje. Zginęła nad Wstążką, broniąc Brokilonu. Nie poznałam jej, gdy ją przyniesiono. Miała twarz zmiażdżoną kopytami waszych koni. Przeznaczenie? I dzisiaj ty, wiedźmin, który nie mogłeś dać Morénn dziecka, przyprowadzasz mi ją, Dziecko Starszej Krwi. Dziewczynkę, która wie, czym jest przeznaczenie. Nie, nie jest to wiedza, która odpowiadałaby tobie, którą mógłbyś zaakceptować. Ona po prostu wierzy. Powtórz, Ciri, powtórz to, co powiedziałaś mi, zanim wszedł tu ten wiedźmin, Geralt z Rivii, Biały Wilk. Wiedźmin, który nie wie. Powtórz, Dziecko Starszej Krwi.

– Wielmoż... Szlachetna pani – rzekła Ciri łamiącym się głosem. – Nie zatrzymuj mnie tu. Ja nie mogę... Ja chcę... do domu. Chcę wrócić do domu z Geraltem. Ja muszę... Z nim...

– Dlaczego z nim?

– Bo on... On jest moim przeznaczeniem.

Eithné odwróciła się. Była bardzo blada.

– I co ty na to, Geralt?

Nie odpowiedział. Eithné klasnęła w dłonie. Do wnętrza dębu, wyłaniając się jak duch z panującej na zewnątrz nocy, weszła Braenn, niosąc oburącz wielki srebrny puchar. Medalion na szyi wiedźmina zaczął szybko, rytmicznie drgać.

– I co ty na to? – powtórzyła srebrnowłosa driada, wstając. – Ona nie chce zostać w Brokilonie! Ona nie życzy sobie być driadą! Ona nie chce zastąpić mi Morénn, chce odejść, odejść za swoim przeznaczeniem! Czy tak, Dziecko Starszej Krwi? Czy tego właśnie chcesz?

Ciri pokiwała pochyloną głową. Jej ramiona drżały. Wiedźmin miał dość.

– Dlaczego znęcasz się nad tym dzieckiem, Eithné? Za chwilę przecież dasz jej Wody Brokilonu i to, czego ona chce, przestanie mieć jakiekolwiek znaczenie. Dlaczego to robisz? Dlaczego robisz to w mojej obecności?

– Chcę pokazać ci, czym jest przeznaczenie. Chcę udowodnić ci, że nic się nie kończy. Że wszystko dopiero się zaczyna.

– Nie, Eithné – powiedział, wstając. – Przykro mi, zepsuję ci ten popis, ale nie mam zamiaru na to patrzeć. Poszłaś trochę za daleko, Pani Brokilonu, chcąc podkreślić przepaść, która nas dzieli. Wy, Starszy Lud, lubicie powtarzać, że obca jest wam nienawiść, że to uczucie znane wyłącznie ludziom. Ale to nieprawda. Wiecie, czym jest nienawiść i potraficie nienawidzić, tylko okazujecie to trochę inaczej, mądrzej i mniej gwałtownie. Ale może przez to bardziej okrutnie. Przyjmuję twoją nienawiść, Eithné, w imieniu wszystkich ludzi. Zasługuję na nią. Przykro mi z powodu Morénn.

Driada nie odpowiedziała.

– I to właśnie jest odpowiedź Brokilonu, którą mam przekazać Venzlavowi z Brugge, prawda? Ostrzeżenie i wyzwanie? Naoczny dowód drzemiącej wśród tych drzew nienawiści i Mocy, z woli których za chwilę ludzkie dziecko wypije niszczącą pamięć truciznę, biorąc ją z rąk innego, ludzkiego dziecka, którego psychikę i pamięć już zniszczono? I tę odpowiedź ma zanieść Venzlavowi wiedźmin, który zna i polubił obydwoje dzieci? Wiedźmin, winien śmierci twojej córki? Dobrze, Eithné, stanie się wedle twej woli. Venzlav usłyszy twoją odpowiedź, usłyszy mój głos, zobaczy moje oczy i wszystko z nich wyczyta. Ale patrzeć na to, co ma się tu stać, nie muszę. I nie chcę.

Eithné milczała nadal.

– Żegnaj, Ciri – Geralt ukłęknął, przytulił dziewczynkę. Ramiona Ciri zadrżały silnie. – Nie płacz. Przecież wiesz, nic złego nie może ci się tu stać.

Ciri pociągnęła nosem. Wiedźmin wstał.

– Żegnaj, Braenn – powiedział do młodszej driady. – Bądź zdrowa i uważaj na siebie. Przeżyj, Braenn, żyj tak długo, jak twoje drzewo. Jak Brokilon. I jeszcze jedno...

– Tak, Gwynbleidd? – Braenn uniosła głowę, a w jej oczach coś mokro zalśniło.

– Łatwo zabija się z łuku, dziewczyno. Jakże łatwo spuścić cięciwę i myśleć, to nie ja, nie ja, to strzała. Na moich rękach nie ma krwi tego chłopca. To strzała zabiła, nie ja. Ale strzale nic nie śni się w nocy. Niech i tobie nic nie śni się w nocy, niebieskooka driado. Żegnaj, Braenn.

– Mona... – powiedziała niewyraźnie Braenn. Puchar, który trzymała w dłoniach, drżał, przepełniający go przezroczysty płyn falował.

– Co?

– Mona! – jęknęła. – Jestem Mona! Pani Eithné! Ja...

– Dość tego – rzekła ostro Eithné. – Dość. Panuj nad sobą, Braenn.

Geralt zaśmiał się sucho.

– Masz twoje przeznaczenie, Leśna Pani. Szanuję twój upór i twoją walkę. Ale wiem, że wkrótce będziesz walczyć sama. Ostatnia driada Brokilonu posyłająca na śmierć dziewczęta, które jednak wciąż pamiętają swoje prawdziwe imiona. Mimo wszystko, życzę ci szczęścia, Eithné. Żegnaj.

– Geralt... – szepnęła Ciri, siedząc nadal nieruchomo, z opuszczoną głową. – Nie zostawiaj mnie... samej...

– Biały Wilku – powiedziała Eithné, obejmując zgarbione plecy dziewczynki. – Musiałeś czekać, aż ona cię o to poprosi? O to, byś jej nie opuszczał? Byś wytrwał przy niej do końca? Dlaczego chcesz opuścić ją w takiej chwili? Zostawić samą? Dokąd chcesz uciekać, Gwynbleidd? I przed czym?

Ciri jeszcze bardziej pochyliła głowę. Ale nie rozpłakała się.

– Aż do końca – kiwnął głową wiedźmin. – Dobrze, Ciri. Nie będziesz sama. Będę przy tobie. Nie bój się niczego.

Eithné wyjęła puchar z drżących rąk Braenn, uniosła go.

– Umiesz czytać Starsze Runy, Biały Wilku?

– Umiem.

– Przeczytaj, co jest wyryte na pucharze. To puchar z Craag An. Pili z niego królowie, których już nikt nie pamięta.

– Duettaeánn aef cirrán Cáerme Gláeddyv. Yn á esseáth.

– Czy wiesz, co to oznacza?

– Miecz przeznaczenia ma dwa ostrza... Jednym jesteś ty.

– Wstań, Dziecko Starszej Krwi – w głosie driady szczęknął stałą rozkaz, któremu nie można było się przeciwstawić, wola, której nie można było się nie poddać. – Pij. To Woda Brokilonu.

Geralt zagryzł wargi wpatrzony w srebrzyste oczy Eithné. Nie patrzył na Ciri, powoli zbliżającą usta do brzegu pucharu. Widział to już, kiedyś, dawniej. Konwulsje, drgawki, niesamowity, przerażający, gasnący powoli krzyk. I pustka, martwota i apatia w otwierających się powoli oczach. Widział to już.

Ciri piła. Po nieruchomej twarzy Braenn powoli toczyła się łza.

– Wystarczy – Eithné odebrała jej puchar, postawiła na ziemi, oburącz pogładziła włosy dziewczynki opadające na ramiona popielatymi falami.

– Dziecko Starszej Krwi – powiedziała. – Wybieraj. Czy chcesz pozostać w Brokilonie, czy podążyć za twoim przeznaczeniem?

Wiedźmin z niedowierzaniem pokręcił głową. Ciri oddychała nieco szybciej, dostała rumieńców. I nic więcej. Nic.

– Chcę podążyć za moim przeznaczeniem – powiedziała dźwięcznie, patrząc w oczy driady.

– Niech więc tak się stanie – rzekła Eithné zimno i krótko. Braenn westchnęła głośno.

– Chcę zostać sama – powiedziała Eithné, odwracając się do nich plecami. – Odejdźcie, proszę.

Braenn chwyciła Ciri, dotknęła ramienia Geralta, ale wiedźmin odsunął jej rękę.

– Dziękuję ci, Eithné – powiedział. Driada odwróciła się powoli.

– Za co mi dziękujesz?

– Za przeznaczenie – uśmiechnął się. – Za twoją decyzję. Bo przecież to nie była Woda Brokilonu, prawda? Przeznaczeniem Ciri było wrócić do domu. A to ty, Eithné, odegrałaś rolę przeznaczenia. I za to ci dziękuję.

– Jak ty mało wiesz o przeznaczeniu – powiedziała gorzko driada. – Jak ty mało wiesz, wiedźminie. Jak ty mało widzisz. Jak ty mało rozumiesz. Dziękujesz mi? Dziękujesz za rolę, którą odegrałam? Za jarmarczny popis? Za sztuczkę, za oszustwo, za mistyfikację? Za to, że miecz przeznaczenia był, jak sądzisz, z drewna pociągniętego pozłotką? Dalejże więc, nie dziękuj, ale zdemaskuj mnie. Postaw na swoim. Udowodnij, że racja jest po twojej stronie. Rzuć mi w twarz twoją prawdę, pokaż, jak tryumfuje trzeźwa, ludzka prawda, zdrowy rozsądek, dzięki którym, w waszym mniemaniu, opanujecie świat. Oto Woda Brokilonu, jeszcze trochę zostało. Odważysz się? Zdobywco świata?

Geralt, choć rozdrażniony jej słowami, zawahał się, ale tylko na chwilę. Woda Brokilonu, nawet autentyczna, nie miała na niego wpływu, na zawarte w niej toksyczne, halucynogenne taniny był całkowicie uodporniony. Ale to przecież nie mogła być Woda Brokilonu, Ciri piła ją i nic się nie stało. Sięgnął po puchar, oburącz, spojrzał w srebrne oczy driady.

Ziemia uciekła mu spod nóg, momentalnie, i zwaliła mu się na plecy. Potężny dąb zawirował i zatrząsł się. Z trudem macając dookoła drętwiejącymi rękoma, otworzył oczy, a było to tak, jak gdyby odwalał marmurową płytę grobowca. Zobaczył nad sobą maleńką twarzyczkę Braenn, a za nią błyszczące jak rtęć oczy Eithné. I jeszcze inne oczy, zielone, jak szmaragdy. Nie, jaśniejsze. Jak trawa wiosną. Medalion na jego szyi drażnił, wibrował.

– Gwynbleidd – usłyszał. – Patrz uważnie. Nie, nic ci nie pomoże zamykanie oczu. Patrz, patrz na twoje przeznaczenie.

–˘Pamiętasz?

Nagły, rwący kurtynę dymu wybuch jasności, wielkie, ciężkie od świec kandelabry ociekające festonami wosku. Kamienne ściany, strome schody. Schodząca po schodach zielonooka i popielatowłosa dziewczyna w diademiku z misternie rzeźbioną gemmą, w srebrnobłękitnej sukni z trenem podtrzymywanym przez pazia w szkarłatnym kubraczku.

– Pamiętasz?

Jego własny głos mówiący... Mówiący...

Wrócę tu za sześć lat...

Altana, ciepło, zapach kwiatów, ciężkie jednostajne brzęczenie pszczół. On sam, na kolanach, podający różę kobiecie o popielatych włosach rozsypanych lokami spod wąskiej, złotej obręczy. Na palcach dłoni, biorącej różę z jego ręki, pierścienie ze szmaragdami, wielkie, zielone kaboszony.

– Wróć tu – mówi kobieta. – Wróć tu, jeśli zmienisz zdanie. Twoje przeznaczenie będzie czekało.

Nigdy nie wróciłem, pomyślał. Nigdy tam... nie wróciłem. Nigdy nie wróciłem do...

Dokąd?

Popielate włosy. Zielone oczy.

Znowu jego głos, w ciemności, w mroku, w którym ginie wszystko. Są tylko ognie, ognie aż po horyzont. Kurzawa iskier w purpurowym dymie. Belleteyn! Noc Majowa! Z kłębów dymu patrzą ciemne, fiołkowe oczy, płonące w bladej, trojkątnej twarzy przesłoniętej czarną, sfalowaną burzą loków.

Yennefer!

– Za mało. – Wąskie usta widziadła skrzywione nagle, po bladym policzku toczy się łza, szybko, coraz szybciej, jak kropla wosku po świecy.

– Za mało. Trzeba czegoś więcej.

– Yennefer!

– Nicość za nicość – mówi widziadło głosem Eithné. – Nicość i pustka, która jest w tobie, zdobywco świata, który nie potrafisz nawet zdobyć kobiety, którą kochasz. Który odchodzisz i uciekasz, mając przeznaczenie w zasięgu ręki. Miecz przeznaczenia ma dwa ostrza. Jednym jesteś ty. A co jest drugim, Biały Wilku?

– Nie ma przeznaczenia – jego własny głos. – Nie ma. Nie ma. Nie istnieje. Jedynym, co jest przeznaczone wszystkim, jest śmierć.

– To prawda – mówi kobieta o popielatych włosach i zagadkowym uśmiechu. – To prawda, Geralt.

Kobieta ma na sobie srebrzystą zbroję, zakrwawioną, pogiętą, podziurawioną ostrzami pik lub halabard. Krew wąską strużką ciekinie jej z kącika zagadkowo i nieładnie uśmiechniętych ust.

– Ty drwisz z przeznaczenia – mówi, nie przestając się uśmiechać. – Drwisz sobie z niego, igrasz z nim. Miecz przeznaczenia ma dwa ostrza. Jednym jesteś ty. Drugim... jest śmierć? Ale to my umieramy, umieramy przez ciebie. Ciebie śmierć nie może doścignąć, więc zadowala się nami. Śmierć idzie za tobą krok w krok, Biały Wilku. Ale to inni umierają. Przez ciebie. Pamiętasz mnie?

– Ca... Calanthe!

– Możesz go uratować – głos Eithné, zza zasłony dymu. – Możesz go uratować, Dziecko Starszej Krwi. Zanim pogrąży się w nicości, którą pokochał. W czarnym lesie, który nie ma końca.

Oczy, zielone jak trawa wiosną. Dotyk. Głosy, krzyczące niezrozumiałym chórem. Twarze.

Nie widział już nic, leciał w przepaść, w pustkę, w ciemność. Ostatnim, co usłyszał, był głos Eithné.

– Niech więc tak się stanie.

VII

– Geralt! Obudź się! Obudź się, proszę!

Otworzył oczy, zobaczył słońce, złoty dukat o wyraźnych krawędziach, w górze, nad wierzchołkami drzew, za mętną zasłoną porannej mgły. Leżał na mokrym, gąbczastym mchu, twardy korzeń uwierał go w plecy.

Ciri klęczała przy nim, szarpiąc za połę kurtki.

– Zaraza... – odkaszlnął, rozejrzał się. – Gdzie ja jestem? Jak się tu znalazłem?

– Nie wiem – powiedziała. – Obudziłam się przed chwilką, tutaj, obok ciebie, okropecznie zmarznięta. Nie pamiętam, jak... Wiesz, co? To są czary!

– Zapewne masz rację – usiadł, wyciągając sosnowe igły zza kołnierza. – Zapewne masz rację, Ciri. Woda Brokilonu, cholera... Zdaje się, że driady zabawiły się naszym kosztem.

Wstał, podniósł swój miecz leżący obok, przerzucił pas przez plecy.

– Ciri?

– Aha?

– Ty też zabawiłaś się moim kosztem.

– Ja?

– Jesteś córką Pavetty, wnuczką Calanthe z Cintry. Wiedziałaś od samego początku, kim ja jestem?

– Nie – zaczerwieniła się. – Nie od początku. Ty odczarowałeś mego tatę, prawda?

– Nieprawda – pokręcił głową. – Zrobiła to twoja mama. I twoja babka. Ja tylko pomogłem.

– Ale niania mówiła... Mówiła, że jestem przeznaczona. Bo jestem Niespodzianka. Dziecko Niespodzianka. Geralt?

– Ciri – popatrzał na nią, kręcąc głową i uśmiechając się. – Wierz mi, jesteś największą niespodzianką, jaka mogła mnie spotkać.

– Ha! – twarz dziewczynki pojaśniała. – To prawda! Jestem przeznaczona. Niania mówiła, że przyjdzie wiedźmin, który ma białe włosy i zabierze mnie. A babka wrzeszczała... Ach, co tam! Dokąd mnie zabierzesz, powiedz?

– Do domu. Do Cintry.

– Ach... A ja myślałam, że...

– Pomyślisz w drodze. Chodźmy, Ciri, trzeba wyjść z Brokilonu. To nie jest bezpieczne miejsce.

– Ja się nie boję!

– Ale ja się boję.

– Babka mówiła, że wiedźmini nie boją się niczego.

– Babka mocno przesadziła. W drogę, Ciri. Żebym ja jeszcze wiedział, gdzie my...

Spojrzał na słońce.

– No, zaryzykujmy... Pójdziemy tędy.

– Nie – Ciri zmarszczyła nos, wskazała w kierunku przeciwnym. – Tędy. Tam.

– A ty skąd to niby wiesz?

– Wiem – wzruszyła ramionami, spojrzała na niego bezbronnym i zdziwionym, szmaragdowym spojrzeniem. – Jakoś... Coś, tam... Nie wiem.

Córka Pavetty, pomyślał. Dziecko... Dziecko Starszej Krwi? Możliwe, że odziedziczyła coś po matce.

– Ciri – rozchełstał koszulę, wyciągnął medalion. – Dotknij tego.

– Och – otworzyła usta. – Ale straszny wilk. Ale ma kły...

– Dotknij.

– Ojej!!!

Wiedźmin uśmiechnął się. Też poczuł gwałtowne drgnięcie medalionu, ostrą falę biegnącą po srebrnym łańcuszku.

– Poruszył się! – westchnęła Ciri. – Poruszył!

– Wiem. Idziemy, Ciri. Prowadź.

– To czary, prawda?

– Jasne.

Było tak, jak się spodziewał. Dziewczynka wyczuwała kierunek. Jakim sposobem, nie wiedział. Ale szybko, szybciej, niż oczekiwał, wyszli na drogę, na widłowate, trójstronne rozstaje. To była granica Brokilonu – przynajmniej według ludzi. Eithné, jak pamiętał, nie uznawała tego.

Ciri przygryzała wargę, zmarszczyła nos, zawahała się, patrząc na rozstaje, na piaszczyste, wyboiste drogi, zryte kopytami i kołami wozów. Ale Geralt wiedział już, gdzie jest, nie musiał i nie chciał polegać na jej niepewnych zdolnościach. Ruszył drogą prowadzącą na wschód, ku Brugge. Ciri, wciąż zmarszczona, obejrzała się na drogę zachodnią.

– Tamtędy idzie się do zamku Nastrog – zadrwił. – Stęskniłaś się za Kistrinem?

Dziewczynka zaburczała, poszła za nim posłusznie, ale jeszcze kilka razy oglądała się wstecz.

– O co chodzi, Ciri?

– Nie wiem – szepnęła. – Ale to zła droga, Geralt.

– Dlaczego? Idziemy do Brugge, do króla Venzlava, który mieszka w pięknym zamku. Wykąpiemy się w łaźni, wyśpimy w łóżku z pierzyną...

– To zła droga – powtórzyła. – Zła.

– Fakt, widywałem lepsze. Przestań kręcić nosem, Ciri. Idziemy, żwawo.

Minęli zakrzaczony zakręt. I okazało się, że Ciri miała rację.

Obstąpili ich nagle, szybko, ze wszystkich stron. Ludzie w stożkowatych hełmach, kolczugach i ciemnosinych tunikach ze złoto-czarną szachownicą Verden na piersiach. Otoczyli ich, ale żaden nie zbliżył się, nie dotknął broni.

– Skąd i dokąd to? – szczeknął krępy osobnik w wytartym, zielonym stroju, stając przed Geraltem na szeroko rozstawionych, pałąkowatych nogach. Twarz miał ciemną i pomarszczoną jak suszona śliwka. Łuk i białopierzaste strzały sterczały mu zza pleców, wysoko nad głową.

– Z Wypalanek – zełgał gładko wiedźmin, ściskając znacząco rączkę Ciri. – Wracam do siebie, do Brugge. A co?

– Królewska służba – rzekł ciemnolicy grzeczniej, jakby dopiero teraz zobaczył miecz na plecach Geralta. – My...

– Dawaj no go tu, Junghans! – krzyknął ktoś stojący dalej, na drodze. Żołdacy rozstąpili się.

– Nie patrz, Ciri – powiedział Geralt szybko. – Odwróć się. Nie patrz.

Na drodze leżało zwalone drzewo blokujące przejazd plątaniną konarów. Nadcięta i złamana część pnia bielała w przydrożnej gęstwinie długimi promieniami drzazg. Przed drzewem stał wóz nakryty płachtą zakrywającą ładunek. Małe, kosmate konie leżały na ziemi zaplątane w dyszle i powody, naszpikowane strzałami, szczerząc żółte zęby. Jeden żył jeszcze, chrapał ciężko, wierzgał.

Byli tam też i ludzie leżący w ciemnych plamach wsiąkłej w piach krwi, przewieszeni przez burtę wozu, pokurczeni u kół.

Spomiędzy zgromadzonych dookoła wozu uzbrojonych ludzi wyszło powoli dwóch, potem dołączył do nich trzeci. Pozostali – było ich około dziesięciu – stali nieruchomo, trzymając konie.

– Co tu się stało? – spytał wiedźmin, stając tak, by zasłonić przed wzrokiem Ciri scenę masakry.

Kosooki mężczyzna w krótkiej kolczudze i wysokich butach popatrzył na niego badawczo, potarł trzeszczący od zarostu podbródek. Na lewym przedramieniu miał wytarty i wybłyszczony skórzany mankiet, jakiego używali łucznicy.

– Napad – powiedział krótko. – Wybiły kupców leśne dziwożony. My tu śledztwo czynimy.

– Dziwożony? Napadły na kupców?

– Widzisz przecie – wskazał ręką kosooki. – Nadziani strzałami niby jeże. Na gościńcu! Coraz bezczelniejsze robią się leśne wiedźmy. Już nie tylko w las nie można wejść, już nawet drogą wzdłuż lasu nie można.

– A wy – zmrużył oczy wiedźmin. – Kim jesteście?

– Evryllowa drużyna. Z nastrogskich dziesiątek. Pod baronem Freixenetem służyliśmy. Ale baron padł w Brokilonie.

Ciri otworzyła usta, ale Geralt mocno ścisnął jej rączkę, nakazując milczenie.

– Krew za krew, mówię! – zagrzmiał towarzysz kosookiego, olbrzym w nabijanym mosiądzem kaftanie. – Krew za krew! Tego płazem puścić nie wolno. Najpierw Freixenet i porwana księżniczka z Cintry, teraz kupcy. Na bogów, mścić, mścić, powiadam! Bo jak nie, zobaczycie, jutro, pojutrze zaczną ubijać ludzi na progach własnych chałup!

- Brick dobrze mówi - powiedział kosooki. - Prawda? A tyś, bracie, że zapytam, skąd?
- Z Brugge - skłamał wiedźmin.
- A ta mała, córka?
- Córka - Geralt ponownie ścisnął dłoń Ciri.
- Z Brugge - zmarszczył się Brick. - A to ci powiem, bracie, że to twój król, Venzlav, potworzyce rozzuchwala właśnie. Nie chce z naszym Ervyllem się sprząc i z Viraxasem z Kerack. A gdyby ze trzech stron na Brokilon pójść, wygnietlibyśmy to plugastwo wreszcie...
- Jak doszło do tej rzezi? - spytał powoli Geralt. - Ktoś wie? Przeżył któryś z kupców?
- Świadków nie ma - powiedział kosooki. - Ale wiemy, co się przydarzyło. Junghans, leśniczy, czyta w śladach niby w księdze. Powiedz mu, Junghans.
- Ano - powiedział ten z pomarszczoną twarzą. - Tak to było: Jechali kupce gościńcem. Najechali na zasiek. Widzicie, panie, w poprzek drogi obalona sosna, zrąbana świeżo. W gąszczu ślady są, chcecie obaczyć? No, a jak kupce stanęli, by drzewo odwalić, wystrzelano ich w try miga. Stamtąd, z zarośli, gdzie owa krzywa brzoza. I tam ślady są. A strzały, baczcie, wszystko dziwożonia robota, pióra klejone żywicą, brzechwy kręcone łykiem...
- Widzę - przerwał wiedźmin, patrząc na zabitych. - Kilku, zdaje mi się, przeżyło ostrzał, ci dostali po gardle. Nożami.

Zza pleców stojących przed nim żołdaków wyłonił się jeszcze jeden - chudy i niewysoki, w łosiowym kaftanie. Miał czarne, bardzo krótko strzyżone włosy, policzki sine od gładko zgolonego, czarnego zarostu. Wiedźminowi wystarczyło jednego spojrzenia na małe, wąskie dłonie w krótkich, czarnych rękawiczkach bez palców, na blade, rybie oczy, na miecz, na rękojeści sztyletów, sterczące zza pasa i z cholewy lewego buta. Geralt widział zbyt wielu morderców, by natychmiast nie rozpoznać jeszcze jednego.

- Bystre masz oko - powiedział czarny, bardzo powoli.
- Zaiste, wiele widzisz.
- I dobrze to - rzekł kosooki. - Co widział, niech królowi swojemu opowie, Venzlav wszak ciągle klnie się, że

nie trza dziwożon zabijać, bo one miłe i dobre. Pewnikiem chodzi do nich majową porą i chędoży je. Po temu to one może i dobre. Co sami sprawdzim, jeśli którą żywcem weźmiemy.

– A choćby i półżywcem – zarechotał Brick. – No, zaraza, gdzie ten druid? Południe niedługo, a jego ani śladu. Pora ruszać.

– Co zamierzacie? – spytał Geralt, nie puszczając ręki Ciri.

– A tobie co do tego? – syknął czarny.

– No, po co zaraz tak ostro, Levecque – uśmiechnął się brzydko kosooki. – My ludzie uczciwi, sekretów nie mamy. Ervyll przysyła nam druida, wielkiego magika, który nawet z drzewami potrafi gadać. Ówże poprowadzi nas w las mścić Freixeneta, spróbować odbić księżniczkę. To nie byle szysz, bracie, a karna eks... eks...

– Ekspedycja – podpowiedział ten czarny, Levecque.

– Ano. Z ust mnie wyjąłeś. Tak tedy, ruszaj w swoją drogę, bracie, bo tu wkrótce może być gorąco.

– Taak – rzekł przeciągle Levecque, patrząc na Ciri. – Niebezpiecznie tu, zwłaszcza z dziewczątkiem. Dziwożony tylko czyhają na takie dziewczątka. Co, mała? Mama w domu czeka?

Ciri, trzęsąc się, kiwnęła głową.

– Byłoby fatalnie – ciągnął czarny, nie spuszczając z niej oka – gdyby się nie doczekała. Pewnie pognałaby do króla Venzlava i rzekła: pobłażałeś driadom, królu, i oto proszę, moja córka i mój mąż na twoim sumieniu. Kto wie, może Venzlav wówczas ponownie przemyślałby sojusz z Ervyllem?

– Ostawcie, panie Levecque – warknął Junghans, a pomarszczona twarz zmarszczyła mu się jeszcze bardziej. – Niech idą.

– Bywaj, malutka – Levecque wyciągnął rękę, pogłaskał Ciri po głowie. Ciri zatrzęsła się i cofnęła.

– Cóż to? Boisz się?

– Masz krew na ręku – powiedział cicho wiedźmin.

– Ach – Levecque uniósł dłoń. – Faktycznie. To ich krew. Kupców. Sprawdzałem, czy któryś nie ocalał. Ale niestety, dziwożony strzelają celnie.

– Dziwożony? – odezwała się drżącym głosem Ciri, nie reagując na ścisk dłoni wiedźmina. – Och, szlachetni rycerze, mylicie się. To nie mogły być driady!

– Co tam popiskujesz, mała? – blade oczy czarnego zwęziły się. Geralt rzucił okiem na prawo, na lewo, ocenił odległości.

– To nie były driady, panie rycerzu – powtórzyła Ciri. – To przecież jasne!

– Hę?

– Przecież to drzewo... To drzewo jest zrąbane! Siekierą! A driada nigdy nie zrąbałaby drzewa, prawda?

– Prawda – powiedział Levecque i popatrzył na kosookiego. – Och, jaka mądra z ciebie dziewczynka. Za mądra.

Wiedźmin już wcześniej widział jego wąską, urękawiczoną rękę pełznącą niby czarny pająk ku rękojeści sztyletu. Chociaż Levecque nie odrywał wzroku od Ciri, Geralt wiedział, że cios będzie wymierzony w niego. Odczekał do momentu, gdy Levecque dotknął broni, a kosooki wstrzymał oddech.

Trzy ruchy. Tylko trzy. Opancerzone srebrnymi ćwiekami przedramię gruchnęło czarnego w bok głowy. Zanim upadł, wiedźmin już stał między Junghansem a kosookim, a miecz, z sykiem wyskakując z pochwy, zawył w powietrzu, rozwalając skroń Bricka, olbrzyma w nabijanym mosiądzem kaftanie.

– Uciekaj, Ciri!

Kosooki, dobywając miecza, skoczył, ale nie zdążył. Wiedźmin ciął go przez pierś, skośnie, z góry w dół, i natychmiast, wykorzystując energię ciosu, z dołu w górę, przyklękając, rozchlastując żołdaka w krwawy X.

– Chłopy! – wrzasnął Junghans do reszty, skamieniałej w zaskoczeniu. – Do mnie!

Ciri dopadła krzywego buka i jak wiewiórka smyknęła w górę po konarach, znikając w listowiu. Leśnik posłał za nią strzałę, ale chybił. Pozostali biegli, rozsypując się w półkole, wyciągając łuki i strzały z kołczanów. Geralt, wciąż klęcząc, złożył palce i uderzył Znakiem Aard, nie w łuczników, bo byli za daleko, ale w piaszczystą drogę przed nimi, zasypując ich kurzawą.

Junghans, odskakując, zwinnie wyciągnął z kołczana drugą strzałę.

– Nie! – wrzasnął Levecque, zrywając się z ziemi z mieczem w prawej, ze sztyletem w lewej ręce. – Zostaw go, Junghans!

Wiedźmin zawirował płynnie, odwracając się ku niemu.

– Jest mój – powiedział Levecque, potrząsając głową, ocierając przedramieniem policzek i usta. – Tylko mój!

Geralt, pochylony, ruszył półkolem, ale Levecque nie krążył, zaatakował od razu, dopadając w dwóch skokach.

Dobry jest, pomyślał wiedźmin, z trudem wiążąc klingę zabójcy krótkim młyńcem, unikając półobrotem pchnięcia sztyletu. Celowo nie zripostował, odskoczył, licząc na to, że Levecque spróbuje dosięgnąć go długim, wyciągniętym uderzeniem, że straci równowagę. Ale zabójca nie był nowicjuszem. Zgarbił się i też poszedł półkolem, miękkim, kocim krokiem. Niespodzianie skoczył, zamłynkował mieczem, zawirował, skracając dystans. Wiedźmin nie wyszedł na spotkanie, ograniczył się do szybkiej, górnej finty, która zmusiła zabójcę do odskoku. Levecque zgarbił się, składając kwartę, kryjąc rękę ze sztyletem za plecami. Wiedźmin i tym razem nie zaatakował, nie skrócił dystansu, poszedł znowu w półkole, okrążając go.

– Aha – wycedził Levecque, prostując się. – Przedłużamy zabawę? Czemu nie. Nigdy dość dobrej zabawy!

Skoczył, zawirował, uderzył, raz, drugi, trzeci, w szybkim rytmie – górne cięcie mieczem i natychmiast, od lewej, płaski, koszący cios sztyletu. Wiedźmin nie zakłócał rytmu – parował, odskakiwał i znowu szedł półkolem, zmuszając zabójcę do obracania się. Levecque cofnął się nagle, ruszył półkolem w przeciwnym kierunku.

– Każda zabawa – syknął przez zaciśnięte zęby – musi mieć swój koniec. Co powiesz na jedno uderzenie, spryciarzu? Jedno uderzenie, a potem zestrzelimy z drzewa twojego bękarta. Co ty na to?

Geralt widział, że Levecque obserwuje swój cień, że czeka, aż cień dosięgnie przeciwnika, dając znać, że ten ma słońce w oczy. Zaprzestał krążenia, by ułatwić zabójcy zadanie.

I zwęził źrenice w pionowe szpareczki, dwie wąziutkie kreski.

Aby zachować pozory, zmarszczył lekko twarz, udając oślepionego.

Levecque skoczył, zawirował, utrzymując równowagę ręką ze sztyletem wyciągniętą w bok, uderzył z niemożliwego wręcz wygięcia przegubu, z dołu, mierząc w krocze. Geralt wyprysnął do przodu, obrócił się, odbił cios, wyginając ramię i przegub równie niemożliwie, odrzucił zabójcę impetem parady i chlasnął go, końcem klingi, przez lewy policzek. Levecque zatoczył się, chwytając za twarz. Wiedźmin wykręcił się w półobrót, przerzucił ciężar ciała na lewą nogę i krótkim ciosem rozrąbał mu tętnicę szyjną. Levecque skulił się, brocząc krwią, upadł na kolana, zgiął się i zarył twarzą w piach.

Geralt powoli obrócił się w stronę Junghansa. Ten, wykrzywiając pomarszczoną twarz we wściekły grymas, wymierzył z łuku. Wiedźmin pochylił się, ujmując miecz oburącz. Pozostali żołdacy również unieśli łuki, w głuchej ciszy.

– Na co czekacie! – ryknął leśnik. – Szyć! Szyć w nie...

Potknął się, zachwiał, podreptał do przodu i upadł na twarz, z karku sterczała mu strzała. Strzała miała na brzechwie pręgowane pióra z lotek kury bażanta barwione na żółto w wywarze z kory.

Strzały leciały ze świstem i sykiem po długich, płaskich parabolach od strony czarnej ściany lasu. Leciały pozornie wolno i spokojnie, szumiąc piórami, i wydawało się, że nabierają pędu i siły dopiero uderzając w cele. A uderzały bezbłędnie, kosząc nastrogskich najemników, zwalając ich w piasek drogi, bezwładnych i ściętych, niby słoneczniki uderzone kijem.

Ci, którzy przeżyli, runęli ku koniom, potrącając się nawzajem. Strzały nie przestawały świszczeć, dosięgały ich w biegu, dopadały na kulbakach. Tylko trzech zdołało poderwać konie do galopu i ruszyć, wrzeszcząc, krwawiąc ostrogami boki wierzchowców. Ale i ci nie ujechali daleko.

Las zamknął, zablokował drogę. Nagle nie było już skąpanego w słońcu, piaszczystego gościńca. Była zwarta, nieprzebita ściana czarnych pni.

Najemnicy spięli konie, przerażeni i osłupiali, usiłowali zawrócić, ale strzały leciały bezustannie. I dosięgały ich, zwalały z siodeł wśród tupu i rżenia koni, wśród wrzasku.

A potem zrobiło się cicho.

Zamykająca gościniec ściana lasu zamrugała, zamazała się, zaświeciła tęczowo i znikła. Znowu widać było drogę, a na drodze stał siwy koń, a na siwym koniu siedział jeździec – potężny, z płową, miotłowatą brodą, w kubraku z foczej skóry przepasanym na skos szarfą z kraciastej wełny.

Siwy koń, odwracając łeb i gryząc wędzidło, postąpił do przodu, wysoko podnosząc przednie kopyta, chrapiąc i bocząc się na trupy, na zapach krwi. Jeździec, wyprostowany w siodle, uniósł rękę i nagły poryw wiatru uderzył po gałęziach drzew.

Z zarośli na oddalonych skraju lasu wyłoniły się małe sylwetki w obcisłych strojach kombinowanych z zieleni i brązu, o twarzach pasiastych od smug wymalowanych łupiną orzecha.

– Ceádmil, Wedd Brokiloéne! – zawołał jeździec. – Fáill, Aná Woedwedd!

– Fáill! – głos od lasu niby powiew wiatru.

Zielonobrunatne sylwetki zaczęły znikać, jedna po drugiej, roztapiać się wśród gęstwiny boru. Została tylko jedna o rozwianych włosach w kolorze miodu. Ta postąpiła kilka kroków, zbliżyła się.

– Va fáill, Gwynbleidd! – zawołała, podchodząc jeszcze bliżej.

– Żegnaj, Mona – powiedział wiedźmin. – Nie zapomnę cię.

– Zapomnij – odrzekła twardo, poprawiając kołczan na plecach. – Nie ma Mony. Mona to był sen. Jestem Braenn. Braenn z Brokilonu.

Jeszcze raz pomachała mu ręką. I znikła.

Wiedźmin odwrócił się.

– Myszowór – powiedział, patrząc na jeźdźca na siwym koniu.

– Geralt – kiwnął głową jeździec, mierząc go zimnym wzrokiem. – Interesujące spotkanie. Ale zacznijmy od rzeczy najważniejszych. Gdzie jest Ciri?

– Tu! – wrzasnęła dziewczynka, całkowicie skryta w listowiu. – Czy mogę już zejść?

– Możesz – powiedział wiedźmin.

– Ale nie wiem jak!

– Tak samo jak wlazłaś, tylko odwrotnie.

– Boję się! Jestem na samym czubku!

– Złaź, mówię! Mamy ze sobą do porozmawiania, moja panno!

– Niby o czym?

– Dlaczego, do cholery, wlazłaś tam, zamiast uciekać w las? Uciekłbym za tobą, nie musiałbym... Ach, zaraza. Złaź!

– Zrobiłam jak kot w bajce! Cokolwiek zrobię, to zaraz źle! Dlaczego, chciałabym wiedzieć?

– Ja też – powiedział druid, zsiadając z konia – chciałbym to wiedzieć. I twoja babka, królowa Calanthe, też chciałaby to wiedzieć. Dalej, złaź, księżniczko.

Z drzewa posypały się liście i suche gałązki. Potem rozległ się ostry trzask rwanej tkaniny, a na koniec objawiła się Ciri, zjeżdżająca okrakiem po pniu. Zamiast kapturka przy kubraczku miała malowniczy strzęp.

– Wuj Myszowór!

– We własnej osobie – druid objął, przytulił dziewczynkę.

– Babka cię przysłała? Wuju? Bardzo się martwi?

– Nie bardzo – uśmiechnął się Myszowór. – Zbyt zajęta jest moczeniem rózeg. Droga do Cintry, Ciri, zajmie nam trochę czasu. Poświęć go na wymyślenie wyjaśnienia dla twoich uczynków. Powinno to być, jeśli zechcesz skorzystać z mojej rady, bardzo krótkie i rzeczowe wyjaśnienie. Takie, które można wygłosić bardzo, bardzo szybko. A i tak sądzę, że końcówkę przyjdzie ci wykrzyczeć, księżniczko. Bardzo, bardzo głośno.

Ciri skrzywiła się boleśnie, zmarszczyła nos, fuknęła z cicha, a dłonie odruchowo pobiegły jej w kierunku zagrożonego miejsca.

– Chodźmy stąd – rzekł Geralt, rozglądając się. – Chodźmy stąd, Myszowór.

VIII

– Nie – powiedział druid. – Calanthe zmieniła plany, nie życzy już sobie małżeństwa Ciri z Kistrinem. Ma swoje powody. Dodatkowo, chyba nie muszę ci wyjaśniać, że po tej paskudnej aferze z pozorowanym napadem na kupców król Ervyll poważnie stracił w moich oczach, a moje oczy liczą się w królestwie. Nie, nawet nie zajrzymy do Nastroga. Zabieram małą prosto do Cintry. Jedź z nami, Geralt.

– Po co? – wiedźmin rzucił okiem na Ciri, drzemiącą pod drzewem, otuloną kożuchem Myszowora.

– Dobrze wiesz, po co. To dziecko, Geralt, jest ci przeznaczone. Po raz trzeci, tak, po raz trzeci krzyżują się wasze drogi. W przenośni, oczywiście, zwłaszcza jeżeli chodzi o dwa poprzednie razy. Chyba nie nazwiesz tego przypadkiem?

– Co za różnica, jak to nazwę – wiedźmin uśmiechnął się krzywo. – Nie w nazwie rzecz, Myszowór. Po co mam jechać do Cintry? Byłem już w Cintrze, krzyżowałem już, jak to określiłeś, drogi. I co z tego?

– Geralt, zażądałeś wówczas przysięgi od Calanthe, od Pavetty i jej męża. Przysięga jest dotrzymana. Ciri jest Niespodzianką. Przeznaczenie żąda...

– Abym zabrał to dziecko i przerobił na wiedźmina? Dziewczynkę? Przyjrzyj mi się, Myszowór. Wyobrażasz mnie sobie jako hoże dziewczę?

– Do diabła z wiedźmiństwem – zdenerwował się druid. – O czym ty w ogóle mówisz? Co jedno ma z drugim wspólnego? Nie, Geralt, widzę, że ty niczego nie rozumiesz, muszę sięgnąć do prostych słów. Słuchaj, każdy dureń, w tej liczbie i ty, może zażądać przysięgi, może wymóc obietnicę, i nie stanie się przez to niezwykły. Niezwykłe jest dziecko. I niezwykła jest więź, która powstaje, gdy dziecko się rodzi. Jeszcze jaśniej? Proszę bardzo, Geralt, od momentu narodzin Ciri przestało się liczyć, czego ty chcesz i co planujesz, nie ma też żadnego znaczenia, czego ty nie chcesz i z czego rezygnujesz. Ty się, cholera jasna, nie liczysz! Nie rozumiesz?

– Nie krzycz, obudzisz ją. Nasza Niespodzianka śpi.
A gdy się obudzi... Myszowór, nawet z niezwykłych rzeczy
można... Trzeba niekiedy rezygnować.

– Przecież wiesz – druid spojrzał na niego zimno – że
własnego dziecka nie będziesz miał nigdy.

– Wiem.

– I rezygnujesz?

– Rezygnuję. Chyba mi wolno?

– Wolno – rzekł Myszowór. – A jakże. Ale ryzykownie.
Jest taka stara przepowiednia, mówiąca, że miecz przeznaczenia...

– ...ma dwa ostrza – dokończył Geralt. – Słyszałem.

– A, rób, jak uważasz – druid odwrócił głowę, splunął.

– Pomyśleć, że gotów byłem nadstawić za ciebie karku...

– Ty?

– Ja. W przeciwieństwie do ciebie ja wierzę w przeznaczenie. I wiem, że niebezpiecznie jest igrać z obosiecz-
nym mieczem. Nie igraj, Geralt. Skorzystaj z szansy, jaka
się nadarza. Zrób z tego, co wiąże cię z Ciri, normalną,
zdrową więź dziecka i opiekuna. Bo jeśli nie... Wtedy ta
więź może objawić się inaczej. Straszniej. W sposób nega-
tywny i destrukcyjny. Chcę przed tym uchronić i ciebie,
i ją. Gdybyś chciał ją zabrać, nie oponowałbym. Wziąłbym
na siebie ryzyko wytłumaczenia Calanthe, dlaczego.

– Skąd wiesz, że Ciri chciałaby ze mną pójść? Ze starych przepowiedni?

– Nie – powiedział poważnie Myszowór. – Stąd, że
usnęła dopiero wtedy, gdy ją przytuliłeś. Że mruczy przez
sen twoje imię i szuka rączką twojej ręki.

– Wystarczy – Geralt wstał – bo gotówem się wzruszyć. Bywaj, brodaczu. Ukłony dla Calanthe. A na użytek
Ciri... Wymyśl coś.

– Nie zdołasz uciec, Geralt.

– Przed przeznaczeniem? – wiedźmin dociągnął popręg zdobycznego konia.

– Nie – powiedział druid, patrząc na śpiącą dziewczynkę. – Przed nią.

Wiedźmin pokiwał głową, wskoczył na siodło. Myszowór siedział nieruchomo, grzebiąc patykiem w wygasają-
cym ognisku.

Odjechał wolno, przez wrzosy, sięgające strzemion, po zboczu, wiodącym w dolinę, ku czarnemu lasowi.

– Geraaalt!

Obejrzał się. Ciri stała na szczycie wzgórza, maleńka, szara figurka z rozwianymi, popielatymi włosami.

– Nie odchodź!

Pomachał ręką.

– Nie odchodź! – wrzasnęła cienko. – Nie odchoooodź!

Muszę, pomyślał. Muszę, Ciri. Dlatego, że... Ja zawsze odchodzę.

– Nie uda ci się i tak! – krzyknęła. – Nie myśl sobie! Nie uciekniesz! Jestem twoim przeznaczeniem, słyszysz?

Nie ma przeznaczenia, pomyślał. Nie istnieje. Jedyne, co jest przeznaczone wszystkim, to śmierć. To śmierć jest drugim ostrzem obosiecznego miecza. Jednym jestem ja. A drugim jest śmierć, która idzie za mną krok w krok. Nie mogę, nie wolno mi narażać cię, Ciri.

– Jestem twoim przeznaczeniem! – dobiegło go ze szczytu wzgórza, ciszej, rozpaczliwiej.

Trącił konia piętą i ruszył przed siebie, zagłębiając się, jak w otchłań, w czarny, zimny i podmokły las, w przyjazny, znajomy cień, w mrok, który zdawał się nie mieć końca.

COŚ WIĘCEJ

I

Gdy na dylach mostu nagle zastukały kopyta, Yurga nawet nie uniósł głowy – zawył tylko z cicha, puścił obręcz koła, z którą się mocował, i wpełzł pod wóz tak szybko, jak tylko mógł. Rozpłaszczony, szorując grzbietem o chropawą skorupę nawozu i błota pokrywającą spodnią stronę wehikułu, skowytał urywanie i dygotał ze strachu.

Koń wolniutko zbliżył się do wozu. Yurga widział, jak delikatnie i ostrożnie stawia kopyta na przegniłych, omszałych balach.

– Wyjdź – powiedział niewidoczny jeździec. Yurga zadzwonił zębami i wtulił głowę w ramiona. Koń prychnął, tupnął.

– Spokojnie, Płotka – powiedział jeździec. Yurga usłyszał, że klepie wierzchowca po szyi. – Wyjdź stamtąd, człowieku. Nie zrobię ci krzywdy.

Kupiec absolutnie nie uwierzył w deklarację nieznajomego. Jednak w głosie było coś, co uspokajało, jednocześnie intrygując, pomimo iż bynajmniej nie był to głos, którego brzmienie mogłoby uchodzić za przyjemne. Yurga, mamrocąc modlitwy do kilkunastu bóstw naraz, wystawił ostrożnie głowę spod wozu.

Jeździec miał włosy białe jak mleko, ściągnięte na czole skórzaną opaską i czarny, wełniany płaszcz spadający na zad klaczy kasztanki. Nie patrzył na Yurgę. Pochylony na kulbace przyglądał się kołu wozu, aż po piastę zapadniętemu pomiędzy potrzaskane dyle mostu. Nagle uniósł głowę, musnął kupca spojrzeniem, z nieruchomą twarzą obserwował zarośla nad brzegami wąwozu.

Yurga wygramolił się na zewnątrz, zamrugał, otarł nos dłonią, rozmazując na twarzy dziegieć z piasty koła. Jeździec utkwił w nim oczy, ciemne, zmrużone, przenikliwe, ostre jak ościenie. Yurga milczał.

– We dwu nie wyciągniemy – powiedział wreszcie nieznajomy, wskazując na ugrzęźnięte koło. – Jechałeś sam?

– Samotrzeć – wyjąkał Yurga. – Ze sługami, panie. Ale uciekły, gady...

– Nie dziwię się – rzekł jeździec, patrząc pod most, na dno wąwozu. – Wcale się im nie dziwię. Uważam, że powinieneś zrobić to samo, co oni. Najwyższy czas.

Yurga nie podążył wzrokiem za spojrzeniem nieznajomego. Nie chciał patrzeć na stos czaszek, żeber i piszczeli rozsianych wśród kamieni, wyglądających spod łopianów i pokrzyw porastających dno wyschniętej rzeczki. Bał się, że wystarczy jeszcze jednego spojrzenia, ponownego widoku czarnych oczodołów, wyszczerzonych zębów i popękanych gnatów, by wszystko w nim pękło, by resztki rozpaczliwej odwagi uciekły z niego jak powietrze z rybiego pęcherza. By popędził gościńcem pod górę, z powrotem, dławiąc się wrzaskiem, tak samo jak woźnica i pachołek przed niespełna godziną.

– Na co czekasz? – spytał cicho jeździec, obracając konia. – Na zmrok? Wtedy będzie za późno. Oni przyjdą po ciebie, ledwo się ściemni. A może i wcześniej. Jazda, wskakuj na konia, z tyłu za mną. Zabierajmy się stąd obaj, i to jak najprędzej.

– A wóz, panie? – zawył pełnym głosem Yurga, nie bardzo wiedząc ze strachu, rozpaczy czy wściekłości. – A towary? Cały rok pracy? Wolej mi zdechnąć! Nie zostawięęęę!

– Zdaje mi się, że nie wiesz jeszcze, dokąd cię licho przygnało, przyjacielu – rzekł spokojnie nieznajomy, wyciągając rękę w kierunku potwornego cmentarzyska pod mostem. – Nie zostawisz wozu, powiadasz? A ja ci mówię, że kiedy zapadnie mrok, nie uratuje cię nawet skarbiec króla Dezmoda, a co dopiero twój parszywy wóz. Do diabła, co cię napadło, by skracać drogę przez to uroczysko? Nie wiesz, co tu się zalęgło od czasu wojny?

Yurga pokręcił głową na znak, że nie wie.

– Nie wiesz – pokiwał głową nieznajomy. – Ale to, co leży na dole, widziałeś? Trudno przecież nie zauważyć. To ci, którzy tędy skracali drogę. A ty mówisz, że nie zostawisz wozu. A cóż to, ciekawość, masz na tym wozie?

Yurga nie odpowiedział, patrząc na jeźdźca spode łba, starał się wybrać pomiędzy wersją „pakuły" a wersją „stare gałgany".

Jeździec nie zdawał się być specjalnie zainteresowany odpowiedzią. Uspokajał kasztankę gryzącą wędzidło i potrząsającą łbem.

– Panie... – wymamrotał wreszcie kupiec. – Pomóżcie. Ratujcie. Do końca życia wdzięczność... Nie zostawiajcie... Co zechcecie, dam, czego tylko zażądacie... Ratujcie, panie!

Nieznajomy gwałtownie odwrócił głowę ku niemu, wsparty oburącz na łęku siodła.

– Jak powiedziałeś?

Yurga milczał, otworzywszy usta.

– Dasz, czego zażądam? Powtórz.

Yurga zamlaskał, zamknął usta i pożałował, że nie ma brody, w którą mógłby sobie napluć. W głowie wirowało mu od fantastycznych przypuszczeń co do nagrody, jakiej mógłby zażądać dziwny przybysz. Większość, wliczając w to również i przywilej cotygodniowego używania jego młodej żony, Złotolitki, nie wyglądała jednak tak strasznie, jak perspektywa utraty wozu, a już na pewno nie tak makabrycznie, jak możliwość spoczęcia na dnie jaru jako jeszcze jeden pobielały szkielet. Kupiecka rutyna zmusiła go do błyskawicznych kalkulacji. Jeździec, choć nie przypominał zwykłego oberwańca, włóczęgi czy marudera, jakich po wojnie pełno było na drogach, nie mógł też pod żadnym pozorem być wielmożą, komesem ani też jednym z tych dumnych rycerzyków, wysoko się ceniących i znajdujących przyjemność w łupieniu bliźnich ze skóry. Yurga oceniał go na nie więcej niż dwadzieścia sztuk złota. Handlowa natura powstrzymywała go jednak przed wymienieniem ceny. Ograniczył się tedy do bełkotania o „dozgonnej wdzięczności".

– Pytałem – przypomniał spokojnie nieznajomy odczekawszy, aż kupiec zamilknie. – Czy dasz mi to, czego zażądam?

Nie było wyjścia. Yurga przełknął ślinę, pochylił głowę i pokiwał nią potwierdzająco. Nieznajomy, wbrew jego oczekiwaniom, nie zaśmiał się złowieszczo, wprost przeciwnie, wcale nie wyglądał na uradowanego tryumfem w negocjacjach. Pochyliwszy się w siodle, splunął do jaru.

– Co ja robię – powiedział ponuro. – Co ja robię najlepszego... No cóż, dobra. Spróbuję wyciągnąć cię z tego, chociaż nie wiem, czy nie skończy się to fatalnie dla nas obydwu. A jeśli się uda, ty w zamian...

Yurga skurczył się, bliski płaczu.

– Dasz mi to – wyrecytował szybko jeździec w czarnym płaszczu – co w domu po powrocie zastaniesz, a czego się nie spodziewasz. Przyrzekasz?

Yurga zajęczał i szybko pokiwał głową.

– Dobrze – skrzywił się nieznajomy. – A teraz odsuń się. A najlepiej właź znowu pod wóz. Słońce zaraz zajdzie.

Zeskoczył z konia, ściągnął z ramion płaszcz. Yurga zobaczył, że nieznajomy nosi miecz na plecach, na pasie skośnie przerzuconym przez pierś. Miał niejasne odczucie, że już kiedyś słyszał o ludziach w podobny sposób noszących broń. Czarna, skórzana, sięgająca bioder kurtka z długimi mankietami skrzącymi się od srebrnych ćwieków mogłaby wskazywać, że nieznajomy pochodzi z Novigradu lub okolic, ale moda na takie odzienie szeroko się ostatnio rozprzestrzeniła, zwłaszcza wśród młodziaków. Młodziakiem jednak nieznajomy nie był.

Jeździec, ściągnąwszy juki z wierzchowca, odwrócił się. Na jego piersi kołysał się na srebrnym łańcuszku okrągły medalion. Pod pachą trzymał nieduży, okuty kuferek i podłużny pakunek okręcony skórami i rzemieniem.

– Jeszcze nie pod wozem? – spytał, podchodząc bliżej. Yurga zobaczył, że na medalionie wyobrażony jest wilczy łeb z otwartą, zbrojną kłami paszczą. Nagle przypomniał sobie.

– Wyście... Wiedźmin? Panie?

Nieznajomy wzruszył ramionami.

– Zgadłeś. Wiedźmin. A teraz odejdź. Na drugą stronę wozu. Nie wychodź stamtąd i bądź cicho. Muszę być przez chwilę sam.

Yurga usłuchał. Przykucnął przy kole, otulając się opończą. Nie chciał patrzeć, co robi nieznajomy z drugiej strony wozu, a tym bardziej na kości na dnie wąwozu. Patrzył więc na swoje buty i na zielone, gwiaździste kiełki mchu porastającego przegniłe bale mostu.

Wiedźmin.

Słońce zachodziło.

Usłyszał kroki.

Nieznajomy wolno, bardzo wolno wyszedł zza wozu, na środek mostu. Był odwrócony tyłem – Yurga zobaczył, że miecz na jego plecach nie jest tym mieczem, który widział poprzednio. Teraz była to piękna broń – głowica, jelec i okucia pochwy błyszczały jak gwiazdy, nawet w zapadającym mroku odbijały światło, chociaż już prawie nie było światła – zgasła nawet złotopurpurowa poświata, jeszcze niedawno wisząca nad lasem.

– Panie...

Nieznajomy odwrócił głowę. Yurga z trudem powstrzymał krzyk.

Twarz obcego była biała – biała i porowata jak ser odsączony i odwinięty ze szmatki. A oczy... Bogowie, zawyło coś w Yurdze. Oczy...

– Za wóz. Już – wychrypiał nieznajomy. To nie był głos, który Yurga słyszał wcześniej. Kupiec poczuł nagle, jak okropnie dolega mu pełny pęcherz. Nieznajomy odwrócił się i wyszedł dalej na most.

Wiedźmin.

Koń przywiązany do drabinki wozu parsknął, zarżał, głucho załomotał kopytami o bale.

Nad uchem Yurgi zabzyczał komar. Kupiec nawet nie ruszył ręką, by go odpędzić. Zabzyczał następny. Całe chmary komarów bzyczały w zaroślach po przeciwnej stronie jaru. Bzyczały.

I wyły.

Yurga, do bólu zaciskając zęby, zorientował się, że to nie komary.

Z mroku gęstniejącego na zakrzaczonym zboczu wąwozu wyłoniły się małe, pokraczne sylwetki – nie większe niż cztery łokcie, przerażająco chude, niczym kościotrupy. Weszły na most cudacznym, czaplim chodem, wysoko, ostrymi, gwałtownymi ruchami unosząc gruzłowate kolana. Oczy pod płaskimi, pobrużdżonymi czołami połyskiwały im żółto, w szerokich, żabich paszczękach błyskały białe, kończyste kiełki. Zbliżyły się, posykując.

Nieznajomy, nieruchomy jak posąg pośrodku mostu, uniósł nagle prawą dłoń, dziwacznie składając palce. Potworne karły cofnęły się, zasyczały głośniej, ale natychmiast znowu ruszyły do przodu, szybko, coraz szybciej, unosząc długie, patykowate, szponiaste łapy.

Po dylach, z lewej, zgrzytnęły pazury, kolejny potworek wyskoczył nagle spod mostu, a pozostali runęli naprzód w niesamowitych podskokach. Nieznajomy zakręcił się w miejscu, błysnął miecz wydobyty nie wiadomo kiedy. Głowa wdrapującego się na most stwora wyleciała na sążeń w górę, wlokąc za sobą warkocz krwi. Białowłosy skokiem wpadł w grupę innych, zawirował, rąbiąc szybko na lewo i prawo. Potwory, wymachując łapami i wyjąc, rzuciły się na niego ze wszech stron, nie zwracając uwagi na świetlistą klingę tnącą niby brzytwa. Yurga skulił się przytulony do wozu.

Coś upadło prosto pod jego nogi, obryzgując go posoką. Była to długa, koścista łapa, czteroszponiasta i łuskowata jak kurza noga.

Kupiec wrzasnął.

Poczuł, jak coś przemyka obok niego. Skurczył się, chcąc zanurkować pod wóz, w tym samym momencie inne coś wylądowało mu na karku, a pazurzaste łapska chwyciły go za skroń i policzek. Zasłonił oczy, rycząc i szarpiąc głową, zerwał się i rozkołysanym krokiem wytoczył na środek mostu, potykając się o leżące na balach trupy. Na moście wrzała walka – Yurga nie widział nic oprócz wściekłej kotłowaniny, kłębowiska, z którego raz po razie błyskał promień srebrnego ostrza.

– Ratunkuuuuu! – zawył, czując, jak ostre kły, przebijając wojłok kaptura, wpijają mu się w potylicę.

– W dół głowę!

Wcisnął podbródek w pierś, łowiąc okiem błysk klingi. Brzeszczot zawył w powietrzu, musnął kaptur. Yurga usłyszał ohydne, mokre chrupnięcie, po czym na plecy, jak z wiadra, buchnęła mu gorąca ciecz. Upadł na kolana ciągnięty w dół bezwładnym już ciężarem wiszącym u karku.

Na jego oczach kolejne trzy potwory wyprysnęły spod mostu. Podskakując niczym cudaczne pasikoniki, uczepiły się ud nieznajomego. Jeden, cięty krótko przez ropuszy pysk, podreptał wyprężony i zwalił się na bale. Drugi, uderzony samym końcem miecza, upadł, tarzając się w drgawkach. Pozostali obleźli białowłosego niczym mrówki, zepchnęli do krawędzi mostu. Kolejny wyleciał z kłębowiska wygięty w tył, bryzgający krwią, rozdygotany i wyjący. W tym momencie cały skotłowany kłąb przetoczył się przez krawędź i runął do wąwozu. Yurga upadł, zakrywając głowę rękami.

Spod mostu rozległy się pełne tryumfu wizgi potworów, przechodzące jednak raptownie w ryki bólu, wrzaski, przerywane świstem klingi. Potem dobiegł z ciemności grzechot kamieni i chrzęst deptanych, miażdżonych szkieletów, potem znowu był świst opadającego miecza i raptownie urwany, rozpaczliwy, mrożący krew w żyłach skrzek.

A potem była już tylko cisza przerywana nagłym krzykiem przestraszonego ptaka, w głębi lasu, wśród ogromnych drzew. Potem zamilkł i ptak.

Yurga przełknął ślinę, uniósł głowę, wstał z trudem. Nadal było cicho, nie szeleściły nawet liście, cały las zdawał się oniemiały ze zgrozy. Postrzępione chmury ściemniły niebo.

– Hej...

Odwrócił się, odruchowo zasłaniając uniesionymi rękami. Wiedźmin stał przed nim, nieruchomy, czarny, z błyszczącym mieczem w nisko opuszczonej dłoni. Yurga spostrzegł, że stoi jakoś krzywo, że kłoni się w bok.

– Panie, co wam?

Wiedźmin nie odpowiedział. Zrobił krok, niezgrabnie i ciężko, zataczając lewym biodrem. Wyciągnął rękę, uchwycił się wozu. Yurga spostrzegł krew, błyszczącą i czarną, cieknącą po dylach.

— Ranniście, panie!

Wiedźmin nie odpowiedział. Patrząc prosto w oczy kupca zawisł nagle na pudle wozu i wolno osunął się na most.

II

— Ostrożnie, pomału... Pod głowę... Niech któryś podtrzyma mu głowę!

— Tu, tu, na wóz!

— Bogowie, wykrwawi się... Panie Yurga, krew ciecze przez opatrunek...

— Nie gadać! Jazda, poganiaj, Pokwit, żywo! Okryj go kożuchem, Vell, nie widzisz, jak dygoce?

— Może wlać mu trochę gorzałki do gęby?

— Nieprzytomnemu? Iście zdurniałeś, Vell. Ale gorzałkę daj, mus mi się napić... Wy psy, oczajdusze, podłe tchórze! Żeby tak zwiać, żeby ostawić samego!

— Panie Yurga! On coś mówi!

— Co? Co mówi?

— Eee, coś niewyraźnie... Jakby imię czyjeś...

— Jakie?

— Yennefer...

III

— Gdzie... jestem?

— Leżcie, panie, nie ruszajcie się, bo się wszystko tam znowu podrze i popęka. Do kości udo wam pogryzły te paskudy, moc krwi z was uszła... Nie poznajecie mnie? Jam Yurga! To mnieście na moście zratowali, pomnicie?

— Aha...

— Spragnieniście?

— Jak diabli...

— Pijcie, panie, pijcie. Gorączka was trawi.

— Yurga... Gdzie jesteśmy?

— Wozem jedziemy. Nie mówcie nic, panie, nie ruszajcie się. Mus nam z lasów wychynąć ku ludzkim sadybom.

Trza nam znaleźć kogoś, kto się na leczeniu rozumie. Tego, cośmy wam na nodze zamotali, może mało być. Krew nic tylko ciecze...

– Yurga...

– Tak, panie?

– W moim kuferku... Flakon... Z zielonym lakiem. Zedrzyj pieczęć i daj mi... W jakiejś czarce. Czarkę umyj dobrze, flakonów nie daj nikomu tknąć... Jeśli wam życie miłe... Prędko, Yurga. Psiakrew, jak ten wóz trzęsie... Flakon, Yurga...

– Już... Pijcie.

– Dzięki... Teraz uważaj. Zaraz będę spał. Będę się rzucał i bredził, potem leżał jak nieżywy. To nic, nie bój się...

– Leżcie, panie, bo rana się otworzy i ujdzie z was krew.

Opadł na skóry, zatoczył głową, czuł, jak kupiec okrywa go kożuchem i derką śmierdzącą końskim potem. Wóz trząsł, każdy wstrząs wściekłym bólem odzywał się w udzie i biodrze. Geralt zacisnął zęby. Nad sobą widział

miliardy gwiazd. Tak blisko, że wydaje się, że wystarczy wyciągnąć rękę. Tuż nad głową, tuż nad wierzchołkami drzew.

Idąc, wybierał drogę tak, by trzymać się z dala od światła, od blasku ognisk, by zawsze znajdować się w strefie rozfalowanych cieni. Nie było to łatwe – stosy jodłowych pni płonęły wszędzie dookoła, biły w niebo czerwoną poświatą przetykaną błyskami iskier, znaczyły ciemność jaśniejszymi proporcami dymu, trzaskały, wybuchały blaskiem spomiędzy tańczących wokół sylwetek.

Geralt zatrzymał się, by przepuścić toczący się w jego stronę rozszalały, blokujący drogę korowód, rozkrzyczany i dziki. Ktoś szarpnął go za ramię, usiłując wepchnąć w dłonie drewnianą, ociekającą pianą stągiewkę. Odmówił, lekko, ale zdecydowanie odsunął od siebie zataczającego się mężczyznę bryzgającego naokoło piwem z dzierżonego pod pachą antałka. Nie chciał pić.

Nie w taką noc jak ta.

Nie opodal na rusztowaniu z brzozowych pni, górującym nad ogromnym ogniskiem, jasnowłosy Majowy Król w wianku i zgrzebnych portkach całował rudą Królową Maja, obmacując jej piersi przez cienkie, przepocone giezło. Monarcha był bardziej niż lekko pijany, chwiał się, utrzymywał równowagę obejmując plecy Królowej, przyciskając do nich pięść zaciśniętą na kuflu piwa. Królowa, również niezbyt trzeźwa, w wianku zsuniętym na oczy, obejmowała Króla za szyję i przebierała nogami. Tłum tańczył pod rusztowaniem, śpiewał, wrzeszczał, potrząsał żerdziami omotanymi girlandami zieleni i kwiecia.

– Belleteyn! – krzyknęła prosto w ucho Geralta młoda, niewysoka dziewczyna. Ciągnąc go za rękaw, zmusiła do obrócenia się wśród otaczającego ich korowodu. Zaplątała obok, furkocąc spódnicą i powiewając włosami pełnymi kwiatów. Pozwolił, by zakręciła nim w tańcu, zawirował, zwinnie schodząc z drogi innym parom.

– Belleteyn! Noc Majowa!

Obok nich szarpanina, pisk, nerwowy śmiech kolejnej dziewczyny pozorującej walkę i opór, niesionej przez chłopaka w ciemność, poza krąg światła. Korowód, pohukując, zwinął się wężem pomiędzy płonące stosy. Ktoś potknął się, upadł, rozrywając łańcuch rąk, rozszarpując orszak na mniejsze grupki.

Dziewczyna, patrząc na Geralta spod dekorujących jej czoło liści, zbliżyła się, przywarła do niego gwałtownie, opasując ramionami, dysząc. Chwycił ją brutalniej niż zamierzał, na dłoniach przyciśniętych do jej pleców czuł gorącą wilgoć jej ciała wyczuwalną przez cienki len. Uniosła głowę. Oczy miała zamknięte, zęby błyskały spod uniesionej, skrzywionej górnej wargi. Pachniała potem i tatarakiem, dymem i pożądaniem.

Czemu nie, pomyślał, mnąc dłonią jej sukienkę i plecy, ciesząc się mokrym, parującym ciepłem na palcach. Dziewczyna nie była w jego typie – była zbyt mała, zbyt pulchna – czuł pod dłonią miejsce, gdzie przyciasny stan sukienki wrzynał się w ciało, dzielił plecy na dwie wyraźnie wyczuwalne krągłości, w miejscu, gdzie nie powinno się ich wyczuwać. Dlaczego nie, pomyślał, przecież w taką noc... To nie ma znaczenia.

Belleteyn... Ognie aż po horyzont. Belleteyn, Noc Majowa. Najbliższy stos z trzaskiem pożarł rzucone mu suche, rozczapierzone chojaki, trysnął złotą jasnością, światłem zalewającym wszystko. Dziewczyna otworzyła oczy, patrząc w górę, na jego twarz. Usłyszał, jak głośno wciąga powietrze, poczuł, jak się wypręża, jak gwałtownie wpiera dłonie w jego pierś. Puścił ją natychmiast. Zawahała się. Odchylając tułów na długość lekko wyprostowanych ramion nie odrywała bioder od jego uda. Opuściła głowę, potem cofnęła dłonie, odsunęła się, patrząc w bok.

Stali chwilę nieruchomo, dopóki zawracający korowód nie wpadł na nich znowu, nie zachwiał, nie roztrącił. Dziewczyna szybko odwróciła się, uciekła, niezgrabnie usiłując dołączyć do tańczących. Obejrzała się. Tylko raz.

Belleteyn...

Co ja tu robię?

W mroku zalśniła gwiazda, zaskrzyła się, przykuła wzrok. Medalion na szyi wiedźmina drgnął. Geralt odruchowo rozszerzył źrenice, bez wysiłku przebił wzrokiem ciemność.

Kobieta nie była wieśniaczką. Wieśniaczki nie nosiły czarnych, aksamitnych płaszczy. Wieśniaczki, niesione lub ciągnięte przez mężczyzn w zarośla, krzyczały, chichotały, trzepotały i prężyły się jak pstrągi wytargiwane z wody. Żadna z nich nie sprawiała wrażenia, że to ona prowadzi w mrok wysokiego, jasnowłosego chłopaka w rozchełstanej koszuli.

Wieśniaczki nigdy nie nosiły na szyjach aksamitek i wysadzanych diamentami gwiazd z obsydianu.

– Yennefer.

Rozszerzone nagle, fiołkowe oczy płonące w bladej trójkątnej twarzy.

– Geralt...

Puściła dłoń jasnowłosego cherubina o piersi połyskującej od potu jak miedziana blacha. Chłopak zachwiał się, zatoczył, upadł na kolana, wodził głową, rozglądał się, mrugał. Wstał powoli, powiódł po nich nie rozumiejącym, zakłopotanym spojrzeniem, po czym chwiejnym krokiem odszedł w stronę ognisk. Czarodziejka nawet nie spojrzała za nim. Patrzyła bacznie na wiedźmina, a jej ręka zacisnęła się mocno na brzegu płaszcza.

– Miło cię znowu widzieć – powiedział swobodnie. Natychmiast wyczuł, jak spada napięcie stężałe między nimi.

– I owszem – uśmiechnęła się. Zdawało mu się, że było w tym uśmiechu coś wymuszonego, ale nie był pewien.

– Całkiem miła niespodzianka, nie zaprzeczam. Co tu robisz, Geralt? Ach... Przepraszam, wybacz niezręczność. Oczywiście, robisz tu to samo, co ja. Przecież to Belleteyn. Tyle że mnie złapałeś, że tak powiem, na gorącym uczynku.

– Przeszkodziłem ci.

– Przeżyję – zaśmiała się. – Noc trwa. Zechcę, zauroczę drugiego.

– Szkoda, że ja tak nie potrafię – powiedział, z wielkim trudem udając obojętność. – Właśnie jedna zobaczyła w świetle moje oczy i uciekła.

– Nad ranem – powiedziała, uśmiechając się coraz bardziej sztucznie – gdy się porządnie rozszaleją, nie będą zwracać uwagi. Jeszcze sobie jakąś znajdziesz, zobaczysz...

– Yen... – dalsze słowa uwięzły mu w gardle. Patrzyli na siebie, długo, bardzo długo, a czerwony odblask ognia igrał na ich twarzach. Yennefer westchnęła nagle, zakrywając oczy rzęsami.

– Geralt, nie. Nie zaczynajmy...

– To Belleteyn – przerwał. – Zapomniałaś?

Zbliżyła się powoli, położyła mu dłonie na ramionach, powoli i ostrożnie przytuliła się do niego, dotknęła czołem piersi. Głaskał jej kruczoczarne włosy rozsypane lokami krętymi jak węże.

– Wierz mi – szepnęła, unosząc głowę. – Nie zastanawiałabym się ani chwili, gdyby w grę wchodziło tylko... Ale to nie ma sensu. Wszystko zacznie się na nowo i skończy tak, jak poprzednio. To nie ma sensu, żebyśmy...

– Czy wszystko musi mieć sens? To Belleteyn.

– Belleteyn – odwróciła głowę. – I co z tego? Przyciągnęło nas coś do tych ognisk, do tych rozbawionych ludzi. Mieliśmy zamiar tańczyć, szaleć, zamroczyć się z lekka i skorzystać z panującej tu dorocznej swobody obyczajów, nieodłącznie związanej ze świętem powtarzającego się cyklu natury. I proszę, wpadamy prosto na siebie po... Ile to minęło od... Rok?

– Rok, dwa miesiące i osiemnaście dni.

– Wzruszasz mnie. Celowo?

– Celowo. Yen...

– Geralt – przerwała mu, odsuwając się nagle, podrzucając głowę. – Postawmy sprawę jasno. Nie chcę.

Kiwnął głową na znak, że sprawa postawiona jest dostatecznie jasno.

Yennefer odrzuciła płaszcz na ramię. Pod płaszczem miała bardzo cienką białą koszulę i czarną spódnicę ściągniętą paskiem ze srebrnych ogniwek.

– Nie chcę – powtórzyła – znowu zaczynać. A myśl o zrobieniu z tobą tego... co miałam zamiar zrobić z tamtym blondaskiem... Według takich samych reguł... Ta myśl, Geralt, wydaje mi się jakaś nieładna. Uwłaczająca tobie i mnie. Rozumiesz?

Ponownie kiwnął głową. Popatrzyła na niego spod opuszczonych rzęs.

– Nie odchodzisz?

– Nie.

Milczała chwilę, niespokojnie poruszyła ramionami.

– Jesteś zły?

– Nie.

– No, to chodź, usiądźmy gdzieś, dalej od tego zgiełku, porozmawiajmy chwilę. Bo, widzisz, cieszę się z tego spotkania. Naprawdę. Posiedźmy chwilę razem. Dobrze?

– Dobrze, Yen.

Odeszli w mrok, dalej na wrzosowisko, ku czarnej ścianie lasu, omijając posplatane w uściskach pary. By znaleźć miejsce tylko dla siebie, musieli odejść daleko. Suchy pagórek zaznaczony krzakiem jałowca, smukłym jak cyprys.

Czarodziejka rozpięła broszę płaszcza, strzepnęła nim, rozesłała na ziemi. Usiadł obok niej. Bardzo chciał ją objąć, ale przez przekorę nie zrobił tego. Yennefer poprawiła głęboko rozpiętą koszulę, popatrzyła na niego przenikliwie, westchnęła i objęła go. Mógł się spodziewać. Aby czy-

tać myśli, musiała się wysilać, ale intencje wyczuwała odruchowo.

Milczeli.

– Ech, cholera – powiedziała nagle, odsuwając się.
Uniosła rękę, wykrzyczała zaklęcie. Nad ich głowami wy-
frunęły czerwone i zielone kule, rozrywając się wysoko
w powietrzu, tworząc kolorowe, pierzaste kwiaty. Od strony ognisk przypłynęły śmiechy i radosne okrzyki.

– Belleteyn – powiedziała gorzko. – Noc Majowa...
Cykl się powtarza. Niech się bawią... jeżeli mogą.

W okolicy byli jeszcze inni czarodzieje. Z oddali strzeliły w niebo trzy pomarańczowe błyskawice, a z drugiej
strony, spod lasu, eksplodował istny gejzer tęczowych, wi-
rujących meteorów. Ludzie przy ogniskach ochnęli głośno
z podziwu, zakrzyczeli. Geralt, spięty, gładził loki Yennefer, wdychał zapach bzu i agrestu, jaki wydzielały. Jeśli
zbyt mocno będę jej pragnął, pomyślał, wyczuje to i zrazi
się. Nastroszy się, zjeży i odepchnie mnie. Zapytam spokojnie, co u niej słychać...

– Nic u mnie nie słychać – powiedziała, a w jej głosie
coś zadrżało. – Nic, o czym warto by opowiadać.

– Nie rób mi tego, Yen. Nie czytaj mnie. To mnie peszy.

– Wybacz. To odruch. A u ciebie, Geralt, co nowego?

– Nic. Nic, o czym warto by opowiadać.

Milczeli.

– Belleteyn! – warknęła nagle, poczuł, jak tężeje i prę-
ży się jej ramię, przyciśnięte do jego piersi. – Bawią się.
Świętują odwieczny cykl odradzającej się natury. A my?
Co my tu robimy? My, relikty, skazane na wymarcie, na
zagładę i niepamięć? Natura się odradza, cykl się powtarza. Ale nie my, Geralt. My nie możemy się powtarzać.
Pozbawiono nas tej możliwości. Dano nam zdolność robie-
nia z naturą rzeczy niezwykłych, niekiedy wręcz sprzecz-
nych z nią. A jednocześnie zabrano nam to, co w naturze
jest najprostsze i najnaturalniejsze. Cóż z tego, że żyjemy
dłużej niż oni? Po naszej zimie nie będzie wiosny, nie odro-
dzimy się, to, co się kończy, skończy się wraz z nami. Ale
i ciebie, i mnie ciągnie do tych ognisk, chociaż nasza obecność tutaj to złośliwa i bluźniercza drwina z tego święta.

Milczał. Nie lubił, gdy popadała w taki nastrój, którego źródło znał aż za dobrze. Znowu, pomyślał, znowu zaczyna ją to dręczyć. Był czas, gdy wydawało się, że zapomniała, że pogodziła się jak inne. Objął ją, przytulił, kołysał leciutko jak dziecko. Pozwoliła. Nie zdziwił się. Wiedział, że tego potrzebuje.

– Wiesz, Geralt – powiedziała nagle, już spokojna. – Najbardziej brakowało mi twojego milczenia.

Dotknął ustami jej włosów, ucha. Pragnę cię, Yen, pomyślał, pragnę cię, przecież wiesz. Przecież wiesz o tym, Yen.

– Wiem – szepnęła.

– Yen...

Westchnęła znowu.

– Tylko dziś – powiedziała, patrząc na niego szeroko rozwartymi oczami. – Tylko ta noc, która zaraz przeminie. Niech to będzie nasze Belleteyn. Rano się rozstaniemy. Proszę, nie licz na więcej, nie mogę, nie mogłabym... Wybacz. Jeśli cię uraziłam, pocałuj mnie i odejdź.

– Jeśli cię pocałuję, nie odejdę.

– Liczyłam na to.

Przechyliła głowę. Dotknął ustami jej rozchylonych warg. Ostrożnie. Najpierw górnej, potem dolnej. Wplątał palce w kręte loki, dotknął jej ucha, jej brylantowego kolczyka, jej szyi. Yennefer, oddając pocałunek, przywarła do niego, a jej zręczne palce szybko i pewnie radziły sobie ze sprzączkami jego kurtki.

Opadła na wznak na płaszcz rozpostarty na miękkim mchu. Przycisnął usta do jej piersi, poczuł, jak sutka twardnieje i zaznacza się pod cieniutką tkaniną koszuli. Oddychała niespokojnie.

– Yen...

– Nic nie mów... Proszę...

Dotyk jej nagiej, gładkiej, chłodnej skóry elektryzujący palce i wnętrze dłoni. Dreszcz wzdłuż pleców ukłutych jej paznokciami. Od strony ognisk krzyk, śpiew, gwizd, daleka, odległa kurzawa iskier w purpurowym dymie. Pieszczota i dotknięcie. Jej. Jego. Dreszcz. I niecierpliwość. Posuwiste dotknięcie jej smukłych ud, obejmujących biodra, zwierających się jak klamra.

Belleteyn!

Oddech, poszarpany na westchnienia. Błyski pod powiekami, zapach bzu i agrestu. Majowa Królowa i Majowy Król? Bluźniercza drwina? Niepamięć?

Belleteyn! Noc Majowa!

Jęk. Jej? Jego? Czarne loki na oczach, na ustach. Splecione palce rozedrganych dłoni. Krzyk. Jej? Czarne rzęsy. Mokre. Jęk. Jego?

Cisza. Cała wieczność w ciszy.

Belleteyn... Ognie aż po horyzont...

– Yen?
– Och, Geralt...
– Yen... Ty płaczesz?
– Nie!
– Yen...
– Obiecywałam sobie... Obiecywałam...
– Nic nie mów. Nie trzeba. Nie zimno ci?
– Zimno.
– A teraz?
– Cieplej.

Niebo jaśniało w zastraszającym tempie, czarna ściana lasu wyostrzyła kontury, wyłoniła z bezkształtnego mroku wyraźną, zębatą linię wierzchołków drzew. Wypełzająca zza niej błękitna zapowiedź świtu rozlała się wzdłuż horyzontu, gasząc lampki gwiazd. Zrobiło się chłodniej. Przytulił ją mocniej, okrył płaszczem.

– Geralt?
– Mhm?
– Będzie świtać.
– Wiem.
– Skrzywdziłam cię?
– Trochę.
– Zacznie się na nowo?
– Nigdy się nie skończyło.
– Proszę cię... Sprawiasz, że czuję się...
– Nic nie mów. Wszystko jest dobrze.

Zapach dymu płożącego się wśród wrzosów. Zapach bzu i agrestu.

– Geralt?

– Tak?

– Pamiętasz nasze spotkanie w Pustulskich Górach? I tego złotego smoka... Jak on się nazywał?

– Trzy Kawki. Pamiętam.

– Powiedział nam...

– Pamiętam, Yen.

Pocałowała go w miejsce, gdzie szyja przechodziła w obojczyk, potem wcisnęła tam głowę, łaskocząc włosami.

– Jesteśmy stworzeni dla siebie – szepnęła. – Może przeznaczeni sobie? Ale przecież nic z tego nie będzie. Szkoda, ale gdy nastanie świt, rozstaniemy się. Nie może być inaczej. Musimy się rozstać, by się wzajemnie nie skrzywdzić. My, przeznaczeni sobie. Stworzeni dla siebie. Szkoda. Ten lub ci, którzy tworzyli nas dla siebie, powinni zadbać o coś więcej. Samo przeznaczenie nie wystarcza, to zbyt mało. Trzeba czegoś więcej. Wybacz mi. Musiałam ci to powiedzieć.

– Wiem.

– Wiedziałam, że nie miało sensu, byśmy się kochali.

– Myliłaś się. Miało. Mimo wszystko.

– Jedź do Cintry, Geralt.

– Co?

– Jedź do Cintry. Jedź tam i tym razem nie rezygnuj. Nie rób tego, co wtedy... Gdy tam byłeś...

– Skąd wiesz?

– Wiem o tobie wszystko. Zapomniałeś? Jedź do Cintry, jedź tam jak najprędzej. Nadchodzą złe czasy. Bardzo złe. Musisz zdążyć...

– Yen...

– Nic nie mów, proszę.

Chłodniej. Coraz chłodniej. I coraz jaśniej.

– Nie odchodź jeszcze. Zaczekajmy do świtu...

– Zaczekajmy.

IV

– Nie ruszajcie się, panie. Trzeba mi zmienić wam opatrunek, bo rana maże się, a noga wam okropnie puchnie. Bogowie, paskudnie to wygląda... Trzeba co prędzej medyka znaleźć...

– Chędożyć medyka – stęknął wiedźmin. – Dawaj tu mój kuferek, Yurga. O, ten flakon. Lej, prosto na ranę. O, jasna cholera!!! Nic, nic, lej jeszcze... Ooooch!!! Dobra. Zawiń grubo i nakryj mnie...

– Puchnie, panie, całe udo. I gorączka was trawi...

– Chędożyć gorączkę. Yurga?

– Tak, panie?

– Zapomniałem ci podziękować...

– Nie wam, panie, dziękować, ale mnie. To wy mnie życieście zratowali, w mojej obronie ponieśliście uszczerbek. A ja? Co ja takiego uczyniłem? Że człeka rannego, bez czucia, opatrzyłem, na wóz pokładłem, nie dałem szczeznąć? To zwykła rzecz, panie wiedźmin.

– Nie taka znowu zwykła, Yurga. Zostawiano mnie już... w podobnych sytuacjach... Jak psa...

Kupiec, opuściwszy głowę, pomilczał.

– Ano, cóż, paskudny otacza nas świat – mruknął wreszcie. – Ale to nie powód, byśmy wszyscy paskudnieli. Dobra nam trzeba. Tego mnie uczył mój ojciec i tego ja moich synów uczę.

Wiedźmin milczał, obserwował gałęzie drzew wiszące nad drogą, przesuwające się w miarę ruchu wozu. Udo tętniło. Nie czuł bólu.

– Gdzie jesteśmy?

– Przeszliśmy brodem rzekę Travę, jużeśmy w Miechuńskich Lasach. To już nie Temeria, a Sodden. Przespaliście granicę, gdy celnicy na wozie buszowali. Powiem wam zasię, że dziwowali się wam bardzo. Ale starszy nad nimi znał was, bez zwłoki przepuścić kazał.

– Znał mnie?

– Ano, niechybnie. Geraltem was nazwał. Tak rzekł – Geralt z Rivii. To wasze miano?

– Moje...

– Obiecał ów celnik pchnąć kogoś z wieścią, że medyk potrzebny. A dałem mu jeszcze cosik w rękę, coby nie zapomniał.

– Dziękuję ci, Yurga.

– Nie, panie wiedźmin. Jakem już mówił, to ja wam dziękuję. I nie tylko. Jeszczem wam coś winien. Umawialiśmy się... Co wam, panie? Słabo wam?

– Yurga... Flakon z zieloną pieczęcią...

– Panie... Znowu będziecie... Takeście wtedy strasznie krzyczeli przez sen...

– Muszę, Yurga...

– Wasza wola. Czekajcie, wraz w czarkę wleję... Na bogów, medyka trzeba, co prędzej, bo inaczej...

Wiedźmin odwrócił głowę. Słyszał

krzyki dzieci, bawiących się w wyschniętej, wewnętrznej fosie otaczającej zamkowe ogrody. Było ich około dziesięciu. Smarkacze czynili drażniący uszy harmider, przekrzykując się nawzajem cienkimi, podnieconymi, łamiącymi się w falset głosami. Biegali dnem fosy tam i z powrotem, przypominali stadko szybkich rybek, błyskawicznie i nieoczekiwanie zmieniających kierunek, ale zawsze trzymających się razem. Jak zwykle, w ślad za rozjazgotanymi, chudymi jak strachy na wróble starszymi chłopcami biegł zdyszany malec, w żaden sposób nie mogący nadążyć.

– Sporo ich – zauważył wiedźmin.

Myszowór uśmiechnął się kwaśno, tarmosząc brodę, wzruszył ramionami.

– Ano, sporo.

– A który z nich... Który z tych chłopców jest tą słynną Niespodzianką?

Druid odwrócił wzrok.

– Nie wolno mi, Geralt...

– Calanthe?

– Oczywiście. Chyba się nie łudziłeś, że ona odda ci dzieciaka tak łatwo? Poznałeś ją przecież. To kobieta z żelaza. Powiem ci o czymś, o czym nie powinienem mówić, w nadziei, że zrozumiesz. Liczę też, że nie zdradzisz mnie przed nią.

– Mów.

– Gdy dziecko się urodziło, sześć lat temu, wezwała mnie i rozkazała, bym cię odszukał. I zabił.

– Odmówiłeś.

– Calanthe się nie odmawia – rzekł poważnie Myszowór, patrząc mu prosto w oczy. – Byłem gotów do drogi, gdy wezwała mnie powtórnie. I odwołała rozkaz, bez słowa komentarza. Bądź ostrożny, gdy będziesz z nią rozmawiał.

– Będę. Myszowór, powiedz, jak to się stało z Dunym i Pavettą?

– Płynęli ze Skellige do Cintry. Zaskoczył ich sztorm. Ze statku nie odnaleziono nawet szczap. Geralt... To, że dzieciaka nie było wtedy z nimi, to pioruńsko dziwna sprawa. Niewytłumaczalna. Mieli je zabrać ze sobą na korab, w ostatniej chwili nie zabrali. Nikt nie wie, co było powodem, Pavetta nigdy nie rozstawała się z...

– Jak Calanthe to zniosła?

– A jak myślisz?

– Rozumiem.

Hałakując jak banda goblinów, chłopcy wdarli się w górę i przemknęli obok nich. Geralt spostrzegł, że niedaleko od czoła rozmigotanego stadka pędzi dziewczynka, równie chuda i rozwrzeszczana jak chłopcy, tyle że powiewająca jasnym warkoczem. Z dzikim wyciem gromadka sypnęła się znowu w dół po urwistym zboczu fosy, przynajmniej połowa, wliczając dziewczynkę, zjechała na zadkach. Najmniejszy, wciąż nie mogący nadążyć, przewrócił się, sturlał, już na dole rozpłakał głośno, ściskając stłuczone kolano. Inni chłopcy otoczyli go, drwiąc i wyśmiewając, po czym pognali dalej. Dziewczynka uklękła przy malcu, objęła go, ocierała łzy, rozmazując na wykrzywionej buzi kurz i brud.

– Chodźmy, Geralt. Królowa czeka.

– Chodźmy, Myszowór.

Calanthe siedziała na dużej ławeczce z oparciem zawieszonej na łańcuchach na konarze ogromnej lipy. Zdawała się drzemać, ale przeczył temu krótki ruch nogi, od czasu do czasu wprawiający huśtawkę w ruch. Były z nią trzy młode kobiety. Jedna siedziała na trawie obok huśtawki, jej rozpostarta suknia bielała na zieleni jak połać śniegu. Dwie inne, nie opodal, szczebiotały, ostrożnie rozgarniając gałęzie na krzakach malin.

– Pani – Myszowór skłonił się.

Królowa uniosła głowę. Geralt przyklęknął.

– Wiedźmin – powiedziała sucho.

Jak dawniej ozdabiała się szmaragdami pasującymi do zielonej sukni. I do koloru oczu. Jak dawniej, nosiła wąską, złotą obręcz na popielatoszarych włosach. Ale dłonie, które zapamiętał białe i wąskie, były mniej wąskie. Przytyła.

– Bądź pozdrowiona, Calanthe z Cintry.

– Witaj, Geralcie z Rivii. Wstań. Czekałam na ciebie. Myszowór, przyjacielu, odprowadź panny do zamku.

– Na rozkaz, królowo.

Zostali sami.

– Sześć lat – odezwała się Calanthe bez uśmiechu. – Jesteś przerażająco punktualny, wiedźminie.

Nie skomentował.

– Bywały chwile, co ja mówię, bywały lata, kiedy łudziłam się, że zapomnisz. Względnie, że inne powody nie pozwolą ci przyjechać. Nie, nieszczęścia w zasadzie ci nie życzyłam, ale musiałam wszak brać pod uwagę niezbyt bezpieczny charakter twojego zawodu. Mówią, że śmierć idzie za tobą krok w krok, Geralcie z Rivii, ale ty nigdy nie oglądasz się za siebie. A później... Gdy Pavetta... Wiesz już?

– Wiem – Geralt schylił głowę. – Współczuję z tobą całym sercem...

– Nie – przerwała. – To było dawno. Już nie noszę żałoby, jak widzisz. Nosiłam dostatecznie długo. Pavetta i Duny... Przeznaczeni sobie. Do końca. I jak tu nie wierzyć w moc przeznaczenia?

Milczeli oboje. Calanthe poruszyła nogą, znowu wprawiła huśtawkę w ruch.

– I oto wrócił wiedźmin po sześciu umówionych latach – powiedziała powoli, a na jej ustach wykwitł dziwny uśmiech. – Wrócił i zażądał wypełnienia przysięgi. Jak myślisz, Geralt, chyba w taki właśnie sposób będą o naszym spotkaniu opowiadać bajarze, gdy sto lat przeminie? Ja myślę, że właśnie tak. Tyle że zapewne podbarwią opowieść, uderzą w czułe struny, zagrają na emocjach. Tak, oni to umieją. Mogę to sobie wyobrazić. Posłuchaj, proszę. I rzekł okrutny wiedźmin: „Spełnij przyrzeczenie, królowo, albo spadnie na ciebie ma klątwa". A królowa, zalawszy się łzami, padła przed wiedźminem na kolana, krzycząc: „Litości! Nie zabieraj mi tego dziecka! Zostało mi już tylko ono!"

– Calanthe...

– Nie przerywaj mi – rzekła ostro. – Opowiadam bajkę, nie zauważyłeś? Słuchaj dalej. Zły, okrutny wiedźmin zatupał nogami, zamachał rękami i krzyknął: „Strzeż się, wiarołomczyni, strzeż się zemsty losu. Jeśli nie dotrzymasz przysięgi, nie minie cię kara." A królowa odrzekła: „Dobrze więc, wiedźminie. Niechaj będzie tak, jak zechce los. O, tam, spójrz, tam igra dziesięcioro dzieci. Poznasz, które wśród nich jest tobie przeznaczone, weźmiesz je jak swoje i zostawisz mnie z pękniętym sercem."

Wiedźmin milczał.

– W bajce – uśmiech Calanthe stawał się coraz bardziej nieładny – królowa, jak sobie wyobrażam, pozwoliłaby wiedźminowi odgadywać trzykrotnie. Ale my już nie jesteśmy w bajce, Geralt. Jesteśmy tu naprawdę, ty i ja, i nasz problem. I nasze przeznaczenie. To nie baśń, to życie. Parszywe, złe, ciężkie, nie szczędzące pomyłek, krzywd, żalu, rozczarowań i nieszczęść, nie szczędzące ich nikomu, ani wiedźminom, ani królowym. I dlatego, Geralcie z Rivii, będziesz odgadywał tylko raz.

Wiedźmin milczał nadal.

– Tylko jeden, jedyny raz – powtórzyła Calanthe. – Ale, jak mówiłam, to nie baśń, ale życie, które sami musimy zapełniać sobie momentami szczęścia, bo na los i jego uśmiechy liczyć, jak wiesz, nie można. Dlatego, niezależnie od wyniku zgadywania, nie odjedziesz stąd z niczym. Zabierzesz jedno dziecko. To, na które padnie twój wybór. Dziecko, z którego zrobisz wiedźmina. O ile to dziecko wytrzyma Próbę Traw, rzecz jasna.

Geralt gwałtownie uniósł głowę. Królowa uśmiechnęła się. Znał ten uśmiech, paskudny i zły, pogardliwy przez to, że nie kryjący sztuczności.

– Zdziwiłeś się – stwierdziła fakt. – Cóż, trochę postudiowałam. Ponieważ dziecko Pavetty ma szanse zostać wiedźminem, zadałam sobie ten trud. Moje źródła, Geralt, milczą jednak co do faktu, ile dzieci na dziesięć wytrzymuje Próbę Traw. Czy nie zechciałbyś zaspokoić mojej ciekawości w tym względzie?

– Królowo – Geralt odchrząknął. – Zadałaś sobie zapewne dostatecznie wiele trudu studiując, by wiedzieć, że kodeks i przysięga zabraniają mi nawet wypowiadać tę nazwę, a cóż dopiero dyskutować o niej.

Calanthe zatrzymała gwałtownie huśtawkę, wrywszy się obcasem w ziemię.

– Troje, najwyżej czworo na dziesięć – powiedziała, kiwając głową w udawanym zamyśleniu. – Ostra selekcja, bardzo ostra, powiedziałabym, i to na każdym etapie. Najpierw Wybór, potem Próby. A potem Zmiany. Ilu wyrostków dostaje w końcu medaliony i srebrne miecze? Jeden na dziesięciu? Jeden na dwudziestu?

Wiedźmin milczał.

– Rozmyślałam nad tym długo – ciągnęła Calanthe, już bez uśmiechu. – I doszłam do wniosku, że selekcja dzieciaków na etapie Wyboru ma znikome znaczenie. Cóż to wreszcie za różnica, Geralt, co to za dziecko umrze lub zwariuje nafaszerowane narkotykami? Cóż za różnica, czyj mózg rozerwie się od majaczeń, czyje oczy pękną i wypłyną, miast stać się oczami kota? Cóż za różnica, czy we własnej krwi i rzygowinach skona dziecko rzeczywiście wskazane przeznaczeniem, czy dziecko zupełnie przypadkowe? Odpowiedz mi.

Wiedźmin splótł ręce na piersi, by opanować ich drżenie.

– Po co? – spytał. – Oczekujesz odpowiedzi?

– Prawda, nie oczekuję – królowa znowu się uśmiechnęła. – Jak zawsze, jesteś bezbłędny we wnioskach. Kto wie, może jednak nie oczekując odpowiedzi, zechciałabym łaskawie poświęcić nieco uwagi twoim dobrowolnym i szczerym słowom? Słowom, które, kto wie, może zechciałbyś z siebie wyrzucić, a wraz z nimi to, co tłamsi ci duszę? Ale jeśli nie, trudno. Dalejże, weźmy się do dzieła, trzeba dostarczyć bajarzom materiału. Idziemy wybierać dziecko, wiedźminie.

– Calanthe – powiedział, patrząc jej w oczy. – Nie warto przejmować się bajarzami, jeśli nie stanie im materiału, i tak coś wymyślą. A mając do dyspozycji autentyczny materiał, wykoślawią go. Jak słusznie zauważyłaś, to nie baśń, to życie. Parszywe i złe. A zatem, do cholery i zarazy, przeżyjmy je w miarę przyzwoicie i dobrze. Ograniczmy ilość czynionych innym krzywd do niezbędnego minimum. W bajce, i owszem, królowa musi błagać wiedźmina, a wiedźmin żądać swego i tupać nogami. W życiu królowa może po prostu powiedzieć: „Nie zabieraj dziecka, proszę". A wiedźmin odpowie: „Skoro prosisz, nie zabiorę". I odjedzie w kierunku zachodzącego słońca. Samo życie. Ale za takie zakończenie baśni bajarz nie dostałby od słuchaczy grosika, najwyżej kopniaka w rzyć. Bo nudne.

Calanthe przestała się uśmiechać, w jej oczach mignęło coś, co już kiedyś widział.

– Że niby co? – zasyczała.

– Nie gońmy się dookoła krzaka, Calanthe. Wiesz, co mam na myśli. Jak tu przyjechałem, tak odjadę. Mam wybierać dziecko? A po co mi ono? Myślisz, że aż tak mi na nim zależy? Że jechałem tu, do Cintry, gnany obsesją odebrania ci wnuka? Nie, Calanthe. Chciałem, być może, spojrzeć na to dziecko, spojrzeć w oczy przeznaczeniu... Bo sam nie wiem... Ale nie bój się. Nie zabiorę go, wystarczy, że poprosisz...

Calanthe zerwała się z ławeczki, w jej oczach rozgorzał zielony ogień.

– Prosić? – syknęła wściekle. – Ciebie? Bać? Ja miałabym się ciebie bać, przeklęty czarowniku? Ośmielasz się ciskać mi w twarz twoją pogardliwą litość? Lżyć mnie twoim współczuciem? Zarzucać mi tchórzostwo, kwestionować moją wolę? Rozzuchwaliłam cię poufałością! Strzeż się!

Wiedźmin zdecydował się nie wzruszać ramionami, dochodząc do wniosku, że bezpieczniej przyklęknąć i schylić głowę. Nie mylił się.

– No – syczała Calanthe, stojąc nad nim. Ręce miała opuszczone, dłonie zaciśnięte w pięści, najeżone pierścieniami. – No, nareszcie. To jest prawidłowa pozycja. Z takiej pozycji odpowiada się królowej, jeśli królowa zada ci pytanie. A jeśli nie będzie to pytanie, lecz rozkaz, to jeszcze niżej pochylisz głowę i pójdziesz go wykonać, bez chwili zwłoki. Zrozumiałeś?

– Tak, królowo.

– Doskonale. Wstań.

Wstał. Spojrzała na niego, zagryzła wargi.

– Bardzo cię uraził mój wybuch? Mówię o formie, nie o treści.

– Nie bardzo.

– Dobrze. Postaram się już nie wybuchać. A zatem, jak mówiłam, tam w fosie, bawi się dziesięcioro dzieciaków. Wybierzesz jednego, który wyda ci się najodpowiedniejszy, zabierzesz go, i, na bogów, zrobisz z niego wiedźmina, bo tak chce przeznaczenie. A jeśli nie przeznaczenie, to wiedz, że ja tak chcę.

Spojrzał jej w oczy, skłonił się nisko.

– Królowo – powiedział. – Sześć lat temu udowodniłem ci, że są rzeczy silniejsze od królewskiej woli. Na bogów, jeśli takowi istnieją, udowodnię ci to jeszcze raz. Nie zmusisz mnie do dokonania wyboru, którego dokonać nie chcę. Przepraszam za formę, nie za treść.

– Ja mam głębokie lochy pod zamkiem. Ostrzegam, jeszcze chwila, jeszcze słowo, a zgnijesz w nich.

– Żadne z dzieci bawiących się w fosie nie nadaje się na wiedźmina – powiedział powoli. – I nie ma wśród nich syna Pavetty.

Calanthe zmrużyła oczy. Nie drgnął nawet.

– Chodź – powiedziała wreszcie, odwracając się na pięcie.

Ruszył za nią między rzędy ukwieconych krzewów, pomiędzy klomby i żywopłoty. Królowa weszła do ażurowej altany. Stały tam cztery duże, wiklinowe krzesła otaczające stół z malachitu. Na żyłkowanym blacie, podtrzymywanym przez cztery gryfy, stał dzban i dwa srebrne puchary.

– Siadaj. I nalej.

Przepiła do niego, ostro, solidnie, po męsku. Odpowiedział tym samym, nie siadając.

– Siadaj – powtórzyła. – Chcę porozmawiać.

– Słucham.

– Skąd wiedziałeś, że syna Pavetty nie ma wśród dzieciaków w fosie?

– Nie wiedziałem – Geralt zdecydował się na szczerość. – Strzeliłem na chybił trafił.

– Aha. Mogłam się domyślić. A to, że żadne z nich nie nadaje się na wiedźmina? To prawda? I jak mogłeś to stwierdzić? Za pomocą magii?

– Calanthe – rzekł cicho. – Nie musiałem tego ani stwierdzać, ani sprawdzać. W tym, co powiedziałaś poprzednio, była sama prawda. Każde dziecko się nadaje. Decyduje selekcja. Później.

– Na bogów morza, jak mawia mój wiecznie nieobecny mąż! – zaśmiała się. – Więc to wszystko nieprawda? To całe Prawo Niespodzianki? Te legendy o dzieciach, których ktoś się nie spodziewał, o tych, które pierwsze wyszły na spotkanie? Tak podejrzewałam! To gra! Gra z przypadkiem, zabawa z losem! Ale to diabelnie niebezpieczna gra, Geralt.

– Wiem.

– Gra z czyjąś krzywdą. Dlaczego, odpowiedz mi, zmusza się rodziców lub opiekunów do tak trudnych i ciężkich przysiąg? Dlaczego odbiera się dzieci? Przecież dookoła pełno jest takich, których odbierać nie trzeba. Na drogach pałętają się całe watahy bezdomnych i sierot. W każdej wsi można tanio kupić dzieciaka, na przednówku każdy kmieć chętnie sprzeda, bo co mu tam, zaraz zrobi drugie. Dlaczego więc? Dlaczego wymusiłeś przysięgę na Dunym, na Pavetcie i na mnie? Dlaczego zjawiasz się tu równo w sześć lat po urodzeniu dziecka? I dlaczego, do cholery, nie chcesz go, dlaczego mówisz, że nic ci po nim?

Milczał. Calanthe pokiwała głową.

– Nie odpowiadasz – stwierdziła, odchylając się na oparcie krzesła. – Zastanówmy się nad przyczyną twojego milczenia. Logika jest matką wszelkiej wiedzy. A cóż ona nam podpowiada? Cóż my tu mamy? Wiedźmina poszukującego przeznaczenia ukrytego w dziwnym i wątpliwym Prawie Niespodzianki. Wiedźmin znajduje owo przeznaczenie. I nagle rezygnuje z niego. Nie chce, jak twierdzi, Dziecka Niespodzianki. Twarz ma kamienną, w jego głosie dźwięczy lód i metal. Sądzi, że królowa – było nie było kobieta – da się oszukać, zwieść pozorom twardej męskości. Nie, Geralt, nie oszczędzę cię. Wiem, dlaczego rezygnujesz z wyboru dziecka. Rezygnujesz, bo nie wierzysz w przeznaczenie. Bo nie jesteś pewien. A ty, gdy nie jesteś pewien... wtedy zaczynasz się bać. Tak, Geralt. To, co tobą kieruje, to strach. Ty się boisz. Zaprzecz.

Powoli odstawił puchar na stół. Powoli, by brzęknięciem srebra o malachit nie zdradzić drżenia ręki, nad którym nie mógł zapanować.

– Nie zaprzeczasz?

– Nie.

Przechyliła się szybko, chwyciła jego rękę. Mocno.

– Zyskałeś w moich oczach – powiedziała. I uśmiechnęła się. To był ładny uśmiech. Wbrew woli, zapewne wbrew woli, odpowiedział uśmiechem.

– Jak się tego domyśliłaś, Calanthe?

– Nie domyśliłam się – nie puściła jego ręki. – Strzeliłam na chybił trafił.

Roześmieli się jednocześnie. Potem siedzieli w milczeniu wśród zieleni i zapachu czeremchy, wśród ciepła i brzęczenia pszczół.

– Geralt?

– Tak, Calanthe?

– Nie wierzysz w przeznaczenie?

– Nie wiem, czy wierzę w cokolwiek. A co do przeznaczenia... Obawiam się, że ono nie wystarcza. Trzeba czegoś więcej.

– Muszę cię o coś zapytać. Co z tobą? Przecież jakoby ty sam byłeś Niespodzianką. Myszowór twierdzi...

– Nie, Calanthe. Myszowór myślał o czymś zupełnie innym. Myszowór... On chyba wie. Ale posługuje się tym wygodnym mitem, gdy mu wygodnie. Nie jest prawdą, jakobym był tym, kogo zastano w domu, chociaż się nie spodziewano. Nie jest prawdą, jakobym właśnie dlatego został wiedźminem. Jestem zwyczajnym podrzutkiem, Calanthe. Nie chcianym bękartem pewnej kobiety, której nie pamiętam. Ale wiem, kim ona jest.

Królowa spojrzała na niego przenikliwie, ale wiedźmin nie kontynuował.

– Czy wszystkie opowieści o Prawie Niespodzianki to legendy?

– Wszystkie. Przypadek trudno nazwać przeznaczeniem.

– Ale wy, wiedźmini, nie przestajecie szukać?

– Nie przestajemy. Ale to nie ma sensu. Nic nie ma sensu.

– Wierzycie, że Dziecko Przeznaczenia przejdzie Próby bez ryzyka?

– Wierzymy, że takie dziecko nie będzie wymagało Prób.

– Jedno pytanie, Geralt. Dość osobiste. Pozwolisz?

Kiwnął głową.

– Nie ma, jak wiadomo, lepszego sposobu na przekazanie dziedzicznych cech niż sposób naturalny. Ty przeszedłeś Próby i przeżyłeś. Jeżeli więc zależy ci na dziecku mającym specjalne właściwości i odporność... Dlaczego nie znajdziesz kobiety, która... Jestem niedelikatna, co? Ale zdaje się, że odgadłam?

– Jak zawsze – uśmiechnął się smutno – jesteś bezbłędna we wnioskach, Calanthe. Odgadłaś, oczywiście. To, o czym mówisz, jest dla mnie nieosiągalne.

– Wybacz – powiedziała, a uśmiech zniknął z jej twarzy. – Cóż, to ludzkie.

– To nie jest ludzkie.

– Ach... Więc żaden wiedźmin...

– Żaden. Próba Traw, Calanthe, jest straszna. A to, co z chłopcami robi się w czasie Zmian, jest jeszcze gorsze. I nieodwracalne.

– Tylko się tu nie rozczulaj – mruknęła. – Bo to do ciebie nie pasuje. Nieważne, co z tobą robiono. Widzę rezultat. Jak na mój gust, całkiem zadowalający. Gdybym mogła założyć, że dziecko Pavetty stanie się kiedyś podobne tobie, nie wahałabym się ani chwili.

– Ryzyko jest zbyt wielkie – powiedział szybko. – Tak, jak powiedziałaś. Przeżywa najwyżej czworo na dziesięć.

– Do diabła, czy tylko Próba Traw jest ryzykowna? Czy tylko przyszli wiedźmini ryzykują? Życie pełne jest ryzyka, w życiu również trwa selekcja, Geralt. Selekcjonuje zły przypadek, choroba, wojna. Przeciwstawianie się losowi może być równie ryzykowne, jak oddawanie się w jego ręce. Geralt... Oddałabym ci to dziecko. Ale... Ja też się boję.

– Nie zabrałbym dziecka. Nie mógłbym wziąć na siebie odpowiedzialności. Nie zgodziłbym się obarczać nią ciebie. Nie chciałbym, by to dziecko wspominało cię kiedyś tak... Jak ja...

– Nienawidzisz tej kobiety, Geralt?

– Mojej matki? Nie, Calanthe. Domyślam się, że stała przed wyborem... Może nie miała wyboru? Nie, miała, przecież wiesz, wystarczyło odpowiedniego zaklęcia albo eliksiru... Wybór. Wybór, który trzeba uszanować, bo to święte i niepodważalne prawo każdej kobiety. Emocje nie mają tu znaczenia. Miała niepodważalne prawo do decyzji, podjęła ją. Ale sądzę, że spotkanie z nią, mina, jaką by wówczas zrobiła... Dałoby mi to coś w rodzaju perwersyjnej przyjemności, jeśli wiesz, o czym mówię.

– Doskonale wiem, o czym mówisz – uśmiechnęła się.

– Ale małe masz szanse na taką przyjemność. Nie potrafię ocenić twojego wieku, wiedźminie, ale zakładam, że jesteś grubo starszy, niż wskazywałby twój wygląd. Tym samym ta kobieta...

– Ta kobieta – przerwał zimno – zapewne wygląda teraz na grubo młodszą ode mnie.

– Czarodziejka?

– Tak.

– Ciekawe. Myślałam, że czarodziejki nie mogą...

– Ona zapewne też tak myślała.

– Zapewne. Ale masz rację, nie dyskutujmy o prawie kobiety do decyzji, bo to rzecz poza dyskusją. Wróćmy do naszego problemu. Nie zabierzesz dziecka? Nieodwołalnie?

– Nieodwołalnie.

– A jeśli... Jeśli przeznaczenie nie jest wyłącznie mitem? Jeśli istnieje naprawdę, czy nie zachodzi obawa, że może się zemścić?

– Jeśli będzie się mścić, to na mnie – odpowiedział spokojnie. – To ja występuję przeciw niemu. Ty przecież wykonałaś twoją część zobowiązania. Jeśli bowiem przeznaczenie nie jest legendą, wśród wskazanych przez ciebie dzieci musiałbym wybrać właściwe. Wszakże dziecko Pavetty jest wśród tych dzieciaków?

– Jest – Calanthe wolno skinęła głową. – Chcesz je zobaczyć? Chcesz spojrzeć w oczy przeznaczeniu?

- Nie. Nie chcę. Rezygnuję, zrzekam się. Zrzekam się tego chłopca. Nie chcę patrzeć w oczy przeznaczeniu, bo w nie nie wierzę. Bo wiem, że by złączyć dwoje ludzi, samo przeznaczenie nie wystarczy. Trzeba czegoś więcej niż przeznaczenie. Drwię sobie z takiego przeznaczenia, nie będę szedł za nim jak ślepiec wiedziony za rękę, nie rozumiejący i naiwny. To moja nieodwołalna decyzja, Calanthe z Cintry.

Królowa wstała. Uśmiechnęła się. Nie mógł odgadnąć, co kryje się pod tym uśmiechem.

- Niech więc tak się stanie, Geralcie z Rivii. Być może twoim przeznaczeniem było właśnie zrzec się i zrezygnować? Sądzę, że tak właśnie było. Wiedz bowiem, że gdybyś wybrał, gdybyś wybrał prawidłowo, stwierdziłbyś, że przeznaczenie, z którego drwisz, okrutnie zadrwiłoby z ciebie.

Spojrzał w jej jadowicie zielone oczy. Uśmiechała się. Nie mógł rozszyfrować tego uśmiechu.

Obok altany rósł krzak róży. Złamał łodygę, zerwał kwiat, przyklęknął, ofiarował go jej, oburącz, schyliwszy głowę.

- Szkoda, że nie poznałam cię wcześniej, białowłosy - mruknęła, biorąc różę z jego rąk. - Wstań.

Wstał.

- Jeżeli zmienisz zdanie - powiedziała, zbliżając różę do twarzy. - Jeśli zdecydujesz... Wróć do Cintry. Będę czekała. I twoje przeznaczenie też będzie czekało. Może nie w nieskończoność, ale z pewnością jeszcze jakiś czas.

- Żegnaj, Calanthe.

- Żegnaj, wiedźminie. Uważaj na siebie. Mam... Miałam przed chwilą przeczucie... Dziwne przeczucie... że widzę cię po raz ostatni.

- Żegnaj, królowo.

V

Obudził się i ze zdziwieniem stwierdził, że ból drążący udo znikł, wydawało się też, że przestała dokuczać tętniąca, napinająca skórę opuchlizna. Chciał sięgnąć ręką, dotknąć, ale nie mógł się poruszyć. Zanim zorientował się, że unieruchamia go wyłącznie ciężar skór, którymi był okryty, zimne, ohydne przerażenie spłynęło mu do brzucha, wpiło się w trzewia jak krogulcze szpony. Zaciskał i rozprężał palce, miarowo, powtarzając w myśli, nie, nie, nie jestem...

Sparaliżowany.

– Obudziłeś się.

Stwierdzenie, nie pytanie. Cichy, ale wyraźny, miękki głos. Kobieta. Młoda, zapewne. Odwrócił głowę, jęknął, usiłując się unieść.

– Nie ruszaj się. Przynajmniej nie tak gwałtownie. Boli?

– Nnnn... – nalot zlepiający wargi rozerwał się. – Nnie. Rana nie... Plecy...

– Odleżyny – beznamiętne, chłodne stwierdzenie, nie pasujące do tego miękkiego altu. – Zaradzę temu. Masz, wypij to. Powoli, małymi łykami.

W płynie dominował zapach i smak jałowca. Stary sposób, pomyślał. Jałowiec albo mięta, oba dodatki bez znaczenia, po to tylko, aby zamaskować prawdziwy skład. Pomimo tego, rozpoznał szytnaciec, może siężygron. Tak, na pewno siężygron, siężygronem neutralizuje się toksyny, oczyszcza krew skażoną przez gangrenę lub zakażenie.

– Pij. Do końca. Wolniej, bo się zakrztusisz.

Medalion na jego szyi zaczął leciutko wibrować. A zatem magia również była w napoju. Z wysiłkiem rozszerzył źrenice. Teraz, gdy uniosła mu głowę, mógł się jej dokładniej przyjrzeć. Była drobnej budowy. Nosiła męskie ubranie. Twarz miała małą i bladą w ciemności.

– Gdzie jesteśmy?

– Na polanie smolarzy.

Prawda, w powietrzu czuło się żywicę. Słyszał głosy dobiegające od strony ogniska. Ktoś właśnie dorzucił chrustu, płomień z trzaskiem wystrzelił w górę. Znowu popatrzył, korzystając ze światła. Włosy miała spięte opaską z wężowej skóry. Włosy...

Duszący ból w gardle i mostku. Dłonie gwałtownie zaciśnięte w pięści.

Włosy miała rude, płomiennorude, podświetlane blaskiem ogniska wydawały się czerwone jak cynober.

– Boli cię? – odczytała emocję, ale niewłaściwie. – Już... Chwileczkę...

Wyczuł nagłe uderzenie ciepła, bijące z jej reki, rozlewające się po plecach, płynące w dół, do pośladków.

– Odwrócimy cię – powiedziała. – Nie próbuj sam. Jesteś bardzo osłabiony. Hej, czy ktoś mógłby mi pomóc?

Kroki od strony ogniska, cienie, sylwetki. Ktoś się pochylił. Yurga.

– Jak się czujecie, panie? Lepiej wam?

– Pomóżcie mi obrócić go na brzuch – powiedziała kobieta. – Ostrożnie, powoli. O, tak... Dobrze. Dziękuję.

Nie musiał już na nią patrzeć. Leżąc na brzuchu, nie musiał już ryzykować spojrzenia w jej oczy. Uspokoił się, opanował drżenie rąk. Mogła wyczuć. Słyszał, jak brzęczą sprzączki jej torby, jak stukają flakony i porcelanowe słoiczki. Słyszał jej oddech, czuł ciepło jej uda. Klęczała tuż obok.

– Moja rana – odezwał się, nie mogąc znieść ciszy – była kłopotliwa?

– Owszem, trochę – chłód w głosie. – Tak to bywa z obrażeniami od zębów. Najpaskudniejszy rodzaj ran. Ale dla ciebie chyba nienowy, wiedźminie.

Wie. Grzebie mi w myślach. Czyta? Chyba nie. I wiem, dlaczego. Boi się.

– Tak, chyba nienowy – powtórzyła, znowu pobrzękując szklanymi naczyniami. – Widziałam na tobie kilka blizn... Ale poradziłam sobie. Jestem, widzisz, czarodziejką. I uzdrowicielką równocześnie. Specjalizacja.

Zgadza się, pomyślał. Nie powiedział ani słowa.

– Wracając do rany – ciągnęła spokojnie – to trzeba ci wiedzieć, że uratowało cię twoje tętno, czterokrotnie wolniejsze od tętna zwykłego człowieka. Inaczej nie przeżyłbyś, mogę to z całą odpowiedzialnością stwierdzić. Widziałam to, co miałeś zawiązane na nodze. Miało to imitować opatrunek, ale imitowało nieudolnie.

Milczał.

– Później – kontynuowała, zadzierając mu koszulę aż po kark – wdało się zakażenie, zwykłe przy ranach kąsanych. Zostało zahamowane. Oczywiście wiedźmiński eliksir? Pomógł bardzo. Nie rozumiem jednak, dlaczego równocześnie brałeś halucynogeny. Nasłuchałam się twoich majaczeń, Geralcie z Rivii.

Czyta, pomyślał, jednak czyta. A może to Yurga powiedział jej, jak się nazywam? Może sam się wygadałem przez sen pod wpływem „czarnej mewy"? Cholera wie... Ale nic jej nie da wiedza o tym, jak się nazywam. Nic. Nie wie, kim jestem. Nie ma pojęcia, kim jestem.

Poczuł, jak delikatnie wciera mu w plecy zimną, kojącą maść o ostrym zapachu kamfory. Dłonie miała małe i bardzo miękkie.

– Wybacz, że robię to klasycznie – powiedziała. – Mogłabym usunąć ci odleżyny za pomocą magii, ale wysiliłam się trochę przy tej ranie na nodze i nie czuję się najlepiej. Na nodze zawiązałam i zasklepiłam, co się dało, nic ci już nie grozi. Przez najbliższe dwa dni nie wstawaj jednak. Nawet magicznie powiązane naczyńka lubią pękać, miałbyś paskudne wybroczyny. Szrama oczywiście zostanie. Jeszcze jedna do kolekcji.

– Dzięki... – przycisnął policzek do skór, by zniekształcić głos, zamaskować jego nienaturalne brzmienie. – Czy mogę wiedzieć... Komu dziękuję?

Nie powie, pomyślał. Albo nakłamie.

– Nazywam się Visenna.

Wiem, pomyślał.

– Cieszę się – powiedział wolno, wciąż z policzkiem przy skórach. – Cieszę się z tego, że skrzyżowały się nasze drogi, Visenna.

– Cóż, przypadek – rzekła chłodno, naciągając mu koszulę na plecy i nakrywając kożuchami. – Wieść o tym, że jestem potrzebna, dostałam od celników z granicy. Jeśli jestem potrzebna, jadę. Taki mam dziwny zwyczaj. Posłuchaj, maść zostawię kupcowi, poproś, by nacierał cię rano i wieczorem. Jak twierdzi, uratowałeś mu życie, niech się odwdzięcza.

– A ja? Jak mógłbym odwdzięczyć się tobie, Visenna?

– Nie mówmy o tym. Nie biorę zapłaty od wiedźminów. Nazwij to solidarnością, jeśli chcesz. Zawodową solidarnością. I sympatią. W ramach tej sympatii przyjazna rada lub, jeśli wolisz, zalecenie uzdrowicielki. Przestań brać halucynogeny, Geralt. Halucynacje nie leczą. Niczego.

– Dziękuję, Visenna. Za pomoc i za radę. Dziękuję ci... za wszystko.

Wygrzebał rękę spod skór, namacał jej kolana. Drgnęła, po czym włożyła mu dłoń do dłoni, lekko zacisnęła. Ostrożnie uwolnił palce, przesunął nimi po jej ręce, po przedramieniu.

Oczywiście. Gładka skóra młodej dziewczyny. Drgnęła jeszcze silniej, ale nie cofnęła ręki. Wrócił palcami do jej dłoni, złączył uściskiem.

Medalion na szyi zawibrował, poruszył się.

– Dziękuję ci, Visenna – powtórzył, panując nad drżeniem głosu. – Rad jestem, że skrzyżowały się nasze drogi.

– Przypadek... – powiedziała, ale tym razem w jej głosie nie było chłodu.

– A może przeznaczenie? – spytał, dziwiąc się, bo podniecenie i zdenerwowanie uleciały z niego nagle, bez śladu. – Wierzysz w przeznaczenie, Visenna?

– Tak – odpowiedziała nie od razu. – Wierzę.

– W to – ciągnął – że ludzie związani przeznaczeniem zawsze się spotykają?

– W to także... Co robisz? Nie obracaj się...

– Chcę spojrzeć na twoją twarz... Visenna. Chcę spojrzeć w twoje oczy. A ty... Ty musisz spojrzeć w moje.

Zrobiła ruch, jakby chciała zerwać się z kolan. Ale została obok niego. Odwrócił się powoli, krzywiąc wargi z bólu. Było jaśniej, ktoś znowu dorzucił drewna do ognia.

Nie poruszyła się już. Obróciła tylko głowę w bok, profilem, ale tym wyraźniej widział, że usta jej drżą. Zacisnęła palce na jego dłoni, silnie.

Patrzył.

Nie było żadnego podobieństwa. Miała zupełnie inny profil. Mały nos. Wąski podbródek. Milczała. Potem nagle pochyliła się, spojrzała mu prosto w oczy. Z bliska. Bez słowa.

– Jak ci się podobają? – spytał spokojnie. – Moje poprawione oczy? Takie... niecodzienne. Czy wiesz, Visenna, co robi się z oczami wiedźminów, aby je poprawić? Czy wiesz, że nie zawsze się to udaje?

– Przestań – powiedziała miękko. – Przestań, Geralt.

– Geralt... – poczuł nagle, jak coś się w nim rwie. – To imię nadał mi Vesemir. Geralt z Rivii! Nauczyłem się nawet naśladować rivski akcent. Chyba z wewnętrznej potrzeby posiadania rodzinnych stron. Chociażby wymyślonych. Vesemir... nadał mi imię. Vesemir zdradził mi też twoje. Dość niechętnie.

– Cicho, Geralt, cicho.

– Mówisz mi dziś, że wierzysz w przeznaczenie. A wtedy... Wtedy wierzyłaś? Ach, tak, musiałaś wierzyć. Musiałaś wierzyć, że przeznaczenie każe nam się spotkać. Temu należy przypisać fakt, że sama bynajmniej nie dążyłaś do tego spotkania.

Milczała.

– Zawsze chciałem... Rozmyślałem nad tym, co ci powiem, kiedy się wreszcie spotkamy. Myślałem o pytaniu, jakie ci postawię. Sądziłem, że sprawi mi to perwersyjną przyjemność...

To, co błysnęło na jej policzku, było łzą. Niewątpliwie. Poczuł, jak gardło ściska mu się do bólu. Poczuł zmęczenie. Senność. Słabość.

– W świetle dnia... – jęknął. – Jutro, w blasku słońca, spojrzę w twoje oczy, Visenna... I zadam ci moje pytanie. A może nie zadam go, bo już za późno. Przeznaczenie? O, tak, Yen miała rację. Nie wystarczy być sobie przeznaczonym. Trzeba czegoś więcej... Ale spojrzę jutro w twoje oczy... W blasku słońca...

– Nie – powiedziała łagodnie, cicho, aksamitnie, głosem, który drążył, który szarpał pokładami pamięci, pamięci, której już nie było. Której nigdy nie było, a przecież była.

– Tak! – zaprotestował. – Tak. Chcę tego...

– Nie. Teraz zaśniesz. A gdy się obudzisz, przestaniesz chcieć. Po co mamy patrzeć na siebie w blasku słońca? Co to zmieni? Nie można już niczego cofnąć, niczego zmienić. Jaki sens ma zadawanie mi pytań, Geralt? Czy fakt, że nie będę umiała na nie odpowiedzieć, rzeczywiście sprawi ci perwersyjną przyjemność? Co nam da krzywdzenie się wzajemne? Nie, nie będziemy patrzeć na siebie w świetle

dnia. Zaśnij, Geralt. A tak między nami, to wcale nie Vesemir nadał ci to imię. Chociaż to również niczego nie
zmieni ani niczego nie cofnie, chciałabym, abyś o tym
wiedział. Bądź zdrów i uważaj na siebie. I nie staraj się
mnie szukać...

– Visenna...

– Nie, Geralt. Teraz zaśniesz. A ja... byłam twoim snem.
Bądź zdrów.

– Nie! Visenna!

– Zaśnij – w aksamitnym głosie cichy rozkaz, łamiący
wolę, drący ją jak tkaninę. Ciepło, nagle bijące z jej dłoni.

– Zaśnij.

Zasnął.

VI

– Jesteśmy już na Zarzeczu, Yurga?

– Od wczoraj, panie Geralt. Wkrótce już rzeka Jaruga,
a dalej to już moje strony. Spójrzcie, nawet konie raźniej
idą, łbami rzucają. Czują, że dom blisko.

– Dom... Mieszkasz w grodzie?

– Na podgrodziu.

– Ciekawe – wiedźmin rozejrzał się. – Prawie nie widać śladów wojny. Mówiono, że strasznie zniszczony był
ten kraj.

– Ano – rzekł Yurga. – Czego jak czego, ale ruin to
nam tu nie brakowało. Przyjrzyjcie się baczniej, na każdej bez mała chałupie, w każdej zagrodzie bieli się wszystko od nowiuśkiej ciesielki. A za rzeką, obaczycie, tam
jeszcze gorzej było, tam do gruntu wszystko zgorzało...
Ale cóż, wojna wojną, a żyć trzeba. Przetrwalim największą zawieruchę, kiedy to Czarni toczyli się przez naszą
ziemię. Prawda, wyglądało tedy, że zmienią tu wszystko
w pustynię. Wielu z tych, co wtedy uciekli, nie powróciło
nigdy. Ale na ich miejsce posiedlili się nowi. Żyć trzeba.

– To fakt – mruknął Geralt. – Żyć trzeba. Nieważne,
co było. Trzeba żyć...

– Prawiście. No, macie, zakładajcie. Zszyłem wam portki, załatałem. Będą jak nowe. To tak, jak ta ziemia, pa-

nie Geralt. Podarło ją wojną, przeorało jak żelazem brony, popruło, pokrwawiło. Ale teraz będzie jak nowa. I jeszcze lepiej urodzi. Nawet ci, co w tej ziemi zgnili, ku dobru posłużą, użyźnią glebę. Na razie orać ciężko, bo kości, żelastwo wszędzie na polach, ale ziemia i z żelastwem sobie poradzi.

– Nie boicie się, że Nilfgaardczycy... że Czarni wrócą? Już raz znaleźli drogę przez góry...

– Ano, strach nam. I co z tego? Siąść i płakać, trząść się? Żyć trzeba. A co będzie, to będzie. Tego, co przeznaczone, tego się przecie i tak nie uniknie.

– Wierzysz w przeznaczenie?

– A jak mam nie wierzyć? Po tym, jakeśmy się na moście spotkali, na uroczysku, jakeście mnie od śmierci zratowali? Och, panie wiedźmin, obaczycie, padnie wam moja Złotolitka do nóg...

– Daj spokój. Szczerze mówiąc, ja więcej ci zawdzięczam. Tam, na moście... Przecież to moja praca, Yurga, mój fach. Przecież ja bronię ludzi za pieniądze. Nie z dobroci serca. Przyznaj się, Yurga, słyszałeś, co ludzie gadają o wiedźminach? Że nie wiadomo, kto gorszy, oni czy potwory, które zabijają...

– Nieprawda to, panie, nie wiem, czemu tak mówicie. Cóż to ja, oczu nie mam? Wyście wszak z tej samej gliny ulepieni, co owa uzdrowicielka...

– Visenna...

– Nie powiadała nam się z imienia. Ale przecie szła za nami w skok, bo wiedziała, że potrzebna, dogoniła wieczorem, zajęła się wami wraz, ledwo z siodła zeszła. O, panie, namęczyła się nad waszą nogą, od owej magii aż trzeszczało powietrze, a my ze strachu w las ucieklim. A jej potem krew się z nosa rzuciła. Nieprosta widać rzecz, czarować. O, z troską was opatrywała, iście, jak...

– Jak matka? – Geralt zacisnął zęby.

– Ano. Dobrzeście rzekli. A jak usnęliście...

– Tak, Yurga?

– Na nogach ledwo się trzymała, blada była jak płótno. Ale przyszła, pytała, czy nie potrzebuje który z nas pomocy. Wyleczyła smolarzowi rękę, co mu ją pień przytłukł. Grosza nie wzięła, jeszcze leków zostawiła. Nie, panie Geralt, na świecie, wiem to, różnie o wiedźminach gadają i różnie się o czarodziejach mówi. Ale nie u nas. My, z Górnego Sodden i ludzie z Zarzecza, wiemy lepiej. Za wiele my czarodziejom zawdzięczamy, coby nie wiedzieć, jacy oni. Pamięć o nich u nas nie w plotkach i gadkach, a w kamieniu kuta. Obaczycie sami, niech no tylko się zagajnik skończy. Zresztą, sami pewnie lepiej wiecie. Toż to bitwa była na cały świat głośna, a ledwo rok minął. Musieliście słyszeć.

– Nie było mnie tu – mruknął wiedźmin. – Od roku. Byłem na północy. Ale słyszałem... Druga bitwa o Sodden...

– W samej rzeczy. Wraz zobaczycie wzgórze i głaz. Dawniej to my to wzgórze zwali zwyczajnie, Kania Góra, ale nynie to wszyscy mówią Góra Czarodziejów albo Góra Czternastu. Bo dwudziestu i dwóch ich było na tym wzgórzu, dwudziestu i dwóch czarodziejów tam stanęło w bitwie, a czternastu padło. Straszna była to bitwa, panie Geralt. Ziemia stawała dęba, ogień lał się z nieba niby deszcz, pioruny biły... Trup słał się gęsto. Ale zmogli czarodzieje Czarnych, złamali Potęgę, co ich wiodła. A czternastu ich padło w tej bitwie. Czternastu położyło życie... Co, panie? Co wam?

– Nic. Mów dalej, Yurga.

– Straszna była bitwa, oj, gdyby nie owi czarodzieje ze wzgórza, kto wie, może nie gadalibyśmy dziś tu, do domu jadąc, bo i domu by nie było, i mnie, a może i was... Tak, to dzięki czarodziejom. Czternastu ich zginęło, nas broniąc, ludzi z Sodden i Zarzecza. Ha, pewnie, inni też tam się bili, wojacy i szlachta, a i z chłopów, kto mógł, wziął widły albo okszę, albo choćby pałę... Wszyscy stawali mężnie i niejeden poległ. Ale czarodzieje... Nie sztuka wojakowi ginąć, bo to jego fach przecie, a życie i tak krótkie. Ale czarodzieje przecie mogą żyć, jak długo im wola. A nie zawahali się.

– Nie zawahali się – powtórzył wiedźmin, trąc ręką czoło. – Nie zawahali. A ja byłem na Północy...

– Co wam, panie?

– Nic.

– Tak... To my tam, wszyscy z okolicy, kwiaty tam teraz nosimy, na to wzgórze, a majową porą, na Belleteyn, zawsze tam ogień płonie. I po wiek wieków płonąć będzie. I wiecznie żyć oni będą w pamięci ludzi, owych czternastu. A takie życie w pamięci to przecie... To... coś więcej! Więcej, panie Geralt!

– Masz rację, Yurga.

– Każde dziecko u nas zna imiona tych czternastu, wykute na kamieniu, który na szczycie wzgórza stoi. Nie wierzycie? Posłuchajcie: Axel zwany Rabym, Triss Merigold, Atlan Kerk, Vanielle z Brugge, Dagobert z Vole...

– Przestań, Yurga.

– Co z wami, panie? Bladziście jak śmierć!

– Nic.

VII

Szedł pod górę bardzo powoli, ostrożnie, wsłuchany w pracę ścięgien i mięśni w magicznie uleczonej ranie. Chociaż wydawała się kompletnie wygojona, nadal chronił nogę i nie ryzykował opierania na niej całego ciężaru ciała. Było gorąco, a zapach traw uderzał do głowy, oszałamiał, ale oszałamiał przyjemnie.

Obelisk nie stał w centralnym punkcie płaskiego szczytu wzgórza, był cofnięty w głąb, poza krąg kanciastych kamieni. Gdyby wszedł tu tuż przed zachodem słońca, cień menhira, padając na krąg, wyznaczyłby jego precyzyjną średnicę, wskazywałby kierunek, w którym zwrócone były twarze czarodziejów w czasie bitwy. Geralt spojrzał w tym kierunku, w stronę bezkresnych, pagórkowatych pól. Jeżeli były tam jeszcze kości poległych, a były z pewnością, to skrywała je bujna trawa. Krążył tam jastrząb, zataczając spokojne koła na szeroko rozpostartych skrzydłach. Jedyny ruchomy punkt wśród zamarłego w upale krajobrazu.

Obelisk był szeroki u podstawy – aby go objąć, co najmniej czterech, pięciu ludzi musiałoby złączyć dłonie. Było oczywiste, że bez pomocy magii nie wciągnięto by go na wzgórze. Zwrócona ku kamiennemu kręgowi płaszczyzna menhira była gładko ociosana, widniały na niej wykute znaki runiczne.

Imiona tych czternastu, którzy zginęli.

Zbliżył się powoli. W rzeczy samej, Yurga miał rację. U podnóża obelisku leżały kwiaty – zwykłe, polne kwiaty – maki, łubiny, ślazy, niezapominajki.

Imiona czternastu.

Odczytywał powoli, od góry, a przed oczami zjawiały się twarze tych, których znał.

Kasztanowowłosa Triss Merigold, wesoła, chichocząca z byle powodu, wyglądająca jak podlotek. Lubił ją. I ona jego też.

Lawdbor z Murivel, z którym kiedyś o mało nie pobił się w Wyzimie, gdy złapał czarodzieja na manipulowaniu kośćmi w grze za pomocą delikatnej telekinezy.

Lytta Neyd, zwana Koral. Przydomek wziął się od koloru pomadki do ust, jakiej używała. Lytta oplotkowała go kiedyś przed królem Belohunem, i to tak, że poszedł na tydzień do lochu. Gdy wypuszczono go, poszedł do niej zapytać o powody. Nie wiedząc kiedy, wylądował w jej łóżku i tam spędził drugi tydzień.

Stary Gorazd, który chciał zapłacić mu sto marek za umożliwienie zbadania jego oczu, a oferował tysiąc za możliwość dokonania sekcji, „niekoniecznie dzisiaj", jak się wówczas wyraził.

Zostały trzy imiona.

Usłyszał za sobą lekki szelest i odwrócił się.

Była boso, w prostej, lnianej sukience. Na długich, jasnych włosach swobodnie spadających na ramiona i plecy nosiła wianek spleciony ze stokrotek.

– Witaj – powiedział.

Podniosła na niego zimne, błękitne oczy, nie odpowiedziała.

Zauważył, że nie jest opalona. Było to dziwne, teraz, w końcu lata, kiedy wiejskie dziewczęta były zwykle spalone słońcem na brąz, jej twarz i odsłonięte ramiona miały kolor lekko złotawy.

– Przyniosłaś kwiaty?

Uśmiechnęła się, opuściwszy rzęsy. Poczuł chłód. Minęła go bez słowa, uklękła u stóp menhira, dotykając dłonią kamienia.

– Ja nie przynoszę kwiatów – powiedziała, podnosząc głowę. – Ale te, które tu leżą, są dla mnie.

Patrzył na nią. Klęczała tak, że zasłaniała przed jego wzrokiem ostatnie imię, wykute w kamieniu menhira. Była jasna, nienaturalnie, świetliście jasna na ciemnym tle głazu.

– Kim jesteś? – spytał wolno.

Uśmiechnęła się i powiało zimnem.

– Nie wiesz?

Wiem, pomyślał, patrząc w zimny błękit jej oczu. Tak, zdaje się, że wiem.

Był spokojny. Nie umiał inaczej. Już nie.

– Zawsze byłem ciekaw, jak wyglądasz, pani.

– Nie musisz mnie tak tytułować – odpowiedziała cicho. – Znamy się przecież od lat.

– Znamy się – potwierdził. – Mówią, że idziesz za mną krok w krok.

– Idę. Ale ty nigdy nie oglądałeś się za siebie. Do dziś. Dziś obejrzałeś się po raz pierwszy.

Milczał. Nie miał nic do powiedzenia. Był zmęczony.

– Jak... Jak to się odbędzie? – spytał wreszcie, chłodno i bez emocji.

– Wezmę cię za rękę – powiedziała, patrząc mu prosto w oczy. – Wezmę cię za rękę i poprowadzę przez łąkę. W mgłę, zimną i mokrą.

– A dalej? Co jest dalej, za mgłą?

– Nic – uśmiechnęła się. – Dalej nie ma już nic.

– Szłaś za mną krok w krok – powiedział. – A dopadałaś innych, tych, których mijałem w drodze. Dlaczego? Chodziło o to, bym został sam, prawda? Bym wreszcie zaczął się bać? Wyznam ci prawdę. Ja zawsze się ciebie bałem, zawsze. Nie oglądałem się za siebie ze strachu. Z trwogi, że zobaczę cię idącą tuż za mną. Bałem się zawsze, moje życie minęło w strachu. Bałem się... do dziś.

– Do dziś?

– Tak. Do dziś. Stoimy oto twarzą w twarz, a ja nie czuję lęku. Zabrałaś mi wszystko. Zabrałaś mi również lęk.

– Dlaczego więc twoje oczy pełne są strachu, Geralcie z Rivii? Twoje ręce drżą, jesteś blady. Dlaczego? Aż tak bardzo boisz się ostatniego, czternastego imienia, wykutego na obelisku? Jeśli chcesz, powiem ci, jak brzmi to imię.

– Nie musisz. Wiem, jakie to imię. Krąg się zamyka, wąż zatapia zęby we własnym ogonie. Tak być musi. Ty i to imię. I kwiaty. Dla niej i dla ciebie. Czternaste imię wykute w kamieniu, imię, które wymawiałem w środku nocy i w blasku słońca, w mróz, upał i deszcz. Nie, nie boję się wymówić go teraz.

– Wymów je zatem.

– Yennefer... Yennefer z Vengerbergu.

– A kwiaty są dla mnie.

– Skończmy z tym – powiedział z wysiłkiem. – Weź... Weź mnie za rękę.

Wstała, zbliżyła się, poczuł bijący od niej chłód, ostre, przenikliwe zimno.

– Nie dziś – powiedziała. – Kiedyś, tak. Ale nie dziś.

– Zabrałaś mi wszystko...

– Nie – przerwała. – Ja niczego nie zabieram. Ja tylko biorę za rękę. Po to, by nikt nie był wówczas sam. Sam we mgle... Do zobaczenia, Geralcie z Rivii. Kiedyś.

Nie odpowiedział. Odwróciła się powoli i odeszła. We mgłę, która nagle zasnuła szczyt wzgórza, we mgłę, w której zniknęło wszystko, w białą, mokrą mgłę, w której roztopił się obelisk, leżące u jego stóp kwiaty i wykute na nim czternaście imion. Nie było nic, była tylko mgła i mokre, błyszczące od kropel trawy pod nogami, trawy

pachniały
oszałamiająco, ciężko, słodko, aż do bólu skroni, do zapomnienia, zmęczenia...

– Panie Geralt! Co wam? Usnęliście? Mówiłem wam, słabiście jeszcze. Po co było leźć na szczyt?

– Usnąłem – przetarł twarz dłonią, zamrugał. – Usnąłem, cholera... To nic, Yurga, to ten upał...

– Ano, gorączka jak diabli... Trzeba nam jechać, panie. Chodźcie, pomogę wam zejść ze spadzizny.

– Nic mi nie jest...

– Nic, nic. Ciekawym tedy, od czego się słaniacie. Po zarazę właziliście na wzgórze w taki żar? Chcieliście ich imiona czytać? Mogłem je wam wszystkie powiedzieć. Co wam?

– Nic... Yurga... Pamiętasz rzeczywiście wszystkie imiona?

– Pewnie.

– Sprawdzę, jak u ciebie z pamięcią... Ostatnie. Czternaste. Jakie to imię?

– Ale z was niedowiarek. W nic nie wierzycie. Sprawdzić chcecie, czy nie łżę? Mówiłem wam przecie, te imiona u nas każdy dzieciak zna. Ostatnie, mówicie? Ano, ostatni jest Yoël Grethen z Carreras. Znaliście go może?

Geralt otarł nadgarstkiem powiekę. I spojrzał na menhir. Na wszystkie imiona.

– Nie – powiedział. – Nie znałem.

VIII

– Panie Geralt?

– Tak, Yurga?

Kupiec pochylił głowę, milczał jakiś czas, nawijając na palec resztkę cienkiego rzemyka, którym naprawiał siodło wiedźmina. Wreszcie uniósł się, stuknął lekko kułakiem w plecy powożącego wozem pachołka.

– Siadaj na luzaka, Pokwit. Ja powiozę. Siędnijcie ze mną na kozioł, panie Geralt. A ty czego koło wozu się kręcisz, Pokwit? Dalej, skacz w przód! My tu pogwarzyć chcemy, nie trza nam tu twoich uszu!

Płotka, drepcąca za wozem, zarżała, szarpnęła postronkiem, zazdroszcząc widać kobyłce Pokwita idącej kłusem gościńcem.

Yurga cmoknął, lekko smagnął konie lejcami.

– Ano – rzekł z ociąganiem. – Rzecz ma się tak, panie. Obiecałem wam... Wtedy, na moście... Złożyłem wam obietnicę...

– Nie trzeba – przerwał szybko wiedźmin. – Nie trzeba, Yurga.

– Trzeba – powiedział ostro kupiec. – Słowo moje nie dym. To, co w domu zastanę, a czego się nie spodziewam, będzie wasze.

– Daj pokój. Niczego od ciebie nie chcę. Jesteśmy kwita.

– Nie, panie. Jeśli coś takiego w domu zastanę, znaczy, to przeznaczenie. A jeśli z przeznaczenia zadrwić, jeśli skłamać z niego, to ono wonczas srogo karze.

Wiem, pomyślał wiedźmin. Wiem.

– Ale... Panie Geralt...

– Co, Yurga?

– Niczego ja w domu nie zastanę, czego się nie spodziewam. Niczego, a już na pewno nie tego, na coście liczyli. Panie wiedźmin, słyszycie to: Złotolitka, moja kobieta, więcej dzieci mieć nie może po ostatnim i czego jak czego, ale dzieciaka w domu nie będzie. Źleście, widzi mi się, trafili.

Geralt nie odpowiedział.

Yurga milczał również. Płotka znowu prychnęła, rzuciła łbem.

– Ale mam dwóch synów – rzekł nagle szybko Yurga, patrząc przed siebie, na gościniec. – Dwóch, zdrowych, silnych i niegłupich. Przecie gdzieś ich muszę do terminu dać. Jeden, myślałem, ze mną kupiectwa się będzie uczył. A drugi...

Geralt milczał.

– Co rzekniecie? – Yurga odwrócił głowę, spojrzał na niego. – Zażądaliście na moście obietnicy. Szło wam o dzieciaka do waszego wiedźmińskiego terminu, przecie nie o co innego. Czemu miałby ów dzieciak być niespodziany? A spodziany być nie może? Dwóch mam, jeden niech się więc na wiedźmina uczy. Fach jak fach. Nie lepszy, nie gorszy.

– Pewny jesteś – odezwał się cicho Geralt – że nie gorszy?

Yurga zmrużył oczy.

– Bronić ludzi, życie im ratować, jaka to po waszemu rzecz, zła czy dobra? Tych czternastu, na wzgórzu? Wy, na owym moście? Coście czynili, dobro czy zło?

– Nie wiem – rzekł z wysiłkiem Geralt. – Nie wiem, Yurga. Czasami wydaje mi się, że wiem. A niekiedy mam wątpliwości. Czy chciałbyś, by twój syn miał takie wątpliwości?

- A niech ma - powiedział poważnie kupiec. - Niechby miał. Bo to właśnie ludzka rzecz i dobra.
- Co?
- Wątpliwości. Tylko zło, panie Geralt, nigdy ich nie ma. A przeznaczenia swego nie uniknie nikt.

Wiedźmin nie odpowiedział.

Gościniec skręcał pod wysoką skarpę, pod krzywe brzozy, niewiadomym sposobem trzymające się pionowego zbocza. Brzozy miały żółte liście. Jesień, pomyślał Geralt, znowu jesień. W dole błyskała rzeka, bielał nowiutki ostrokół strażnicy, dachy chałup, ociosane pale przystani. Skrzypiał kołowrót. Prom

dobijał do brzegu, tocząc przed sobą falę, rozpychając wodę tępym nosem, rozgarniając pływające po powierzchni słomki i liście nieruchawe w brudnym kożuchu kurzu. Skrzypiały liny ciągnięte przez przewoźników. Stłoczony na brzegu tłum hałasował, wszystko było w tym hałasie: krzyk kobiet, klątwy mężczyzn, płacz dzieci, ryk bydła, rżenie koni, beczenie owiec. Jednostajna, basowa muzyka strachu.

- Precz! Precz, cofnąć się, psie krwie! - wrzeszczał konny z głową owiązaną zakrwawioną szmatą. Koń, zanurzony aż po brzuch, ciskał się, wysoko podrzucając przednie nogi, rozbryzgiwał wodę. Na przystani wrzask, krzyk - tarczownicy brutalnie rozpychali tłum, tłukli gdzie popadło trzonkami oszczepów.

- Precz od promu! - ryczał konny, wywijając mieczem. - Tylko wojsko! Precz, bo łby będę rozwalał!

Geralt ściągnął wodze, wstrzymał klacz, tańczącą tuż przy krawędzi wąwozu.

Wąwozem, w brzęku oręża i zbroi, cwałowali ciężkozbrojni, wzbijając tumany kurzu przysłaniające biegnących z tyłu tarczowników.

- Geraaaalt!

Spojrzał w dół. Na porzuconym, zepchniętym z gościńca wozie zapełnionym drewnianymi klatkami podskakiwał i wymachiwał rękami szczupły mężczyzna w wiśniowym kubraku i kapelusiku z czaplim piórkiem. W klatkach trzepotały i darły się kury i gęsi.

– Geraaalt! To ja!

– Jaskier! Chodź tutaj!

– Precz, precz od promu! – ryczał na przystani konny z obandażowaną głową. – Prom tylko dla wojska! Chcecie na tamten brzeg, psie chwosty, to do toporów i w las, tratwy klecić! Prom tylko dla wojska!

– Na bogów, Geralt – sapał poeta, wdrapawszy się po zboczu wąwozu. Jego wiśniowy kubrak usiany był, niby śniegiem, ptasim pierzem. – Widzisz, co się dzieje? Ci z Sodden niechybnie przegrali bitwę, zaczął się odwrót. Co ja mówię, jaki odwrót? To ucieczka, po prostu paniczna ucieczka! I nam trzeba stąd wiać, Geralt. Na tamten brzeg Jarugi...

– Co tu robisz, Jaskier? Skąd się tu wziąłeś?

– Co robię? – wrzasnął bard. – Jeszcze pytasz? Uciekam jak wszyscy, cały dzień tłukę się na tym wozie! Konia w nocy ukradł mi jakiś skurwysyn! Geralt, błagam, wyciągnij mnie z tego piekła! Powiadam ci, Nilfgaardczycy mogą tu być w każdej chwili! Kto nie odgrodzi się od nich Jarugą, pójdzie pod nóż. Pod nóż, rozumiesz?

– Nie panikuj, Jaskier.

W dole, na przystani, rżenie koni, wciąganych przemocą na prom, tłukących kopytami po deskach. Wrzask. Kotłowanina. Plusk wody, w którą wtoczył się zepchnięty wóz, ryk wołów, wystawiających pyski nad powierzchnię. Geralt patrzył, jak toboły i skrzynie z wozu obróciły się w nurcie, uderzyły w burtę promu, popłynęły. Wrzask, przekleństwa. W wąwozie chmura pyłu, tętent.

– Po kolei! – darł się zabandażowany, najeżdżając koniem na tłum. – Porządek, psia wasza mać! Po kolei!

– Geralt – jęknął Jaskier, chwytając za strzemię. – Widzisz, co się tam dzieje? W życiu nie zdołamy dostać się na ten prom. Wojacy przeprawią nim tylu, ilu zdołają, a potem spalą, żeby nie posłużył Nilfgaardczykom. Tak się zwykle robi, no nie?

– Zgadza się – kiwnął głową wiedźmin. – Tak się zwykle robi. Nie pojmuję jednak, skąd ta panika? Co to, pierwsza wojna, innych nie bywało? Jak zwykle, drużyny królów poszczerbią się nawzajem, a potem królowie dogadają się, podpiszą traktat i obaj urżną się z tej okazji. Dla tych, którzy w tej chwili miażdżą sobie żebra na przystani, nic się w zasadzie nie zmieni. Skąd więc cały ten gwałt?

Jaskier spojrzał na niego bacznie, nie puszczając strzemienia.

– Ty chyba masz kiepskie informacje, Geralt – powiedział. – Albo nie potrafisz zrozumieć ich znaczenia. To nie jest zwykła wojna o sukcesję tronu czy spłachetek ziemi. To nie jest potyczka dwóch feudałów, którą chłopi obserwują, nie przerywając sianokosów.

– Cóż to zatem jest? Oświeć mnie, bo w samej rzeczy nie wiem, o co chodzi. Tak między nami, to niewiele mnie to w sumie interesuje, ale objaśnij, proszę.

– Nie było nigdy podobnej wojny – rzekł poważnie bard. – Armie Nilfgaardu zostawiają za sobą spaloną ziemię i trupy. Całe pola trupów. To jest wojna na wyniszczenie, na pełne wyniszczenie. Nilfgaard przeciw wszystkim. Okrucieństwa...

– Nie ma i nie było wojny bez okrucieństw – przerwał wiedźmin. – Przesadzasz, Jaskier. To tak, jak z tym promem: tak się zwykle robi. Taka, powiedziałbym, wojskowa tradycja. Jak świat światem, ciągnące przez kraj armie zabijają, grabią, palą i gwałcą, niekoniecznie w tej kolejności. Jak świat światem, chłopkowie w czas wojny chowają się po lasach z babami i podręcznym dobytkiem, a jak się wszystko skończy, wracają...

– Nie w tej wojnie, Geralt. Po tej wojnie nie będzie komu wracać i do czego wracać. Nilfgaard zostawia za sobą pogorzelisko, armie idą ławą i wygarniają wszystkich. Szubienice i pale ciągną się milami wzdłuż gościńców, dymy biją w niebo jak horyzont długi. Powiedziałeś, jak świat światem nie było czegoś takiego? Ano, trafiłeś. Tak, jak świat światem. Naszym światem. Bo wygląda na to, że Nilfgaardczycy przybyli zza gór, by zniszczyć nasz świat.

– To nie ma sensu. Komu mogłoby zależeć na niszczeniu świata? Nie prowadzi się wojen, by niszczyć. Wojny prowadzi się z dwóch powodów. Jednym jest władza, drugim pieniądze.

– Nie filozofuj, Geralt! Tego, co się dzieje, nie zmienisz

filozofią! Dlaczego nie słuchasz? Dlaczego nie widzisz? Dlaczego nie chcesz rozumieć? Uwierz mi, Jaruga nie zatrzyma Nilfgaardczyków. Zimą, gdy rzeka zamarznie, pójdą dalej. Mówię ci, trzeba wiać, wiać aż na Północ, może tam nie dojdą. Ale nawet jeśli tam nie dojdą, nasz świat nie będzie już nigdy taki, jaki był. Geralt, nie zostawiaj mnie tutaj! Nie dam sobie rady sam! Nie zostawiaj mnie!

– Chybaś oszalał, Jaskier – wiedźmin przechylił się w kulbace. – Chybaś oszalał ze strachu, jeśli mogłeś pomyśleć, że cię zostawię. Daj rękę, wskakuj na konia. Tu nie masz czego szukać, na prom i tak się nie dopchasz. Odwiozę cię w górę rzeki, poszukamy łodzi albo tratwy.

– Nilfgaardczycy ogarną nas. Są już blisko. Widziałeś tych konnych? Widać, że idą prosto z bitwy. Jedźmy w dół rzeki, w stronę ujścia Iny.

– Przestań krakać. Przemkniemy się, zobaczysz. W dół rzeki też ciągną tłumy ludzi, przy każdym promie będzie to samo co tu, wszystkie łodzie też pewnie już zaharapcili. Jedziemy w górę, pod prąd, nie bój się, przeprawię cię choćby na kłodzie.

– Tamten brzeg ledwo widać!

– Nie marudź. Powiedziałem, przeprawię cię.

– A ty?

– Wskakuj na konia. Pogadamy w drodze. Hej, do diabła, tylko nie z tym worem! Chcesz, żeby Płotce pękł grzbiet?

– To jest Płotka? Płotka była gniada, a to jest kasztanka.

– Każdy mój koń nazywa się Płotka. Dobrze o tym wiesz i nie zagaduj mnie. Powiedziałem, precz z tym worem. Co tam masz, do cholery? Złoto?

– Rękopisy! Wiersze! I trochę żarcia...

– Wrzuć do rzeki. Napiszesz nowe wiersze. A żarciem podzielę się z tobą.

Jaskier zrobił żałosną minę, ale nie zastanawiał się długo, z rozmachem cisnął sakwę do wody. Wskoczył na konia, powiercił się, lokując na jukach, przytrzymał się pasa wiedźmina.

– W drogę, w drogę – ponaglał niespokojnie. – Nie traćmy czasu, Geralt, zapadnijmy w lasy, zanim...

– Przestań, Jaskier, bo ta twoja panika zaczyna się udzielać Płotce.

– Nie kpij. Żebyś ty widział to, co ja...

– Zamknij się, cholera. Jedziemy, chciałbym przed zapadnięciem zmroku załatwić ci przeprawę.

– Mnie? A ty?

– Ja mam sprawy po tej stronie rzeki.

– Szalonyś chyba, Geralt. Życie ci niemiłe? Jakie sprawy?

– Nie twój interes. Jadę do Cintry.

– Do Cintry? Nie ma już Cintry.

– Co ty gadasz?

– Nie ma już Cintry. Jest pogorzelisko i kupa gruzu. Nilfgaardczycy...

– Zsiadaj, Jaskier.

– Co?

– Zsiadaj! – wiedźmin odwrócił się gwałtownie. Trubadur spojrzał na jego twarz i sfrunął z konia na ziemię, cofnął się o krok, potknął.

Geralt zsiadł powoli. Przerzucił wodze przez łeb klaczy, stał chwilę niezdecydowany, potem przetarł twarz urękawiczoną dłonią. Usiadł na brzegu wykrotu, pod rozłożystym krzakiem świdwy o krwistoczerwonych pędach.

– Chodź tu, Jaskier – powiedział. – Siadaj. I opowiadaj, co z Cintrą. Wszystko.

Poeta usiadł.

– Nilfgaardczycy weszli tam przez przełęcze – zaczął po chwili milczenia. – Były ich tysiące. Otoczyli wojska Cintry w dolinie Marnadal. Doszło do bitwy, trwającej cały dzień, od świtu do zmierzchu. Ci z Cintry stawali dzielnie, ale zdziesiątkowano ich. Król poległ, a wówczas ich królowa...

– Calanthe.

– Tak. Nie dopuściła do popłochu, nie pozwoliła, by poszli w rozsypkę, zebrała wokół siebie i sztandaru kogo tylko zdołała, przebili się przez pierścień, wycofali za rzekę, w stronę miasta. Kto zdołał.

– A Calanthe?

– Z garstką rycerzy broniła przeprawy, osłaniała odwrót. Mówiono, że biła się jak mężczyzna, rzucała jak szalona w największy wir. Skłuto ją pikami, gdy szarżowała na nilfgaarddzką piechotę. Ciężko ranną wywieziono do miasta. Co jest w tej manierce, Geralt?

– Gorzałka. Chcesz?

– No chyba.

– Mów. Mów dalej, Jaskier. Wszystko.

– Miasto w zasadzie nie broniło się, nie było oblężenia, nie było już komu stanąć na murach. Resztka rycerzy z rodzinami, wielmoże i królowa... Zabarykadowali się w zamku. Nilfgaardczycy zdobyli zamek z marszu, ich czarownicy rozwalili w pył bramę i część murów. Bronił się tylko stołb, widocznie czarodziejsko zabezpieczony, bo opierał się nilfgaardzkiej magii. Pomimo tego, po czterech dniach Nilfgaardczycy wdarli się do środka. Nie zastali nikogo żywego. Nikogo. Kobiety zabiły dzieci, mężczyźni zabili kobiety i rzucili się na miecze albo... Co ci jest, Geralt?

– Mów, Jaskier.

– Albo... jak Calanthe... Głową w dół, z blanków, z samego szczytu. Mówią, że prosiła, by ją... Nikt nie chciał. Dopełzła więc do blanków i... Głową w dół. Podobno okropne rzeczy robiono z jej ciałem. Nie chcę o tym... Co ci jest?

– Nic. Jaskier... W Cintrze była... Dziewczynka. Wnuczka Calanthe, coś około dziesięciu, jedenastu lat. Nazywała się Ciri. Słyszałeś coś o niej?

– Nie. Ale w mieście i zamku doszło do straszliwej rzezi i prawie nikt nie uszedł z życiem. A z tych, co bronili stołbu, nie ocalał nikt, mówiłem ci. A większość kobiet i dzieci znaczniejszych rodów była właśnie tam.

Wiedźmin milczał.

– Ta Calanthe – spytał Jaskier. – Znałeś ją?

– Znałem.

– A dziewczynkę, o którą pytałeś? Ciri?

– I ją znałem.

Powiał wiatr od rzeki, zmarszczył wodę, szarpnął gałęziami, z gałęzi migotliwą kurzawą poleciały liście. Jesień, pomyślał wiedźmin, znowu jesień.

Wstał.

– Wierzysz w przeznaczenie, Jaskier?

Trubadur uniósł głowę, spojrzał na niego szeroko otwartymi oczami.

– Dlaczego pytasz?

– Odpowiedz.

– No... wierzę.

– A czy wiesz, że samo przeznaczenie to za mało? Że trzeba czegoś więcej?

– Nie rozumiem.

– Nie ty jeden. Ale tak właśnie jest. Trzeba czegoś więcej. Problem polega na tym, że ja... Ja już nigdy nie dowiem się, czego.

– Co z tobą, Geralt?

– Nic, Jaskier. Chodź, wsiadaj. Jedziemy, szkoda dnia. Kto wie, ile czasu zajmie nam szukanie łodzi, a będziemy potrzebować dużej. Przecież nie zostawię Płotki.

– Przeprawimy się razem? – ucieszył się poeta.

– Tak. Po tej stronie rzeki nie mam już czego szukać.

IX

– Yurga!

– Złotolitka!

Biegła od bramy, powiewając wyzwolonymi spod chusty włosami, potykając się, krzycząc. Yurga rzucił powody pachołkowi, skoczył z wozu na ziemię, pobiegł na spotkanie, chwycił ją w pasie, mocno, poderwał z ziemi, zakręcił, zawirował.

– Jestem, Złotolitka! Wróciłem!

– Yurga!

– Wróciłem! Ejże, rozwierajta wrota! Gospodarz wrócił! Ech, Złotolitka!

Była mokra, pachniała mydlinami. Prała, widać. Postawił ją na ziemi, ale i wtedy nie puściła go, wczepiona, roztrzęsiona, ciepła.

– Prowadź w dom, Złotolitka.

– Bogowie, wróciłeś... Po nocach nie spałam... Yurga... Po nocach nie spałam...

– Wróciłem. Ech, wróciłem! I bogato wróciłem, Złotolitka. Widzisz wóz? Hej, poganiaj, zajeżdżaj we wrota! Widzisz wóz, Złotolitka? Dość dobra wiozę, by...

– Yurga, co mi dobro, co mi wóz... Wróciłeś... Zdrowy... Cały...

– Bogato wróciłem, mówię. Wraz zobaczysz...

– Yurga? A on kto? Ten czarno odziany? Bogowie, z mieczem...

Kupiec obejrzał się. Wiedźmin zsiadł z konia, odwrócony, udawał, że poprawia popręg i juki. Nie patrzył na nich, nie podchodził.

– Później ci powiem. Och, Złotolitka, żeby nie on... A gdzie dzieciaki? Zdrowe?

– Zdrowe, Yurga, zdrowe. W pole poszły, wrony strzelać, ale sąsiady znać im dadzą, żeś w domu. Wraz przylecą, cała trójka...

– Trójka? Cóżeś to, Złotolitka? Możeś...

– Nie... Ale coś muszę ci rzec... Nie będziesz gniewny?

– Ja? Na ciebie?

– Przygarnęłam dziewuszkę, Yurga. Od druidów wzięłam, wiesz, od tych, co po wojnie dzieci ratowali... Zbierali po lasach te bezdomne i pogubione... Ledwo żywe... Yurga? Gniewnyś?

Yurga przyłożył dłoń do czoła, obejrzał się. Wiedźmin szedł powoli za wozem, prowadził konia. Nie patrzył na nich, wciąż odwracał głowę.

– Yurga?

– O, bogowie – jęknął kupiec. – O, bogowie! Złotolitka... Coś, czegom się nie spodziewał! W domu!

– Nie bądź gniewny, Yurga... Obaczysz, polubisz ją. Dziewuszka mądra, miła, robotna... Dziwna trochę. Nie chce mówić, skąd jest, płacze zaraz. To i nie pytam. Yurga, wiesz, jakem zawsze chciała, by była córka... Co ci?

– Nic – rzekł cicho. – Nic. Przeznaczenie. Całą drogę przez sen gadał, bredził w gorączce, nic, jeno przeznaczenie i przeznaczenie... Na bogów... Nie na nasz to rozum, Złotolitka. Nie pojąć nam, co myślą tacy, jak on. O czym śnią. To nie na nasz rozum...

– Tata!!!

– Nadbor! Sulik! Aleście wyrośli, jako byczki! Ano, sami tu, do mnie! Żywo...

Urwał, widząc małą, szczuplutką, popielatowłosą istotkę idącą wolno za chłopcami. Dziewczynka spojrzała na niego, zobaczył wielkie oczy, zielone jak trawa wiosną, błyszczące jak dwie gwiazdeczki. Zobaczył, jak dziewczynka podrywa się nagle, jak biegnie, jak... Usłyszał, jak krzyczy, cienko, przenikliwie.

– Geralt!

Wiedźmin odwrócił się od konia, błyskawicznym, zwinnym ruchem. I pobiegł na spotkanie. Yurga patrzył urzeczony. Nigdy nie myślał, że człowiek może poruszać się tak szybko.

Spotkali się na środku podwórka. Popielatowłosa dziewuszka w szarej sukieneczce. I białowłosy wiedźmin z mieczem na plecach, cały w czarnej skórze lśniącej od srebra. Wiedźmin w miękkim skoku, dziewuszka w truchciku, wiedźmin na kolanach, cienkie rączki dziewuszki dookoła jego szyi, popielate, mysie włosy na jego ramieniu. Złotolitka krzyknęła głucho. Yurga objął ją, bez słowa przygarnął do siebie, drugą ręką zebrał i przytulił obu chłopców.

– Geralt! – powtarzała dziewczynka, lgnąc do piersi wiedźmina. – Znalazłeś mnie! Wiedziałam! Zawsze wiedziałam! Wiedziałam, że mnie odnajdziesz!

– Ciri – powiedział wiedźmin.

Yurga nie widział jego twarzy ukrytej w popielatych włosach. Widział ręce w czarnych rękawicach ściskające plecy i ramiona dziewczynki.

– Znalazłeś mnie! Och, Geralt! Cały czas czekałam! Tak okropecznie długo... Będziemy już razem, prawda? Teraz będziemy razem, tak? Powiedz, Geralt! Na zawsze! Powiedz!

– Na zawsze, Ciri.

– Tak, jak mówili! Geralt! Tak, jak mówili... Jestem twoim przeznaczeniem? Powiedz! Jestem twoim przeznaczeniem?

Yurga zobaczył oczy wiedźmina. I zdziwił się bardzo. Słyszał cichy płacz Złotolitki, czuł drganie jej ramion. Patrzył na wiedźmina i czekał, cały spięty, na jego odpowiedź. Wiedział, że nie zrozumie tej odpowiedzi, ale czekał na nią. I doczekał się.

– Jesteś czymś więcej, Ciri. Czymś więcej.

Spis rzeczy

Andrzej Sapkowski w INTERNECIE

Opowiadania i nowele, fragmenty powieści,
grafika, wywiady z Autorem,
biografia i bibliografia, krytyki i recenzje,
lista dyskusyjna,
„Wiedźmin Companion",
fanfiction, lista dyskusyjna,
Słownik Starszej Mowy, mapa –
wszystko to SAPKOWSKI ZONE!

Wystarczy wystukać:
http://sapkowski.fantasy.art.pl

SENSACYJNY DEBIUT!

ANNA
BRZEZIŃSKA
ZBÓJECKI GOŚCINIEC

superNOWA

Anna Brzezińska, nowa supernowa naszego wydawnictwa, wprowadza nas do swojej krainy magii i miecza, gdzie krzyżują się losy podążającej za swoim przeznaczeniem wojowniczki Szarki, pozbawionego skrupułów zbója Twardokęska i tajemniczego księcia wygnańca.